Schweickhardt, Franz Xavie

Darstellung der K.K. Haupt- und Residenzstadt Wien

Schweickhardt, Franz Xavier Joseph

Darstellung der K.K. Haupt- und Residenzstadt Wien

Inktank publishing, 2018

www.inktank-publishing.com

ISBN/EAN: 9783750100794

Darstellung

der

k. k. Haupt- und Residenzstadt

Wien

von

Franz Xavier Otter von Sickingen.

Dritte Abtheilung.

Beschreibung der Merkwürdigkeiten der innern Stadt und der 34 Vorstädte.

Wien.

Gedruckt bei den PP. Mechitaristen.

1832.

[handschriftliche Signatur]

Beschreibung der kaiserl. königl. Hofburg.

Zum Schlusse der II. Abtheilung von Wiens Darstellung haben wir die malerische Ansicht der Stadt mit ihren Vorstädten im Allgemeinen in kurzen, aber deutlichen Umrissen dem geneigten Leser vor Augen gelegt; bevor wir daher jetzt zur detaillirten Beschreibung aller 34 Vorstädte schreiten, wollen wir alle Palläste, Kirchen, Denkmale und sonstige Merkwürdigkeiten der Stadt, in derselben Reihenfolge, wie wir sie getroffen und in der II. Abtheilung aufgeführt haben, hier folgen lassen, und solche in allen ihren Bestandtheilen darstellen.

Unter diesen gebührt der alten, mit Oesterreichs Geschicken innigst verbundenen und mit ihm gewachsenen Kaiserburg der erste Platz; dieses am südwestlichen Ende der Stadt gelegene, zwar unregelmäßige, aber eben so ehrwürdige und Achtung gebietende Gebäude ward, wie schon bei der Geschichte Wiens erwähnt worden, von Herzog Leßpold dem Glorreichen anstatt des von Herzog Heinrich Jasomirgott an der Stelle des jetzigen Hofkriegsrathsgebäudes gestandenen Herzogshofes, zu Anfang des XIII. Jahrhunderts begonnen. Sie bildete damals ein großes mit vier starken Thürmen versehenes, einen jetzt mit dem in spätern Zeiten erhaltenen Namen »Schweizerhof« benannten Hofraum einschließendes Gebäude, welchem, obgleich seit Jahrhunderten vielfach verändert, dennoch an einigen Stellen unverkennbare Ueberreste seiner frühern Gestalt geblieben sind. Diese erste ursprüngliche Burg, von welcher alle die andern, verschiedenen Zeitaltern angehörigen spätern Zubaue, welche dem Ganzen sei-

1 *

ne gegenwärtige Gestalt geben, ausgegangen sind, ward im
Jahre 1275 durch jene fast das ganze damalige Wien verwüsten=
de Feuersbrunst ebenfalls zerstört, ihr Aufbau sodann von Kö=
nig Ottokar wieder begonnen, zu Anfang des XIV. Jahrhun=
derts von Albrecht I., Sohn Kaiser Rudolphs von Habsburg,
vollendet, späterhin von Kaiser Ferdinand I. vielfach vergrö=
ßert und sowohl von diesem als auch von Kaiser Leopold I.
nach-einem während seiner Regierungszeit wiederholt erlittenen
starken Brande, und von Kaiser Carl VI., welcher die hintere
Seite des Gebäudes ganz umbauen ließ, so wie auch durch Ma=
ria Theresia im Innern und Aeußern verschönert. Als an=
tike Theile dieser alten Burg sind das Einfahrtsthor, dann ein
Stein zunächst dem an das Hofburg=National=Theater ansto=
ßenden, mit zum Theil noch vorhandenen Wappen und Aufschrift
aus den Zeiten Ferdinands I. herrührenden abgetragenen
Thurme, die zum Theil noch sichtbaren Gräben, welche die Burg
umgaben, und wovon die im Rücken derselben sich hinziehenden
überdeckt sind, ein Theil eines alten Thurmes, welcher gegen das
Burgthor zu an der Seite des Rittersaales befindlich ist, die
Capelle im Schweizerhofe und andere alte Bautheile besonders
zu bemerken. Aus dem Hofe derselben, in welchem in früheren
Zeiten die Schweizerwache stand, führen jetzt zwei aus der Re=
gierungsepoche jener beiden letzteren herrührende, großartig ange=
legte Treppen, die nächst einer Herkules=Statue sich erhebende
»Botschafter=« und linker Hand die »Säulenstiege«
in das Innere des Gebäudes.

Durch das in seiner Bauart und die dabei befindlichen Ver=
zierungen höchst alterthümlich sich darstellende, unter Kaiser Fer=
binand I., wie die Aufschrift zeigt, im Jahre 1552 im tosca=
nischen Style errichtete, vormals mit einer Aufzugbrücke versehene
Thor, welches unter dem von JJ. MM. bewohnten Theil die=
ses Gebäudes sich befindet, gelangt man aus dem sogenannten
Schweizerhof, auf den regulärsten und schönsten Platz; nämlich
den Hauptplatz der kaiserlichen Burg, welcher 64 Klafter lang
und 35 Klafter breit, gegen Norden von dem ausgezeichneten Ge=

bäude der ehemaligen Reichskanzlei, gegen Westen von dem Amalienhof, gegen Süden von dem Leopoldinischen Tract und gegen Osten von dem oben erwähnten Schweizerhof, weit richtiger »die alte Burg« benannt, umschlossen wird. Der links vor jenem Einfahrtsthor sich hinziehende vier Stock hohe, 25 Fenster an der äußern und innern Fronte zählende eben gedachte Leopoldinische Flügel ward im Jahre 1660 von Kaiser Leopold I. zu bauen begonnen, um dadurch die alte Burg mit der damals zum Theil an dem Platze des jetzigen Amalienhofes stehenden Rudolphsburg, auf welche wir bald zurückkommen werden, zu verbinden; aber zwei Jahre nach seiner Vollendung, am 13. Februar 1668, brannte derselbe, wie bereits erwähnt, wieder ab, worauf er jedoch sogleich wieder von Neuem in seiner gegenwärtigen Gestalt hergestellt ward. Dieser Theil der Burg ward von Maria Theresia und Joseph II. bewohnt und enthält die großen Säle und die Prachtzimmer, in denen auch alle Feierlichkeiten und Hoffeste abgehalten werden; in seinem Erdgeschoße befindet sich die Burgwache, vor welcher zwei Kanonen stehen. Da, wo sich dieses lange Gebäude an die alte Burg anschließt, erhebt sich von außen der Burg gegen das neue Burgthor hin, in gleicher Höhe, aber neuen Baustyls mit Façade nach jonischer Art, mit Lesenen der von drei Seiten frei hervortretende, im Jahre 1805 ganz neu erbaute große Ritterfaal, unter und neben welchem zwei Einfahrten den äußern neu angelegten Burgplatz mit dem innern verbinden, von denen die neuere unter dem Ritterfaale nur für die Personen des allerhöchsten Hofes zum Fahren, außer diesen nur für Fußgänger, die ältere gleich daneben und zwischen der Burgwache, durch die häufige Passage aber viel zu beengte, für Wagen und Fußgänger zugleich dient. Das Aeußere und vorzüglich das Innere dieses Leopoldinischen Tractes hat übrigens noch ganz das Gepräge seiner Zeit, wo deutsche Kunst und Bildung in Form und Wesen dem Geschmack der Franzosen sich zu nähern begann, wie wir auch schon bei der Geschichte Wiens bei Leopold I. zu erwähnen Gelegenheit hatten.

An diesen Flügel stößt der sogenannte Amalienhof,

welcher der alten Burg gegenüber liegt. Derselbe besteht aus vier zusammenhängenden Theilen, welche einen viereckigen, ziemlich regelmäßigen, aber gar nicht großen Hof einschließen, von denen der gegen den erwähnten großen Burgplatz ausgehende mit einem kleinen mit Uhr und Mondesglobus versehenen Thurm geziert ist; hier stand früher das »feste Haus« des in der Geschichte oft erwähnten Grafen Ulrich von Cilly, welches jedoch im Jahre 1525 abbrannte, worauf von Kaiser Rudolph II. dort eine neue Burg, nach ihm die »Rudolphsburg« genannt, in ihrer jetzigen Gestalt erbaut ward; da nach dem Tode Kaiser Josephs I. dessen Witwe, die Kaiserin Amalie, dieselbe vielleicht zuerst und auf Lebenszeit bewohnte, so ward ihr allgemein der Name »Amalienhof« beigelegt. Auch Kaiser Leopold II. wohnte während seiner kurzen Regierung daselbst. Seit dem Tode dieses Monarchen stand derselbe leer, wurde wohl zuweilen für hohe Gäste zum Aufenthalte verwendet, wie dieß während der Congreßzeit im Jahre 1814 besonders der Fall war, wird aber jetzt seit mehreren Jahren von einigen hohen Gliedern der kaiserlichen Familie wieder bewohnt.

Die schönste Seite des Burgplatzes bildet jedoch die von Kaiser Carl VI. durch seinen vortrefflichen Baumeister Fischer von Erlach im Jahre 1728 aufgeführte Reichskanzlei, deren Stelle vorher zum Theil eine unter demselben Regenten errichtete prächtige Triumphpforte einnahm; sie ist wie alle übrigen Werke dieses Meisters in einem großartigen Style, an der Haupt-Façade mit korinthischen Lesenen, mehreren ovalen Basreliefs und am Frontispice mit dem mit mehreren Figuren versehenen Wappen K. Carls VI. geziert, in vier Geschossen erbaut, hat 27 Fenster in der Fronte gegen den Burgplatz hin, drei große Einfahrten, über denen eben so viele Altanen mit reichlichen Verzierungen sich befinden, und nimmt mit ihrer Rückseite, die unregulär und daher der Vorderseite keineswegs gleichkommt, fast die ganze Länge der Schauflergasse ein; an den Ausfahrten vom Burgplatz in die Gasse und zum Michaelerplatze hin, welche letztere zugleich als Hauptdurchfahrt der Burg dient, stehen zu beiden Seiten kolossale steinerne Statuen von Laurenz Matielli verfertigt, die »Thaten des Herkules« darstellend. An der Seite gegen den Michaelerplatz ist dieses Gebäude, ein Halb-Rondeau darstellend, noch nicht ausgebaut, und man gewahrt sehr deutlich, daß von hier bis zur kaiserlichen Winter-Reitschule, wo inzwischen das Hofburg-National-Theater steht, ein Hauptverbindungs = Gebäude hinzukommen sollte. Dieses schöne Gebäude der Reichskanzlei, welches durch die Auflösung des deutschen Reiches seine erste Bestimmung verloren hat, enthält jetzt schöne Wohngemächer für die kaiserliche Familie, und die Kanzleien einiger Hofämter.

Auf der linken Seite des Michaelerplatzes, an das nicht hohe und alle Verzierungen entbehrende National = Theater anstoßend, — welches wegen seiner Lage gewöhnlich das »Burgtheater« genannt wird — erhebt sich mit der Hauptfronte gegen diesen Platz und die Stallburg hin, auf der Stelle eines Theiles des vormaligen kaiserlichen Lustgartens, ebenfalls ein Werk Fischers von Erlach, die k. k. Winter-Reitschule, welche als das schönste und größte Gebäude dieser Art gelten kann und in ihrem Rücken gegen das Gebäude des Schweizerhofes ebenfalls einen etwas länglichen Hof bildet, in welchem eine kleine Sommer = Reitschule angelegt ist. Auch hier sieht man deutlich die Gräben der alten Burg, welche sich der Burgcapelle, die so zu sagen im Rücken des Schweizerhofes von diesem Gebäude sich umbaut befindet, daher auch der Eingang gleich zu Anfang der Botschafterstiege links hinzuführt, entlang bis zum Haupt = Burgplatze hinziehen, bei der Capelle aber mit Steinplatten überdeckt sind.

Die Hauptfronte der Reitschule bildet an der Ecke einen halbrunden Vorsprung im obern Geschosse mit korinthischer Säulen-Colonnade, und einer steinernen Gallerie versehen. Ober derselben ist ein einfacher kaiserlicher Adler mit andern Kriegs-Trophäen angebracht, und das Dach bildet eine ziemlich hohe, zierlich mit Kupfer gedeckte Kuppel. Das Innere dieser Reitschule ist ein außerordentlich großer und hoher Raum, um welchen eine auf 46 Säulen ruhende Gallerie läuft, und wo sich dem Eingange gegenüber eine große mit dem Bildniß Kaiser Carls VI. zu Pferde verzierte, für den k. k. Hof bestimmte Loge befindet. Schon mehrmals war dieses ausgezeichnete Gebäude der Schauplatz glänzender Feste und Versammlungen, von denen jene zur Zeit des Congresses statt gefundenen, welche schon in der Geschichte der Stadt erwähnt worden, dem Andenken aller derer, die Augenzeugen davon waren, wohl niemals entschwinden werden. Von hier angefangen und mit dieser Reitschule in Verbindung zieht sich ein vereintes majestätisches Gebäude von zwei Geschossen bis hart an die Augustiner-Hofpfarrkirche, welches zwei Seitenflügel und einen zurückstehenden Haupt-Tract bildet; dadurch wird der bekannte Josephsplatz, der sehr regelmäßig in Quadratform besteht, eingeschlossen. Jener Seitentheil zunächst der kaiserlichen Winter-Reitschule, ehemals das große Opernhaus, enthält den großen und kleinen Redoutensaal, welche beide geschmackvoll verziert sind und von denen der größere unter die bedeutendsten Säle Deutschlands zu zählen ist. Der gegenüber an der Seite der Augustinerkirche stehende Theil enthält das zoologisch-botanische Cabinet (vereinigtes Naturalien-Cabinet), und die Hauptfronte die k. k. Hofbibliothek. Auch dieses riesenmäßige Gebäude, welches einen wahrhaft majestätischen Anblick gewährt, ist in großartigem Style von dem wackern Hofbaumeister Fischer aufgeführt worden, eine richtige Uebersicht davon gibt das gestochene Kupferblatt »der Josephsplatz« in der zweiten Abtheilung gegenwärtigen Werkes. Dasselbe ward ebenfalls auf Befehl Kaiser Carls VI. im Jahre 1723 zu errichten begonnen, wovon die drei Façaden mit Lesenen und Verzierungen basreliefartig ober den Fenstern, dann an jedem Flügel mit einer, und der mittlere Theil der Bibliothek mit drei Altanen herrlich ausgeschmückt sind. An der Kuppel in der Mitte dieses Gebäudes befindet sich eine steinerne Gruppe: Minerva auf einem Triumphwagen, von vier Pferden gezogen, welche zwei Figuren, wovon eine den »Neid,« die andere die »Unwissenheit« bedeutet, zu Boden treten, darunter ist eine lateinische, auf die Gründung der Bibliothek durch Kaiser C a r l VI. Bezug habende Inschrift; eine zweite befindet sich weiter unten zwischen der ersten und zweiten Fensterreihe und hat auf die durch M a r i a T h e r e s i a und J o s e p h II. getroffene Veranstaltung Bezug, nämlich das im Jahre 1766 erfolgte Sinken des Grundes dieses Gebäudes durch zweckmäßige Vorbaue abzuwenden. Neben der Minerva in der Mitte des Seitentheiles steht Atlas, die Himmelskugel, welche von vergoldetem Metall ist, tragend, neben zwei auf die Astronomie deutenden Figuren, auf der andern Seite Tellus mit der Erdkugel von gleichem Stoffe, und neben ihm zwei Figuren, welche sich auf die Geometrie beziehen. Wenn auch, wie schon erwähnt, alle Gebilde des Baumeisters der Bibliothek sich durch einen erhabenen Styl auszeichnen, so wird man beim Anblick des Innern dieses Gebäudes unwillführlich zu Erstaunen und Verehrung gegen einen solchen Meister hingerissen, wie.wir bei der innern Beschreibung dieser Theile wohl bald sehen werden.

Solchergestalt hätten wir also den geneigten Leser mit den bestehenden äußeren Umrissen der k. k. H o f b u r g bekannt gemacht, die, soll uns ja eine sinnliche Vergleichung hier gestattet seyn, gleich dem österreichischen Reiche, welches aus so vielen Königreichen, Herzogthümern und andern Provinzen besteht, in ihren verschiedenen Theilen ebenfalls eine solche Vermehrung und Wachsthum aus verschiedenen Zeiten beurkundet, und so prangt diese Burg mächtig, heilig aber jedem Oesterreicher, da er weiß, daß der M o n a r c h mit s e i n e r h o h e n, u n s a l l e n ü b e r - a u s t h e u e r e n F a m i l i e solche bewohnt.

Es ist uns durch die besondere Huld und Gnade des gütigen Kaisers gestattet worden, auch die innere Ausschmückung der kaiserlichen Gemächer beschreiben zu dürfen, so wollen wir denn die Reihe derselben vorführen, und bei jenen Apartements, die S e. M a j e s t ä t im Schweizerhofe bewohnen, den Anfang machen.

Diese befinden sich im zweiten Stocke, und es führt dazu als Haupteingang die Säulenstiege links zunächst dem Brunnen. Hier öffnen sich zur linken und rechten Hand zwei Vorzim-

mer (Antichambren), in welchen die Trabanten = Garde die Wa=
che hält. Durch diese rechter Hand gelangt man zu dem Saale,
in welchem der Kaiser die gewöhnliche Audienz ertheilt; vor die=
sem im dritten Zimmer steht gewöhnlich ein Officier der deutschen
Arcieren= und ein solcher von der ungrischen adelichen Leibgarde
mit gezogenem Säbel. Gleich von diesem Zimmer gegen das Na=
tional = Theater zu ist das Gemach, einen Theil der kaiserl. Gar=
derobe enthaltend, welches ehedem die sogenannte S t. N i c o=
l a u s = C a p e l l e war und unter Kaiser F e r d i n a n d II. be=
stand, nachgehends wurde sie als Kammer = Capelle gebraucht und
ging im J. 1786 ein; so daß keine Spur mehr übrig ist.

Der A u d i e n z s a a l ist von mittlerer Größe mit einem
roth sammtenen Baldachin versehen und mit Gobelin = Tapeten
aus der merkwürdigen Pariser Manufactur geziert, die my=
thologische Geschichten enthalten. Wir brauchen wohl kaum zu
erwähnen, daß solche unter die künstlichst gearbeiteten gehören,
deren Zeichnung und Farbenschmelz bei näherer Beschauung Je=
dermann in Staunen setzen. — In diesem Saale schenkt der
Kaiser bei seiner Anwesenheit in der Residenzstadt wöchentlich
einmal — gewöhnlich am Donnerstage — dem Reichen wie
dem Bettler geneigtes Gehör, wobei die Anzahl der Anwe=
senden oft gegen zweihundert beträgt; um 7 Uhr früh Mor=
gens ist hierzu der Anfang, und ein jeder, der das Glück erhalten
hat, sich seinem Landesfürsten nähern zu dürfen, wird bekennen,
wie sehr die unendliche Herablassung und Milde des gütigsten der
Monarchen, der gleich wie ein Vater liebend zu seinen Kindern
spricht, ihn überrascht habe. — Es ist ein wichtiger Ort der
G n a d e n s p e n d e, der W e i s h e i t und G e r e c h t i g k e i t s=
l i e b e des h o c h v e r e h r t e n H e r r s c h e r s! — An diesen
reiht sich das geheime A u d i e n z = C a b i n e t; dahin haben die
Minister, adeliche und andere Personen den Zutritt, woran meist
die Audienz am Mittwoch statt findet. Schöne grüne Seidenta=
peten mit gleichen Meubeln und Fenster = Draperien, dann eine
prächtige und wahrhaft kunstvoll gearbeitete Uhr, die einen Mo=
nat lang geht, von Ignatz B e r l i n g e r aus Wien, und zwei

Pracht=Porzellanvasen zieren dieses niedliche Gemach. Das daranstoßende Zimmer ist die eigentliche **Kammer des Kaisers**, in welcher sich der Kammerdiener, Kammerheizer ꝛc. ꝛc. befinden. Wir bemerken darin einen großen Barometer aus den Zeiten Kaiser Josephs. Im Rücken der Kammer ziehen sich zwei Vorzimmer hin, durch welche der Eingang von außen links zum Kaiser und auch zur Kaiserin hergestellt ist. — An jenes der Kammer grenzt das **Sitzzimmer**; es ist mit gewirkten rothen niederländischen Tapeten, in der Mitte einer jeden Wand mit herrlichen Figuren=Basreliefs und Blumengewinden äußerst kunstvoll gearbeitet und von großem Werth, ausgeschmückt, und mit weiß und vergoldeten Meubeln eingerichtet. Die Wachsbüste Ihrer Majestät der Frau Erzherzogin Maria Luise, Herzogin von Parma, aus ihrer Jugendzeit, und die lebensgroße Wachsfigur der kleinen Erzherzogin von der ersten Gemahlin Sr. Majestät, Elisabeth, Herzogin von Würtemberg, sind auf den Kästen aufgestellt. Außerdem sind hier noch mehrere Miniaturgemälde von der hohen kaiserlichen Familie vorhanden. Ein Bruststück von weißem Marmor, der sterbende Heiland mit der Dornenkrone, und ein Crucifir aus Elfenbein gearbeitet, sind besondere Meisterstücke. In diesem Sitzzimmer speisen oft die Majestäten, wenn nicht Familien= oder sonst eine größere Tafel ist. Sowohl im Schreibcabinet als auch in diesem Sitzzimmer und Cabinette sind die Fenstertafeln aus einem Stück in sehr schmale, das ganze Fenster umspannende Fensterrahmen eingepaßt. Die außerordentliche Feinheit und Schönheit dieser Gläser sind dergestalt rein, daß man unmöglich glauben kann, daß Fenster vorhanden sind, ja dieses Gefühl verliert sich nur dann erst, wenn man mit der Hand an solche ankömmt, und dadurch die Gläser, die man vorher keineswegs wahrgenommen, jetzt erst fühlt. Auch sind sie so genau in die Rahmen gefaßt und von einer solchen eigenthümlichen Dichtigkeit, daß man keinen Wagen in der Burg fahren hört, welches, wenn man auf den Platz hinunter sieht, wie alles vor Menschen wimmelt, und viele Wagen beständig hin und wieder fahren, eine wirklich höchst sonderbare

Wirkung im Menschen hervorbringt, da man glaubt, Alles müsse gleichsam in der Luft schweben. Von diesem gelangt man in das Schreib=Cabinet Sr. Majestät, welches mit vielen Kästen zum Aufbewahren der Schriften und mit dem Schreibtische des Kaisers versehen ist. Eine kleine, aber sehr gut getroffene Gipsbüste des Kaisers Alexander von Rußland mag dem hohen Fürsten oftmals zur Erinnerung an seinen erhabenen Freund und Bundesgenossen dienen, nicht minder zwei lebende sehr kleine brasilianische Luftschwärmer, Vögelchen, deren Gefieder kupferroth punktirt glänzend, und noch in keiner zoologischen Sammlung so schön vorgekommen ist. Wie sehr oft wird nicht der milde Kaiser und gütige Vater bei dem Anblick dieser Thierchen aus fremden Welttheilen an seine Tochter, die Erzherzogin Leopoldine, mit verwundetem Herzen wehmuthsvoll denken, die in so weiter Ferne über Land und Meer als Kaiserin von Brasilien zu Rio=Janeiro in der vollen Blüthe ihrer Jahre starb! — An dieses Cabinet reiht sich wieder ein kleines Gemach, schön gemalt und mit den Bildnissen Ihrer Majestät der gegenwärtigen Kaiserin, der zweit verstorbenen Kaiserin Maria Theresia, und des Kaisers Leopold, Vater unsers glorwürdigen Kaisers Franz I., geschmückt. Hier bilden sich zwei Durchgänge, nämlich links in das blaue Prachtzimmer zu Ihrer Majestät der Kaiserin, und rechts in den Leopoldinischen Tract, dessen ersteres daranstoßendes Zimmer gelb mit Seide meublirt, zugleich als Billiardzimmer dient; das zweite ist das sogenannte Familienzimmer, in welchem die menschenfreundliche hohe Kaiserin verschiedene Geräthschaften in Kästen aufbewahrt, die sie an Arme spendet. Welch' ein höherer und schönerer Zug von so erhabener Herzensgüte, von so' großem Zartgefühle für die leidende Menschheit könnte noch aufgestellt werden?! — In diesem Zimmer, von wo aus reichliche Gaben den verschämten Armen zufließen, gewahrten wir auch an den Wänden, in Medaillon=Form grau gemalt, die Porträte sämmtlicher jugendlicher Sprößlinge des Kaisers. Von diesem gelangt man noch in zwei Zimmer, die den Durchgang für den

Kaiser bilden, zu der Stiege, genannt die »Kaiserschnecke,« welche rückwärts zu dem Controlorgang und zum Rittersaale führt.

Das zweite Apartement ist jenes Ihrer Majestät der Kaiserin, welches sehr natürlich mit dem des Kaisers in Verbindung steht, wie wir so eben gezeigt haben. Der Hauptaufgang ist aber auf der Säulenstiege und der Eingang links durch die zwei Vorzimmer des Kaisers, ein zweiter über die Botschafterstiege, und vom ersten Stock an über die Seitenstiege bei der Burgcapelle, wo sich ebenfalls auch eine Antichambre befindet, von dieser links führt eine mit grünem Tuch belegte Treppe in das kaiserliche Oratorium der Capelle, aus dem zweiten ebenfalls links in die Privat-Bibliothek Sr. Majestät des Kaisers, gleich daneben auf die Terrasse, auf welcher sich der Wintergarten des Kaisers befindet, rechter Hand aber in die Gemächer Ihrer Majestät der Kaiserin. Das erste Zimmer davon bildet die Garderobe Ihrer Majestät, an dieses stößt das Toiletten-Cabinet, welches ausgezeichnet geschmackvoll mit weißem Musselin drapirt und mit vergoldeten Verzierungen sehr schön geschmückt ist. An das Garderobe-Zimmer reiht sich sogleich das Arbeitszimmer Ihrer Majestät; es enthält durchaus gespannte schöne grüne seidene Tapeten. In diesem prangen die Bildnisse der Frau Herzogin von Leuchtenberg, der Frau Erzherzogin Sophie und deren Schwester, Prinzessin Luise, dann jenes des Kaisers. Zwei kunstvoll aus weißem Marmor gearbeitete Säulenstühle, mit prachtvollen Verzierungen dienen als Standpunkte, auf welchem jedem eine große Porzellan-Vase steht, die überaus reich an Gold und gemahlten Blumen sind, zwischen diesen befindet sich die aus weißem Marmor gearbeitete, sehr gut getroffene Büste des Kaisers Franz I. Als vorzügliche Kunststücke können wir zwei bei den Fenstern in der Ecke dieses Zimmers auf runden Postamenten von grau gesprecktem Marmor stehende weiße Marmor-Vasen anführen, die alles übertreffen, was man bisher von erhabener Arbeit in diesem edlen Gestein gesehen hat; unsers Erachtens dürften solche Erzeugnisse des großen, bereits verblichenen Meisters Canova seyn. Ein vierekiger Tisch, dessen Platte mit lauter kleinen Quadrat=Blättern von überaus zahlreichen Steinarten kunstsinnig eingelegt ist, gilt von hohem Werthe, von noch höherem aber ein zweiter Tisch, in Venedig verfertigt, dessen zierliche Vase in der Mitte des dreifüßigen Gestells von puren blauen venetianischen Glas= perlen dicht überzogen ist und auf dessen Platte in wunder= lieblichen Gewinden, Zierathen und Verzierungen alle Sorten edler Gesteine, manche von bedeutender Größe, worunter vor= züglich die Türkisse zu zählen sind, enthalten. Der zierlich ver= schlungene Namenszug Ihrer Majestät besteht in prachtvoller Fassung aus puren Granaten. Diese kostbare runde Tisch= platte ist mit einer Glasdecke verwahrt. — Von diesem Zim= mer gelangt man in das Schlafgemach der beiden Ma= jestäten; es ist von bedeutender Größe und ebenfalls mit grünseidenen Tapeten überspannt, nur von etwas lichterer Farbe als das vorige mit zartem Blätter=Dessin. Unter einer zierlichen Draperie von gleichem Stoffe, die am Plafond eine Krone formirt, stehen die Betten, an der Seite weiter rechts zwei Claviere von Fladerholz, das übrige Meublement von Mahagonyholz ist schön, und die Sessel von gleichem Seiden= zeuge überzogen. Viele schöne und wohlgetroffene Porträte zie= ren dieses kaiserliche Schlafgemach. Wir bemerken darunter jene des Max Joseph, verstorbenen Königs von Baiern, der Erzherzogin Sophie, der an den Prinzen Johann von Sachsen verehelichten Prinzessin Amalie, der Prinzessin Marie und Prinz Carl von Baiern, der Schwester des letzt verstorbenen baierischen Königs, der gegenwärtigen Gemahlin Theresia des jetzt regierenden Königs sammt ihrem Gemahl Ludwig, der hochseligen Mutter unserer Kaiserin, des Kai= sers in ungrischer Marschalls=Uniform, der Gräfin Mühlfeld, Erzieherin der Kaiserin und alle durchlauchtig= sten Brüder Sr. Majestät des Kaisers in kleineren Por= träten, vier Stück Gemälde, Ansichten von Venedig (große Meisterstücke), drei vorzüglich schöne Blumengemälde auf Por= zellantafeln u. m. a. Eine vorzügliche Aufmerksamkeit zieht auch ein kunstvoll gearbeiteter Ofenschirm im feinsten Teppichstich, einen galoppirenden arabischen Krieger vorstellend, auf sich, welchen Graf Lichtenberg, Kammerherr Weil. Sr. kais. Hoheit und Eminenz E. H. Rudolphs, Cardinals von Olmütz, verfertigte, solchen in ein reich verziertes, ganz vergoldetes Gestell gab, und Ihrer Majestät zum Geschenk darreichte. Das feurige Farbencolorit und die Schattirungen sind höchst bewundernswerth daran, und lassen an der Kunstfertigkeit des genannten Grafen, gleich einer zarten Damenhand, keinen Zweifel übrig. Auch steht hier jene Schatulle, die Ihrer Majestät bei der Krönung als Königin von Ungern mit 50,000 Stück Ducaten von den Magnaten des ungrischen Reichs zum Geschenke gemacht wurde. Solche ist von Ebenholz mit geschmackvollen emaillirten Goldverzierungen, auf dem Deckel mit dem ungrischen Wappen geziert und mit sehr massiven goldenen Handhaben versehen. Der Plafond ist schön gemalt, und ober den zwei Thüren prangen schöne Gemälde, die Ansichten der Städte Laibach und Linz enthaltend. Es verdient hier eine besondere Erwähnung, daß in diesem Zimmer im Monat März 1826 der Kaiser so schwer erkrankt lag, welchen Ihre Majestät als treue Lebensgefährtin so sorglich und liebreich pflegte, und während der Dauer dieser lebensgefährlichen Krankheit in kein Bett kam; noch steht der Schlafsessel hier, in welchem die hohe Frau öfters, auf kurze Augenblicke aber auch nur, ausruhte. Dieses Gemach führt in das anstoßende Empfangszimmer (oder Paradezimmer), welches einen wahrhaft majestätischen Anblick gewährt; dasselbe umläuft ein mit reichen Vergoldungen verziertes Gesimse von schwarzem Holze, von welchem bis zum Sockel Draperien von schwerem weißen Atlas in schönem Faltenwurf reichen, über die von obenher Umschläge von Scharlachsammt, welche reiche Goldstickereien enthalten, herabwallen; alle Sessel und Fauteuils sind von gleichem Sammt überzogen, und alle Gestelle ganz vergoldet, das ganze reiche Meublement aber mit grauen Taffetkappen überzogen. Acht aus purer Bronze künstlich gearbeitete Candelaber, derlei Luster, Girandolleuchter und eine künstlich verfertigte Bronzeuhr, dann ein dergleichen Tisch mit einer von Mosaik eingelegten Platte, die Entführung der Prinzeſſin Europa vorstellend, ein Geschenk des Papstes Leo X., endlich der schöne Platfond mit Goldverzierungen geben ein überraschendes großartiges Bild von diesem kaiserlichen Prachtzimmer. Zunächst diesem ist das Familien-Tafelzimmer mit blauen Seidentapeten und derlei sehr schönen Meubeln. Auch Candelaber prangen hier um die Wette mit den Prachtwänden und schönem Platfond mit Gold, dann in den drei Superporten oder den Thüren die mit Kunst gemalten Ansichten, die Städte Prag, Brünn, Ofen und Peſth vorstellend. Anstatt zwei Oefen (solche existiren hier nicht, da Meißnerische Heizung eingeführt ist) stehen auf gipsmarmornen Postamenten Statuen aus carrarischem Marmor gearbeitet, nämlich der Centauer Chiron, und der junge Achilles, dann der Vater mit dem jungen Helden Hannibal. Zwei große Oelgemälde von dem Künstler Peter erheben die Schönheit dieses Zimmers. Das eine enthält als Gegenstand den zärtlichen Abschied Kaiser Rudolphs von seiner Gemahlin als er zu Felde zog, mit vielen Volksgruppen, das andere hingegen den Leichenzug in Wien ohne Kerzenlicht und Sang des in der Schlacht gegen Rudolph gebliebenen geächteten Böhmenkönigs Ottokar. Sehr großartig ist die Idee von dem Künstler aufgefaßt und ausgeführt worden. Die höchste Wehmuth ergreift den Beschauer bei dem Anblick, wie sich der zurückgelassene Sohn Ottokars zu den Füßen des großen Kaisers wirft, deutlich erkennt man die Minoritenkirche, welche der König gestiftet hat, und das alte Landhaus. — Von hier aus führt noch ein Zimmer, in welchem der Sekretär der Kaiserin arbeitet, und welches mit lichten Meubeln von Eschenholz eingerichtet ist, zum Ausgange gegen die schon erwähnten Vorzimmer des Kaisers; ein anderes Seitenzimmer unterhält die Communication mit den Gemächern des Kaisers. Zwischen dem Sekretariatszimmer und im Rücken des Prachtgemachs der Kaiserin, gegen den Schweizerhof, ist die Bibliothek Ihrer Majeſtät angelegt, die auch zugleich als Lesezimmer dient. Die

schönen Einrichtungen sind von schwarzem Holze sehr geschmack=
voll, die Bücherkästen ganz vorzüglich zweckmäßig und die Wän=
de von blauem Seidenstoff überzogen. Außer einer auserlesenen
Büchersammlung und mehreren kostbaren Werken, die auf die
hohe Bildung und Wissenschaft der erhabenen Fürstin deuten,
sind auch noch andere Kostbarkeiten hier aufgestellt. Zu diesem
gehören zwei Kunstgemälde als Geschenk der Stadt Venedig,
aus dem alten Testamente, den Besuch der Königin S a b a bei
dem weisen S a l o m o n, und eine Scene aus der Geschichte der
schönen E s t h e r vorstellend, eine Statue, eine M u s e von car=
rarischem Marmor in Lebensgröße, ein wahres Meisterstück von
C a n o v a, mehrere Alabaster = Vasen, und die Büste des Kö=
nigs M a x J o s e p h.

Wir bemerken hierbei, daß das ganze Apartement Ihrer Ma=
jestät die Fronte im Schweizerhof im zweiten Stocke gegen das
neue Burgthor zu einnimmt, eine herrliche Aussicht gegen die
kaiserlichen Stallungen und die dortigen Vorstädte bietet, und
auch von innen im Schweizerhofe den Theil ober der Botschaf=
terstiege umfaßt. Im zweiten Stock zunächst dem Eingange zu
Sr. Majestät links an der Stiege befindet sich das g e h e i m e
C a b i n e t des K a i s e r s; auf der andern Seite im zweiten
Stocke im Schweizerhof, wozu der Aufgang über eine schmale
Stiege führt, ist ein kleines Apartement der Obersthofmeisterin
und unter derselben im ersten Stock dem Obersthofmeister der
Kaiserin bestimmt.

Die Querfronte des ersten Stockwerkes im Schweizerhof
mit der Aussicht gegen den Burgplatz, welche vormals von
Sr. kaiserlichen Hoheit dem Kronprinzen bewohnt wurde, ge=
hört gegenwärtig für fremde Gäste. Sie besteht aus 7 Gemä=
chern, wovon das erste noch die Bibliothek des jüngern Königs
in schwarz polirten Kästen enthält, ohne kostbare Einrichtung,
und zwei Zimmer für die Dienerschaft. Wir fanden gegenwärtig in
einem derselben das noch nicht ganz vollendete Bildniß Sr. Ma=
jestät in Lebensgröße, im kaiserlichen Ornate mit Krone und Zep=
ter, auf dem Throne sitzend, von A m e r l i n g gemalt, und nach

2

Lachsenburg bestimmt. Es gibt wohl mehrere kunstvolle Gemäl=
de, jedoch haben wir noch keines dieser Art getroffen, an wel=
chem die Züge des Monarchen so überaus treffend und überhaupt
das ganze Tableau so großartig und kunstvoll dargestellt wären.
Je länger man dieses Bild betrachtet, desto größer wird das
Staunen über die Vortrefflichkeit dieses Kunststückes, bei wel=
chem jede Nüance auf das bewunderungswürdigste mit einer nie=
mals noch gesehenen Pracht des Farbenschmelzes und einer auf=
fallenden Wahrheit behandelt wurde. Dieser junge Künstler ge=
hört Oesterreich. an!. Nebst diesen Gemächern über den Gang
links besteht noch. ein. schön zugerichtetes Apartement für hohe
Gäste mit der Aussicht in den Hof gegen die Sommer=Reit=
schule. — Das sogenannte Halbgeschoß (dieß ist das niedere
Stockwerk zwischen ebener Erde und dem eigentlichen ersten
Stocke) wird zunächst dem Thore vom Burg=Inspector und die
andern derlei Zimmer von verschiedenen andern Hof=Parteien
bewohnt. An diese stößt die kaiserliche Schatzkammer
mit dem Aufgange auf der Säulenstiege. Der freie Einlaß ist
gewöhnlich gegen Eintrittskarten jeden Freitag in der Woche ge=
stattet, und über alle darin befindliche Merkwürdigkeiten ein ge=
naues Verzeichniß daselbst vorhanden. Ueber mehrere Stufen ab=
wärts gelangt man in die erste Abtheilung der Gallerie, welche
aus 4 Zimmern besteht; der Eintretende, welcher bis jetzt kaum
glaubt, diese kostbaren Gemächer zu betreten, wird nun mit einem
Male von den hier so vielfach aufgestellten Kunstwerken und
werthvollen Gegenständen auf das höchste überrascht. Bevor wir
etwas Mehreres darüber sagen, wollen wir nur bemerken, daß
bis zu Kaiser Josephs II. Zeiten die geistliche und weltliche
Schatzkammer vereinigt gewesen sind, welche aber gegenwärtig
getrennt bestehen, wie es bei der Hofburg=Capelle vorkommen
wird. Nicht nur diese Gegenstände, sondern auch Kunststücke von
Gemälden, ein Schatz von geschnittenen Steinen, römische
Alterthümer, kostbare Gewehre und Sättel und wichtige Ma=
nuscripte wurden in der Schatzkammer aufbewahrt, die aber alle
abgesondert den betreffenden Cabinetten, wohin sie eigentlich gehö=

ren, zugewiesen wurden. Eben so waren hier auch unter Kaiser
Joseph die ungrische und böhmische Krone, dann der österreichi=
sche Erzherzogshut verwahrt, welche dieser Kaiser aber noch vor
seinem Tode den Ständen wieder zurückstellte.

Alle die vielen hunderte, wohl tausende von Gegenständen,
die heutiges Tags noch die Schatzkammer verwahrt, hier na=
mentlich aufzuführen, würde weit den Raum des gegenwärtigen
Buches überschreiten, doch verdient es für das Allgemeine der be=
sondern Erwähnung, daß ein reicher Hausschatz von dem Hause
Burgund aus noch hier vorhanden ist, wovon so Vieles nach der
unglücklichen Schlacht bei Granson (3. März 1476) den Eidge=
nossen in die Hände fiel, dessen Werth wohl mehr denn 30 Mil=
lionen betrug. Kaum vermochten die siegenden Schweizer, die
Anfangs ungern mit Carl dem Kühnen in Streit sich ein=
ließen, die große Beute aufzulesen, und so wie sie den silbernen
Tafel=Service für Zinn hielten, eben so fand ein gemeiner
Schweizer einen großen Diamant, den er wohl für ein Stück
Glas halten mochte, da er solchen um einen Gulden verkaufte;
von diesem nächsten Besitzer kam er an den Berner Bürger Bar=
tholomäus May, der ihn käuflich den Genuesern und diese
dem Ludwig Moro Sforza überließen; später gelangte die=
ser seltene Edelstein in die Hände der Fugger, und endlich
von diesen in den Florentinischen Schatz, welchen dann
Franz I., als Großherzog von Toskana, nach Wien brachte. Die=
ser große Diamant, welcher das Kostbarste in der Schatzkam=
mer ist, wird insgemein der Florentiner genannt; er wiegt
139½ Karat und wurde vor 70 Jahren auf 1,043,334 Gulden
geschätzt. Außer diesem ist noch ein anderer Brillant von unge=
wöhnlicher Größe vorhanden, der bei der Krönung Josephs zum
römischen König als Hutknopf diente, und dazu auch von Kai=
ser Franz I. gekauft wurde. Von demselben Kaiser rührt auch
die ganze Garnitur von Knöpfen auf des Kaisers Staatskleid
oder Uniform her, von der ein jeder Knopf ein einziger Diamant
ist und deren Gesammtwerth auf 300,000 Gulden geschätzt wird.
Von vorzüglichem Werthe sind auch noch mehrere lange Garni=

2 *

turen Brillanten und Brustspangen, welche auf das Kleid der Kaiferin gehören, ein fehr reicher Familienfchmuck des öfterrei= chifchen Haufes, die fämmtlichen Ordenszeichen in Brillanten, darunter vorzüglich eine Mafche- des Therefienordens. — Unter der großen Menge der mechanifchen Kunftftücke befindet fich eine feltene große Stockuhr, die von dem Landgrafen von Hef= fen=Darmftadt der Kaiferin Maria Therefia zum Ge= fchenke gebracht wurde; die Schwere beträgt über 500 Mark an Silber und fie foll über 80,000 Gulden gekoftet haben. Nach jedem Stundenfchlag zeigt fie die Porträte des Kaifers und der Kaiferin, des Landgrafen und mehrerer anderen ungrifchen und böhmifchen Reichftands = Glieder.

Im erften Zimmer find die zahlreichen Arbeiten aus Elendklauen, Rhinocerosborn und Elfenbein und die merkwürdi= gen Stücke aus Bergkriftall und Rauchtopas nicht minder be= wunderungswerth. — Acht Behältniffe im zweiten Zimmer zei= gen außerordentlich viele Vafen, Gefchirre und Geräthfchaften aller Art aus Achat, Jafpis, Lapislazuli, Porphyr und Sar= donyx; dazu gehört auch ein großes Gefäß, aus einem Stücke Smaragd gearbeitet, 1181 Karat an Gewicht, ein anderes von weiß und braunem Achat, dann eine koftbare Schale von durchfichtigem arabifchen Plasma, gefchmückt mit koftbaren Ru= binen und Perlen an den Sardonyx = Basreliefs; endlich eine große Schüffel, die Platte von Lapislazuli mit dem Bild der Leda aus Sardonyx in Gold gefaßt, mit mehr als 50 Dick= fteinen (ein Demant, deffen obere Hälfte nur kantig gefchliffen ift) und eben fo vielen koftbaren Rubinen geziert, ein pracht= voller Achat von wahrhaft feltener Größe mit dem Reichsadler und Oefterreichs Wappen, ein Hyacinth von 416 Karat in ei= nem Doppeladler und ein orientalifcher Aquamarin von beinahe 500 Karat Schwere. Unter diefen Schönheiten ift auch noch ein Lavoir und eine Kanne, eine herrlich getriebene Goldarbeit, welche die Stände von Kärnthen im Jahre 1571 der Marie, Gemahlin Erzherzog Carls, darbrachten, und welche nun zu Tauffandlungen bei Hofe gebraucht werden; das Horoscop (in der Sprache der Sterndeuter, eine Maschine, aus dem Stande der Wandelsterne zur Zeit der Geburt eines Menschen weissagen zu können) Wallensteins in zwei aufeinander liegenden Kristallplatten bestehend, zwischen denen sich die Sternbilder bewegen, nebst vielen andern werthvollen Kunststücken.

Viele Fahnen und Heroldskleidungen befinden sich im sogenannten Vorsaale, daselbst ist auch der vollständige Krönungsornat eines römischen Kaisers sammt Krone, Zepter und Schwert, dem in Nürnberg noch vorhandenen alten Ornate nachgebildet, aufbewahrt, nebst der von Kaiser Rudolph II. in Prag angeschafften kaiserlichen Hauskrone mit Zepter und Reichsapfel, gegenwärtig die österreichische Kaiserkrone darstellend, bei 2000 Kronen Gold im Werthe mit 200 Edelsteinen, 700 Perlen, prächtigen Rubinen am Kreuze und einem übergroßen Saphir geziert, und der erzherzogliche Huldigungsornat.

Früher war auch ein von Kaiser Franz I. im Jahre 1764 angeschaffter und von Kaiser Joseph II. sehr vermehrter großer goldener Tafel-Service, der nicht weniger als 800 Mark des feinsten Goldes enthielt, vorhanden, welchen aber Seine jetzt regierende kaiserl. Majestät zu Anfang des französischen Revolutionskrieges einschmelzen ließ und die Summe zu den Staatsbedürfnissen als ein wahrhaft kaiserliches Opfer gab.

Zahllos sind die Gegenstände, die dem anstaunenden Beschauer in dieser Schatzkammer gezeigt werden, und er sieht eine nicht zu beschreibende Schönheit von Kunst und unschätzbarem Werth.

Noch finden wir, bevor wir die andern innern Bestandtheile der Burg beschreiben, vorzugsweise im Schweizerhofe einen Gegenstand, der als ein höchst ehrwürdiger Bestandtheil des alten Hauses unserer Herrscher zu nennen ist, und dieß ist die Burg-Capelle. Nach allen vorgefundenen Nachrichten stellt sich die in ihrer ursprünglichen Gestalt wahrscheinlich von den ersten aus dem Habsburgischen Hause abstammenden Beherrschern Oesterreichs herrührende Burg-Capelle jetzt als ein von außen und innen in ziemlich reinem gothischen Style errichtetes, mit einem kleinen Glockenthurm versehenes Gebäude dar, welches keinen äußern Eingang, sondern denselben von der Botschaftstiege her im Innern der Burg hat, da es auf dieser Seite mit ihr ganz zusammenhängt.

Obschon zu urtheilen ist, daß der Erbauer der Burg, Herzog Leopold der Glorreiche, auch eine Capelle in derselben errichtet haben dürfte, dessen frommer und hoher Sinn für solche Stiftungen sehr bekannt ist, so geschieht doch die erste Erwähnung einer Hof-Capelle in der kaiserl. Burg erst im Jahre 1298, indem Herzog Rudolph, Sohn Kaiser Albrechts I., diese Capelle und ihren Capellan von allen landesfürstlichen oder städtischen Gerichten befreit und ihr zugleich die Gerichtsbarkeit über alle ihre Grundholden ertheilt, welche Bestätigung derselbe nachmals in einem Briefe vom Jahre 1301 wiederholt und sich zugleich darin den Stifter (Fundator) dieser Capelle nennt. Nach einigen mit derselben vorgegangenen Veränderungen erhielt sie ohne Zweifel nach einem von Kaiser Friedrich IV., während der Zeit als er die Vormundschaft über den jungen Ladislaus bekleidete, vorgenommenen gänzlichen Umbau ihre oben erwähnte jetzige Gestalt, worauf sie am 29. April 1449 durch den Erzbischof von Gurk zu Ehren der heiligen Dreifaltigkeit und Allerheiligen eingeweiht ward, wobei ihr auch zugleich die Burgpfarre und mehrere Beneficien zugetheilt wurden. Nachdem sie eine sehr lange Zeit hindurch bis 1639 unverändert verblieben, ward sie in diesem Jahre erneuert, es wurden die obere Sakristei zu einem fürstlichen Oratorium verwendet und noch zwei neue Oratorien errichtet. Im Jahre 1748 jedoch erfuhr diese Capelle durch die Kaiserin Maria Theresia eine wesentliche Verbesserung, indem auf deren Anordnung anstatt der bisherigen hölzernen, marmorne Altäre gesetzt und die Oratorien und Emporkirchen vermehrt wurden.

Im Jahre 1757 erkauften die drei obern Stände das obgleich schon seit 1625 durch Verkauf verringerte, jedoch noch immer bedeutende Grundbuch der Burgpfarre.

Seit jenen unter Maria Theresia vorgenommenen

Veränderungen ist die Hofburg-Capelle, außer einer im Jahre 1807 erfolgten Ausbesserung und gegenwärtig geschehenen zweck= mäßigen Auffrischung, in dem eben geschilderten Zustande ver= blieben.

Was übrigens ihr einfaches Innere anbelangt, welches mit seinen hohen Spitzgewölben und eben so geformten hohen Fenstern dem Aeußern ganz entspricht, so gewährt dasselbe durch seine im angenehmen Tone gehaltene violet graue Farbe einen sehr freundlichen und dabei die Ehrfurcht · nicht störenden Anblick. Die symmetrisch laufenden Gurte an den Gewölben und die gothischen Säulen an den Wänden geben ihr das unver= fälschte Zeugniß eines hohen Alters. Mehreres von Verzierun= gen gothischer Sculptur=Arbeit, besonders an den drei Gallerien, wovon die erste für die Glieder der Hofcapelle, die zweite bei Functionen für Minister und geheime Räthe, und die dritte für Kämmerer und andere Hofchargen gehören, ist in neuerer Zeit mit gutem Geschmack hinzugefügt worden. An beiden Sei= ten sind zwei Range Oratorien, im Ganzen zwölf Abtheilungen, wovon die rechts bestehenden unten für sämmtliche k. k. HH. Erzherzoge, die oberen aber für JJ. Majestäten, die gegen= über befindlichen für hohe Personen vom Hofe gehören. Auf dem Hochaltar zeigt sich ein von Raphael Donner aus Metall gefertigtes — als Meisterstück geltendes Crucifix mit einem aus grauem Marmor schön gearbeiteten Tabernakel mit Säulen, zu beiden Seiten mit betenden vergoldeten Cherubi= men; demselben zur rechten Seite befindet sich ein der heil. Katharina geweihter, mit einem werthvollen Kunstgemälde, von Fetti aus Mantua, versehener Altar, und diesem gegen= über ein seiner Arbeit nach wahrscheinlich sehr altes, jedoch nicht kunstlos, in Bildhauerarbeit verfertigtes Marienbild mit dem Jesus=Kinde, welches mit einem kleidähnlichen Mantel von getriebenem Silber bekleidet ist. In fünf Kästen befindet sich in der geistlichen Schatzkammer zunächst der Kirche links ein großer Schatz an merkwürdigen Reliquien und Hei= ligthümern, die sehr sehenswerth sind, hier aber nicht beschrie=

ben werden können, da solche der großen Anzahl wegen den
Raum überfüllen würden; nicht minder sind die übrigen Kir=
chen=Paramente und Ornate prachtvoll, die einer kaiserlichen
Capelle ganz angemessen sind. — Die Hofcapelle besteht aus
sehr geschickten Tonkünstlern und Sängern, weßhalb auch hier
ein vortrefflicher Gottesdienst mit Musik abgehalten wird. Ueber=
haupt kann man in der kaiserlichen Hofburg = Capelle deutlich
abnehmen, wie es des Kaisers Wille ist, daß das heilige Meß=
opfer und die kirchlichen Verrichtungen in allen Zweigen mit
herzerhebender wahrhafter Andacht begangen werden; daher ge=
bietet auch alles dieses jedem Eintretenden Ehrfurcht. In der
k. k. Hofburg=Pfarrkirche hier werden auch die irdischen
Ueberreste der Regenten, so wie der andern höchsten Glieder bei
eintretenden Sterbfällen durch einige Tage öffentlich ausgesetzt,
wobei auf dem Hochaltar ein ganz von Gold mit silbernem Kreuz
durchwirktes großes Trauertuch mit den betreffenden Wappen
aufgezogen wird.

Die letzte Hülle, welche das Wiener Publikum an diesem
heiligen Orte noch schauen und dem theuern hohen Abgeschiedenen
eine wehmuthsvolle Thräne schenken durfte, war der jüngst in
der Blüthe seiner Jahre verstorbene Herzog von Reichstadt,
ein Enkel des Kaisers und ein Sohn Ihrer Majestät der Frau
Erzherzogin Luise, Herzogin von Parma und Piacenza, all=
gemein geliebt und verehrt. So wie bei jedem Gliede des kaiser=
lichen Hauses, wurde der Leichnam von hier weg zu den Capu=
cinern gebracht, und von den frommen Vätern dort in die Gruft
seiner hohen Ahnen gesenkt.

Indem wir uns vom Schweizerhofe nun nach dem Leopol=
dinischen Flügelgebäude hinwenden, wollen wir blos noch be=
merken, daß im Schweizerhofe zu ebener Erde die Hofküche
Ihrer Majestäten, die Hofmobilien=Direction und Of=
ficen=Inspection sich befinden. Zunächst dem Eingange
beim Thore befindet sich auch ein Brunnen von lebendigem
hergeleiteten Quellwasser, welcher jedem Vorübergehenden einen
frischen erquickenden Trank spendet.

Das zweite Stockwerk des Leopoldinischen Tractes wird ron Sr. kaiserlichen Hoheit dem Erzherzog Franz Carl und seiner Gemahlin bewohnt. Es war vormals das Apartement der letzt verstorbenen Kaiserin Maria Ludovica, wovon auch noch das meiste Meublement der vielen schönen Gemächer her= rührt. Dieses Apartement ist von allen das größte und bequemste mit einer schönen Aussicht gegen die Vorstädte und auf den innern Burgplatz.

An dem Ausgang der Apartements des Kaisers stoßen die Zimmer des jungen Erzherzogs Franz, an diese aber der Speisesaal des Erzherzogs Franz Carl, dessen Gesimse und Pilaster aus grauem Gipsmarmor mit 23 Figuren, die das Gesimse und die angebrachten Wandleuchter tragen, bestehen. Bei den Spiegeln stehen Büsten und Alabaster=Vasen und eine herrliche Spieluhr mag oft dazu beitragen durch melodische Töne das Mahl zu würzen, an diesen reiht sich das Schreibca= binet der Frau Erzherzogin Sophie, mit weiß und grünen Meubeln; ein chinesischer Papierbewahrer ist besonders darin bemerkenswerth, ob seiner prachtvollen Arbeit. Von diesem ge= langt man in das Bibliothekzimmer, welches auch zu= gleich als Lesezimmer dient, und worin sich ein Clavier be= findet; von diesem in das Toiletten=Cabinet, welches von roth und weißem Vapeur äußerst geschmackvoll tapezirt ist; daran stößt das große Schlafgemach der beiden k. k. HH. mit grünen Seidentapeten ausgeschlagen und einem derlei Bal= dachin über den Betten. Die Einrichtungen sind wie meist in den kaiserlichen Gemächern von Mahagonyholz, und zwei Glas= küsten enthalten mehrentheils kostbares sächsisches Porzellan, verschiedene Aufsätze, Schatullen c. c., auch fanden wir hier die gut getroffene Büste des verstorbenen Königs Maximi= lian Joseph von Baiern und einen lithographirten Steinab= druck des Antlitzes dieses verehrten und huldvollen Regenten, als er bereits verblichen und in ein besseres Leben hinüber ge= gangen war. Nächst dem Schlafgemach befindet sich das sehr elegante Arbeitszimmer der Frau Erzherzogin, dasselbe ist

wunderschön blau gemalt mit Blumen und Vögeln auf chinesi=
sche Art, so daß man glaubt, Alles sei in die Tapeten eingelegt,
oder eingewirkt; gelbseidene geschmackvolle Meubeln mit bunten
Blumen erhöhen noch den Reiz dieses überaus schönen Cabi=
nets, wozu der schöne Plafond und die vergoldeten Verzierun=
gen noch das Ganze reichlicher ausschmücken. Von hier folgt
ein Zimmer der Kammerfrau, dann jene der Garderobe und für
die Kammermädchen mit einer großen Antichambre, die mit dem
Ausgange auf die sogenannte Adlerstiege zwischen dem Leopol=
dinischen Tract und dem Amalienhof führt, auch mit beiden
Gebäuden die Communication unterhält. — Alle diese Gemächer
bestehen gegen den innern Haupt = Burgplatz.

An die Zimmer der Erzieherin des jungen Erzherzogs reiht
sich das Schreibzimmer des Erzherzogs Franz Carl,
mit grünen Papiertapeten und nußbäumenen Meubeln, dann
mit mehreren Bildern geschmückt. Darunter bemerken wir das
schön gemalte Bruststück der Frau Erzherzogin Sophie und
jenes Gemälde, wie Rudolph von Habsburg bei seinem
kindlich frommen Sinne dem Priester, der mit der heiligen Weg=
zehrung über steile Wege zu einem schwer Erkrankten eilt, sein
Pferd anbietet, mit dem Bemerken: daß er dieses Pferd, wel=
ches den höchsten Herrn des Himmels und der Erde getragen,
zum Dienste für den Priester inskünftige bestimme. Diese Hand=
lung verschaffte vorzüglich dem hohen Grafen die Kaiserkrone. —
Außer diesen sind noch das Porträt der Großmutter des Erz=
herzogs, der Königin von Neapel, das Bild, die Geschichte
mit Kaiser Albrechts Hund vorstellend, zwei große Blu=
mengemälde von Sartori, die Büste Sr. Majestät des
Kaisers von Stein, die zwei kleinen Bronze=Büsten des
Erzherzogs Franz Carl und der Erzherzogin, die Alaba=
ster=Statuen Minerva und Mars, dann das Modell des neuen
Burgthors ganz von Perlenmutter bemerkenswerth. An dieses
Schreibzimmer stößt jenes des Obersthofmeisters, und an dieses
die Kammer und Garderobe, dann der Haupteingang und Aus=

gang zu dem Erzherzog, welcher wieder auf den Controlorgang und auf den Burgplaz zunächst der Wache führt.

Von diesem Vorzimmer aus eröffnen sich sogleich eine ansehnliche Reihe von Prachtzimmern, die eben alle noch zum Apartement des Erzherzogs gehören. Davon ist das erste das Billardzimmer, ganz im chinesischen Geschmacke geziert; die Wände sind weiße Seidentapeten, mit bunten chinesischen lebensgroßen Figuren und Pilastern, auf deren Goldgrund ebenfalls derlei Figuren angebracht sind, und so ist auch der Plafond im chinesischen Styl gefertigt; an dieses reiht sich das Badcabinet in halbrunder Form von lichtgrünem Gipsmarmor und mit zwei großen Spiegeln versehen, und an dieses das sogenannte ägyptische Zimmer. Dasselbe gewährt einen außerordentlich imposanten Anblick, denn zwischen vielen Pilastern von schwarz polirtem Holze mit reichen von Holz geschnitzten vergoldeten Verzierungen sind in eben so vielen schmalen Feldern Spiegel angebracht, die den Schimmer und Glanz tausendfach vervielfältigen, dazu trägt der schön bunt gemalte Plafond sehr viel bei, und die an den Wänden ringsum angebrachten gelbseidenen Ottomanen, so wie der kunstvoll eingelegte Fußboden erhöhen diese Pracht. Von vorzüglicher Wirkung mag eine reiche Beleuchtung darin seyn. Ganz überrascht aber wird man, wenn man von diesem Gemach in das nächstfolgende Empfangszimmer der Frau Erzherzogin eintritt; dasselbe ist groß, die Wände ganz mit schwerem weißen Atlas bespannt, worauf die vier Jahreszeiten in bunter Seidenstickerei lieblich prangen und so wie die Wände, deren Endtheile in grauem Gipsmarmor gleichsam Lesenen bilden, sind auch die vielen Sessel. Die Gestelle davon sind ganz vergoldet, Lehne und Sitze mit weißem Atlas überzogen, worauf überall ein buntes Blumen-Bouquet in Seide gestickt ist. Die Schönheit dieser Arbeit reißt zur staunenden Verwunderung hin, von der man sich einen leichten Begriff machen kann, wenn wir berichten, daß Ihre Majestät die letzt verstorbene Kaiserin diese Stickereien durch 200 Mädchen während zwei Jahren vollbringen ließen. Dieses wahrhaft kai-

serliche Prachtzimmer wird durch weiße derlei reich gestickte Fen=
ster=Draperien, 4 Candelaber, 3 Luster, reich vergoldet und
von grüner Bronze, den schön rothgrau gemalten Plafond,. die
unter dem Gesimse fortlaufenden Gurte, ganzer Goldgrund mit
in grau gemalten Figuren, und die schönen Spiegel an den
Fensterwänden zu einem vollkommenen Feensaal gestaltet. Unge=
achtet dieser Pracht ist hier der Schönheit noch nicht genug,
denn von diesem Empfangszimmer gelangt man in den eigentli=
chen schönen G e f e l l s c h a f t s s a a l, deffen Tapeten von purpur=
rothem Atlas mit goldgelben Verzierungen sind, mit derlei Arm=
sesseln und Sofa, gelbseidenen prächtigen Fenster=Draperien,
Candelabern, einem großen schönen Spiegel, aus einem Stück
bestehend, reich vergoldeten Spalierleisten, schön in Oel ge=
malten Superporten, zwei großen Porzellan=Vasen auf den
zierlich vergoldeten Oefen, von großem Werthe, und einem sehr
geschmackvollen Plafond, und von diesem in den geräumigen
S a a l, der als T a n z s a a l bei stattfindenden Bällen dient.
Der Plafond ist grüngrau gemalt, die Wände sind durchaus
grauer Gipsmarmor mit jonischen derlei Lesenen verziert, und
zwischen denselben in einem jeden Feld ist eine Figur in erhabe=
ner Gipsarbeit angebracht, welche auf dem Kopfe sieben her=
vorspringende Armleuchter trägt. Diese 9 Figuren, wovon auch
einige anstatt der Candelaber bei den Fenstern stehen, zählen
63 Lichter und 56 ebenfalls emporspringende Armleuchter, an
den Wänden unter dem Gesimse in Halbbogen angebracht, nebst
den Lustern, geben eine Beleuchtung von 200 Lichtern. Vorzüg=
lich ist das Gesimse mit den Tragsteinen mit reichen Gipsverzie=
rungen bewundernswerth ausgestattet und das Ganze mit dem
schön eingelegten Boden, zwei sehr großen Spiegeln, und zwei
schönen, reich vergoldeten Oefen von überraschender geschmack=
voller Ausschmückung, die einen um so schöneren Anblick bietet,
wenn die ganze Fronte dieser herrlichen Gemächer durch und
durch strahlend erleuchtet ist. An diesen Saal stößt das Zimmer
des Kammerdieners, dann die Antichambre, welche wir oben
schon gegen die Adlerstiege hin beim Apartement der Frau Erz=

herzogin erwähnt haben. — Auch diese lange Gemächerreihe hat die Aussicht gegen das neue Burgthor und gegen die dahinter liegenden Vorstädte.

Der erste Stock des Leopoldinischen Flügelgebäudes gegen den innern Burgplatz enthält die Prachtzimmer, nämlich die Apartements der verstorbenen großen Kaiserin Maria Theresia, welche seit ihrem Tode nicht mehr bewohnt worden, und die jetzt nur bei großen Festen den Allerhöchsten und hohen Herrschaften gewidmet sind. — Wir wollen bei der Adlerstiege mit der Beschreibung derselben anfangen und so der ganzen Fronte entlang fortfahren.

Von dem Gange, welcher zur Plateforme und dann gegen den großen äußern Burgplatz führt, wozu auch die Zu- und Abfahrt der in diesen Stockwerken und im Amalienhof wohnenden höchsten Herrschaften geschieht, gelangt man in zwei Vorzimmer dieses Theresianischen Apartements, von diesen in ein Gemach, welches mit schönen niederländischen gewirkten Tapeten, die ländliche Gegenden und Bauerntänze in bunter Abwechselung enthalten, geziert ist. Das daranstoßende ist ein großes Zimmer mit drei Fenstern, ebenfalls mit solchen werthvollen Tapeten geschmückt. Hier befindet sich als ein Geschenk an die Kaiserin, eine Kaffe von echt chinesischer Arbeit, zwei Tische mit schönen geschliffenen Marmorplatten und auf einem jeden drei chinesische Porzellan = Blumentöpfe mit schweren Bronze= Verzierungen, die sehr beachtenswerth sind. Das nächstfolgende Gemach ist das Tafelzimmer, sehr reich an Vergoldungen, sowohl an dem Plafond wie auch an den Wänden mit 15 abgetheilten Spiegelfeldern, die durch den Wiederschein der Verzierungen einen prachtvollen Anblick verursachen; auch sind hier auf den Tischen die Platten von französischem grünen (campan) Marmor, auf welchen chinesische Porzellantöpfe und inländische derlei Vasen aller Art, aber von großem Werthe, prangen. An dieses schließt sich das Schreibcabinet, welches ebenfalls weiß ist, und viele vergoldete Verzierungen hat. Darin stehen große Kästen von chinesischer außerordentlich bewunderungs=

werther schöner Arbeit, mit reichen stark verzierten und in Feuer vergoldeten Beschlägen, die den Schmuck und Privat = Schatz der Regentin enthielten, nebst mehreren chinesischen Vasen. Es scheinen damals diese chinesischen Arbeiten in großem Werth gestanden zu haben, weil nicht uur in diesen kaiserlichen Gemächern, sondern auch in andern großen Häusern sich manche solche Kästen und andere Gegenstände vorfinden, die übrigens aber ob ihrer seltenen Schönheit und Eigenthümlichkeit auch noch jetzt bewundert werden; jedoch eine solche herrliche Arbeit, wie an diesen Kästen hier, haben wir an gar keinem Orte getroffen.

Können wir übrigens schon bis hieher diese Zimmer als seltene Prachtgemächer schildern, würdig eine Kaiserin, die den Glanz ihres Herrscherhauses in Allem und Jedem so großartig bedachte, aufzunehmen, wie sehr steigert sich nicht unser Erstaunen über die Pracht und den Werth des kaiserlichen Schlafzimmers von Kaiser Franz I. und Maria Theresia. Eine noch so vollkommene Beschreibung läßt hier vieles von der Wirklichkeit zurück, und bloß die eigene Anschauung und Bewunderung kann Genüge leisten, denn es übertrifft an Reichthum und Schönheit, so alt auch die Decorirung schon ist, alles bisher Gesehene. Die Wände dieses großen Zimmers sind ganz mit dem schwersten rothen Sammet spalirt und zwischen denselben aus gleichem Stoffe sind 12 emporgehobene Lesenen gebildet, die aber von unten bis oben mit Verzierungen aller Art geschmückt sind. Diese Verzierungen sind es eben, die Jedermann so in Erstaunen setzen werden, weil man außer diesen noch gar keine so reiche Manier von Goldstickereien gesehen hat; die sowohl des großen Reichthums des Goldes als auch der Kunst und des dabei angewandten Geschmackes wegen die einzige Arbeit dieser Art seyn dürften; nicht nur diese Ausschmückung, sondern auch der Baldachin über den Betten, die Bettdecken und Alles zusammen, beurkunden uns deutlich den hohen Sinn der Monarchin für Großes und Prachtvolles. Noch mehr als an den gestickten Lesenen der Sammetwände ist hier das Gold an Verzierungen aller Art verwendet worden, und sogar das Futter davon ist pu=

rer gewirkter Goldstoff. Sessel und Sofa haben den gleichen
Stoff mit breiten Goldborten; 2 Luster von Kristallgläsern,
zwei ebenfalls echt chinesische Kaffekästen und 6 Blumen=Vasen
von chinesischer Kunstarbeit befinden sich noch hier. — Das achte
Zimmer war das Empfangszimmer der hohen Fürstin.
Von ganz vorzüglicher Schönheit und von hohem Werthe sind
darin die gewirkten französischen Tapeten, die von dem Kunst=
maler Desportes im Jahre 1741 in Farben entworfen wur=
den. Sie stellen Gegenden der heißen Zone dar mit unendlich vie=
len Thiergruppen. Erst bei näherer Beschauung findet man die
kunstvolle Ausführung und die gleichsam verschmolzene Farben=
pracht in diesem großen Kunstgewebe. Wiederum ein schöner
Kristall=Glasluster und zwei stark vergoldete Porzellan=Vasen
auf den Tischen machen das übrige Meublement nebst vielen
Sesseln aus, die mit weiß und roth geschnittenem Pracht=
sammet überzogen sind. Alles Uebrige in den Gemächern ist
weiß und Gold.

Von hier gelangt man in die sogenannte Rathsstube.
Dieß ist ein einem Saal ähnliches großes Zimmer mit außer=
ordentlich kunstvoll gewirkten Tapeten, die Geschichte des Rau=
bes der Sabinerinnen vorstellend. Es ist hier ein sammtener
Baldachin aufgerichtet, unter welchem der Kaiser, auf dem Throne
sitzend, die Botschafter und Gesandten der fremden Mächte
empfängt, den Ritterorden vom heiligen Stephan und Leopold
vertheilt und überhaupt alle großen Hoffunctionen daselbst ver=
richtet. Das sich daranreihende große grau gemalte Zimmer
mit schönen Glaslustern und vergoldeten Leisten dient gewöhn=
lich zu Hof=Kinderbällen, auch sammeln sich hier gewöhnlich
die Minister und geheimen Räthe; das darauf folgende wird
die Antichambre genannt, durch welche zugleich die Communica=
tion mit den Gemächern des ersten Stockwerkes im Schwei=
zerhof unterhalten wird; und das daranstoßende die Ritter=
stube; auf dieses folgt die sogenannte Trabantenstube,
von welcher man über die Botschafterstiege in die zweite und
dritte Gallerie der Hofburg=Capelle und in das kaiserliche Ora=

tórium der Erzherzcge, dann in den Augustinergang gelangt.
Diese so eben beschriebenen Gemächer nehmen die ganze Frente
des ersten Stockwerkes des Leopoldinischen Flügels gegen den in=
nern Burgplatz ein, und gewähren, da sie alle durchaus offen
sind, und, wie bereits erwähnt, von Goldverzierungen an den
Plafonds, Fenstern, Thüren und Spalieren gleichsam strotzen,
einen großartigen Anblick, der uns von selbst leicht belehrt, daß
diese die Prachtzimmer der kaiserlichen Burg sind! —

In der oben erwähnten Antichambre ist der Eingang in den
Ritterfaal, der einen hervorspringenden Flügeltheil im Leo=
poldinischen Tract zunächst der Durchfahrt der Burg gegen den
äußern Haupt=Burgplatz bildet. Nachdem solcher eigends zu
großen Hoffeierlichkeiten und Festen erbaut wurde, so ist es na=
türlich, daß schon damals Bedacht genommen worden ist, einen
hohen, geräumigen und überhaupt schönen Saal herzustellen,
welcher der Absicht des Kaisers entspricht. Diese Absicht wurde
auch in jeder Hinsicht genügend ausgeführt, da dieser Ritterfaal
jedes großartige Erforderniß enthält. Wir glauben es daher auch
sagen zu dürfen, daß sein Inneres durchaus majestätisch ist.
Ueberaus reich ist die erhabene Stuccaturarbeit am Plafond,
dessen breite Schaalung (beinahe Halbkuppel) mit antiken Ro=
setten besetzt ist, und so wie diese, ist auch das Gesimse propor=
tionirt sehr symmetrisch verziert. Das Ganze hat das Gebilde
der korinthischen Bauordnung, die ohnedieß in jeder Beziehung
die schönste und reichste genannt werden darf. — Um den gan=
zen Saal läuft eine freie Colonnade von 24 Säulen und eben
so vielen Lesenen an den Wänden, wodurch ein eigener fünf
Schuh breiter Säulengang gebildet wird; dabei enthält der
schmale Plafond lauter vertiefte, mit architektonischen regelmäßi=
gen Gliedern verzierte Quadratfelder. Die Säulenstämme sind
von gelb geadertem Gipsmarmor, wovon aber die Schaftge=
simse und Capitäler gleich den Lesenen weiß sind. Zwischen den
17 Fenstern, wovon mehrere mit Spiegeln versehen sind, fin=
det man eben so viele große mit Figuren versehene Basreliefs
angebracht; noch zieren 56 Glaslufter nebst vier großen Cande=

labern von platirter Arbeit diesen Saal und geben bei Beleuch:
tung einen überaus blendend strahlenden Lichtglanz. Ober den
Eingängen, welche drei Glasthüren bilden, ist das Musikchor mit
ebenfalls reichen Verzierungen, wie eine Gallerie angebracht.

Dieser Saal, in welchem der Ritterschlag und andere große
Functionen abgehalten werden, dient auch bei großen Festen als
Hofconcert= und Ballsaal.

Von hier rechts durch eine Spiegelthüre eröffnet sich im
ersten Stock das Apartement, welches ehedem der Kaiser Jo=
seph II. bewohnte, und an dieses stößt jenes der Erzherzogin
Maria Anna, welche beide zusammen den ganzen Theil der
Gemächer gegen den äußern Burgplatz einnehmen.

Das erste Zimmer bildet ein Vorzimmer, an dieses
reiht sich ein Wohnzimmer des edeln Monarchen mit Tapeten
von rothem Damast, die Leisten, Thüren und der Plafond weiß
mit Goldverzierungen geschmückt; es befindet sich darin das vor=
zügliche Porträtgemälde der Kaiserin Katharina von Ruß=
land und des großen Preußenkönigs Friedrich, wie er, mit
schwarzer Staatsgalla angethan, den Hut zieht. Man sagt, dieß
vortreffliche Gemälde sei das einzige, bei welchem der König,
der es wußte, daß es für den Kaiser Joseph gehörte, dem
Künstler eine Stunde gesessen sei. Das dritte Gemach, ebenfalls
mit rothem Damast tapezirt, ist jenes, in welchem der erhabene
Kaiser gewöhnlich schlief, und auch verstarb. Sein Bett stand in
einer Art Alkoven, welcher aber nach seinem Tode kaffirt, der
Wand gleich gemacht und mit Tapeten überspannt wurde. Meu=
beln, weiß und reich mit Vergoldungen geziert, zwei Candelaber
und ein in weißen Zeug gefaßter Prachtluster von Kristallgläsern
sind die sehenswerthen Einrichtungen. Das vierte Zimmer war
sein Empfangszimmer mit grünen Damast=Tapeten, derlei
Meubeln und einem Kristall=Glasluster; auf dieses folgt ein
Zimmer für den Kammerdiener, ganz weiß mit Goldleisten, wel=
ches zugleich auch als Garderobe diente, und dann zwei kleine
Vorzimmer. Darauf kömmt das Vorzimmer Ihrer kaiserlichen
Hoheit der Erzherzogin Maria Anna, dann eines, weiß und

3

Gold, für die Kammerbienerinnen, eines mit blauen Seidentape=
ten und derlei Draperien, als ein Billard = Zimmer bezeichnet,
und eines mit solchen Spalieren und gleichem Meublement als
Schlafzimmer, in welchem sich auch Glaskästen mit Porzel=
lan, Schatullen ꝛc. ꝛc. befinden. An dieses stößt ein Cabinet
von der Gesellschafterin der Erzherzogin und das Vorzimmer mit
dem Ausgang gegen die Prachtzimmer der Kaiserin Maria The=
resia, und dem Eingange in das Oratorium der Josephs=
Capelle. Diese befindet sich im Endtheile des Leopoldinischen
Flügels im ersten Stock. Solche wird als Kammer=Capelle
zum kirchlichen Gebrauch gezogen und auch das Hochwürdigste Gut
in der Charwoche zur Anbetung darin ausgestellt. Diese Capelle,
welche von der Kaiserin Maria Theresia 1757 ganz neu her=
gestellt wurde, hat eine schöne Höhe mit flachem Plafond, genug=
sames Licht und ist ziemlich geräumig. Ihr Inneres ist grau ge=
malt und zeigt die zwölf Apostel in Lebensgröße, von grüngrauer
Malerei mit Gold (nach der griechischen Benennung: leucopho-
ron) aufgetragen, aus der Künstlerhand des berühmten Maul=
bertsch. Das Hochaltarblatt, von Carl Maratti, zeigt
den sterbenden Joseph, und die Blätter der zwei Seitenal=
täre verfertigte Freiherr von Strudel, Director der Akademie
der bildenden Künste in Wien.

Das sogenannte Halbgeschoß (zwischen dem Erdgeschoß und
dem ersten Stockwerke) begreift gegen den äußern Burgplatz der
ganzen Länge nach den Controlor=Gang, gegen den innern
Burgplatz aber befinden sich viele Gemächer für den Staats=
rath und das geheime Haus=Archiv. Zu ebener Erde ist
die kleine Kanzlei des erzherzoglichen Haushofmeisters und
Hofcommissionärs des Erzherzogs Rainer, Vice=Königs von
Italien, des k. k. Kammerdieners Knoll, daran stößt der Hof=
keller mit dem Amte, dann die Hof=Zuckerbäckerei und
endlich die Hof=Burgwache, jederzeit von Grenadieren ver=
sehen.

Wie wir schon bemerkt haben, steht der Amalienhof zwischen
dem Leopoldinischen Gebäude und der Reichskanzlei. Im zweiten

Stocke desselben befindet sich das Apartement Sr. Maje=
stät des jüngern Königs von Ungern und Kronprin=
zen aller übrigen k. k. österreichischen Erbstaaten,
wozu der Hauptaufgang von der Seite der Staatskanzlei her
ist. Hier sind zwei Eingänge, der rechter Hand führt in ein
Zimmer, weiß mit Goldverzierungen, in welchem bei Functio=
nen die Garden mit gezogenem Säbel stehen, weil von diesem
der Eingang in das Thronzimmer des Königs führt. Zwei große
Kästen mit antiken Gefäßen und derlei Bronze=Figuren aus den
Römerzeiten darin sind von großem Werthe und sehr beachtens=
werth. — Im Thronzimmer ist ein großer Baldachin von Pur=
pursammet aufgerichtet und die Wände dieses großen Ge=
maches sind mit Gobelin=Tapeten, welche die Geschichte Ale=
randers des Großen enthalten, überspannt, welche eine
reiche Uebersicht der vortrefflichen Arbeit bieten. Die Größe die=
ser Tapeten, die Kunstarbeit und die auserlesene seltene Pracht
des Farben=Colorits geben denselben einen großen Werth. Von
diesem gelangt man in das königliche Empfangszimmer,
welches ebenfalls ganz weiß mit Goldverzierungen geschmückt ist.
Die Spaliere, Draperien und Ueberzüge der Sessel sind von
schönem rothen Damast, bei den Fenstern stehen Candelaber von
grüner Bronze, und ein Tisch, dessen Platte Stein=Mosaik ist,
kann werthvoll genannt werden. Dieses Gemach stößt an das
Haupt=Garderobe=Zimmer der Königin und unterhält auch von
dieser Seite die Communication mit den Zimmern derselben. —
Linker Hand an der vorerwähnten Stiege ist der Eingang in die
Kammer und zu den Wohngemächern Sr. Majestät des jüngern
Königs. Das erste Zimmer bildet die eigentliche Kammer,
darauf folgt jenes für den Kammerdiener, dann jenes
für die Kammerherren. In diesem sahen wir vier Kästen mit
einer militärischen Sammlung, und ein sehr schönes Oelgemälde
von ziemlicher Größe, welches die beiden Städte Ofen und
Pesth ganz vorzüglich darstellt. Daran stößt das Sitzimmer
von Papiertapeten gelb mit weißen Blättern, eingerichtet mit
gelbseidenen Meubeln und Draperien. Darin befinden sich die

3 *

porzellanenen Büsten des Kaisers, der Erzherzoginnen Clementine und Caroline, ein kleines Bild, den Kaiser Leopold II. mit der kleinen allerhöchsten Familie darstellend, und einen Spielkasten von Höß. Auf dieses folgt ein kleines Cabinet mit einem Theile der technischen Sammlung 2c. 2c., dann ein großes Zimmer mit der Aussicht auf den innern Burgplatz, worin ein Billard sich befindet, und welches zugleich als Schreibzimmer dient. Unter die vorzüglichen Gegenstände darin gehört eine künstliche Uhr mit dem Erd= und Himmels= Globus von Ziebermayer, dann mehrere Kästen, in denen die Muster aller nur denkbaren rohen und verarbeiteten Materialien, aller Fabrikate und sonstigen Erzeugnisse, sorgsam geordnet, aufbewahrt werden. Dieß ist die eigene Arbeit und der rastlose vieljährige Fleiß des hochverehrten Königs und Thronfolgers, alles zu sammeln, was Bezug auf das unermeßliche Feld des Gewerbstandes hat. Wer wird nicht billig staunen über die Idee, auf solche Art sich von Allem und Jedem von so unendlich vielen Zweigen eine gehaltvolle Kenntniß zu verschaffen! — Wenige unserer Mitbürger mögen dieß wissen, und daß der gnädige, um das allgemeine Wohl seiner Völker so innigst besorgte Kaiser — so wie auch dessen erhabener Sohn, berufen, einst die Zügel der Regierung Oesterreichs zu führen und treu und beflissen in die Fußstapfen seines glorreichen Vaters zu treten, mit hoher Klugheit und Weisheit die Bedürfnisse und nicht minder den Ertrag des Bodens der weiten österreichischen Monarchie genau kennen, um Segen bringend zu walten. Glücklich der Monarch, der von Oben herab mit einem solch sorglichen Gemüthe, mit einem solch hohen Seelenadel, die schweren Regentenpflichten glücklich zu erfüllen, begabt ist, aber noch zehnmal glücklicher das Land, welches einen solch hohen Herrscher besitzt, wie es der hohe Regentenstamm Oesterreichs ist!! —

. An dieses Schreibzimmer Sr. Majestät reiht sich das Apartement Ihrer Majestät der Königin. Wir wollen inzwischen solches nicht von hier, sondern vom Haupteine

gange, von der Adlerstiege her, beschreiben, weil dadurch die La=
ge desselben besser und deutlicher bezeichnet werden kann. Das
erste Zimmer bildet die Antichambre, darauf folgt das Ta=
felzimmer, ganz weiß mit Gold, mit alterthümlichen, aber
in jeder Hinsicht gewiß sehr schönen Verzierungen, auf dieses
das Empfangszimmer mit goldgelbem Atlas tapezirt, mit
gleichartigen Draperien und geschmackvollen Meubeln. Schöne
Spiegel, eine prachtvolle Bronzeuhr und derlei Girandolleuchter
schmücken dasselbe. An dieses stößt das Schlafgemach bei=
der Majestäten, die Tapeten von schwerem himmelblauen fa=
çonnirten Seidenstoff und mit gleichen sehr schönen Meubeln
von Mahagonyholz und einer kronähnlichen Bett=Draperie von
gleichem Seidenzeuge. Ober den beiden Thüren dieses wunder=
schönen Gemaches sind als Superporten herrliche Gemälde
angebracht, welche die beiden Städte Turin und Genua darstel=
len. An einer jeden Seidenwand prangt ein großes Bild, links
die heil. Helena und rechts Christus am Kreuze, neben den
Betten ebenfalls zwei kleine Bildnisse. Von diesem Gemach ge=
langt man in das niedliche Schreibcabinet Ihrer Maje=
stät, welches mit violetfarbnen Papier=Tapeten ausgeschlagen ist.
Es ist mit mehreren Ottomanen geschmückt, welche wie die übri=
gen Meubeln, von apfelgrüner Seide mit violettem Aufputz, sich
gar schön ausnehmen. Ein kleines wohlgetroffenes Porträt des
Kaisers und mehrere andere kleine Bildnisse, gestickt, gezeichnet
und grau gemalt, befinden sich darin. Aus diesem Cabinette
gelangt man in das oben erwähnte Schreibzimmer des Königs.
— Alle diese Gemächer haben die Aussicht auf den innern großen
Burgplatz. Dem Schreibcabinet zunächst im Hofe des Amalien=
hofes befindet sich das Toilette=Cabinet. Es ist ganz rosa,
mit weißem mit Blättern durchwirkten Vapeur überraschend schön
zeltartig gespannt und an dem gleich zierlichen Plafond mit Rosen=
kränzen von Vapeur geziert; desgleichen auch sind die Fauteuils
und der Toilette=Tisch weiß überzogen, unter denen ein großer An=
kleidespiegel mit dunklem Gestell sich sehr gut ausnimmt. Die sämmt=
lichen Tapezirer=Arbeiten sind von der Kunsthand des k. k. Hof=

Tapezirers Stöger, und besonders dieses letzte Cabinet kann wirklich ein Feengemach genannt werden, ob seiner Schönheit und Zartheit. Daran reihen sich zwei Zimmer der Kammerjung= frauen, auf chinesische Manier ausgemalt, nach welchen die große Garderobe, ein großes Zimmer, weiß und Gold, folgt, welches das nächste an dem Empfangszimmer des Königs ist.

Der erste Stock des Amalienhofes hat gegen den innern großen Burgplatz hinaus dieselben Gemächer wie der zweite Stock, wovon eines weiß und Gold, zwei mit rothem Damast und eines mit grünseidenen Tapeten geziert sind, und welche gegen= wärtig Se. kaiserliche Hoheit der durchlauchtigste Erzherzog Ludwig bewohnen. Die rückwärtigen Zimmer aber sind in mehrere abgetheilt und daher kleiner als die obern, und von verschiedenen Hofchargen bewohnt. Zu ebener Erde ist das k. k. Oberststallmeister=Amt und die Mundküche des besagten Erzherzogs. Nicht nur im Amalienhof, sondern auch in den übrigen drei Gebäudetheilen sind ringsum im dritten Stock — oder vierten Halbgeschoß — viele kleine Zimmer mit kleinen Küchen, die von der Hofdienerschaft bewohnt werden, und außer denen sich ein Gang nach allen Krümmungen der Burg hinzieht, von welchem Gange auch jede Abtheilung einen eigenen Namen hat.

Wir wenden uns nun an den vierten Theil der Burg, näm= lich an die majestätische Reichskanzlei, wovon die Gemächer ge= gen den Burgplatz schön, hoch und meist regulär gebaut sind.

Den nächsten Theil vom Amalienhof weg, der eben auch mit diesem keine Communication hat, im zweiten Stock bewohnt Se. kaiserl. Hoheit der durchlauchtigste Erzherzog Johann bei seiner Anwesenheit hier. Dieses Apartement enthält die Kammer, ein Zimmer für den erzherzoglichen Kam= merdiener, rechts das Ingenieur=Arbeitszimmer, links ein kleines Empfangszimmer des Erzherzogs mit blauen Papiertapeten, daran das Schreib= und zugleich Schlaf= gemach, mit grauen Tapeten, an dieses stößt ein Audienz= zimmer mit blauem Atlas tapezirt und mit derlei Meubeln, nach diesem das graue Tafelzimmer, dann eines für den

Kammerherrn und endlich das Kanzleizimmer des
Sekretärs. Unglaublich einfach ist sowohl das Meublement
als die übrige Ausschmückung der Gemächer dieses hohen Herrn.
An dieses Apartement stoßen drei Zimmer, als das Bureau
des Herrn Oberstkämmerers und noch einige andere Zim=
mer für höhere Hofchargen. Im ersten Stock befindet sich in
der Mitte des Gebäudes zunächst der Hauptstiege ein großer
Saal in Quadratform. Dieser wurde benützt, um die Hauptmo=
mente unsers glorwürdigen Kaisers Franz I. bildlich darzustel=
len, und solche der Nachwelt aufzubewahren.

Am Plafond bildet solcher eine Halbwölbung, der zierlich
grau gemalt ist, und wovon der Grund, die Verzierungen und
die grau gemalten Rosetten mit Gold aufgetragen sind. Die
drei Seitenwände hingegen stellen drei große Bilder mit
breiten goldenen Rahmen dar, nämlich eines zunächst der Thüre,
wie Se. Majestät der Kaiser den 27. November 1809
nach abgeschlossenem Frieden mit Frankreich, in
einfacher Reisekalesche in seine Burg zurück=
kehrt und im Schweizerhof an der Botschafter=
stiege aussteigt; das zweite, diesem gegenüber, enthält den
herrlichen Moment des Kaisers Einzug am 16. Ju=
ni 1814 nach seiner Rückkunft aus dem glücklich
beendigten französischen Feldzug, mit der An=
sicht der Triumphpforte am Kärnthnerthor; das
dritte aber die erste Ausfahrt des Monarchen mit
Ihrer Majestät der Kaiserin am 9. April 1826
nach überstandener lebensgefährlicher Krankheit
aus der Burg von der Bellaria weg. Diese Tableau's
wurden von dem geschätzten Kunstmaler Peter Kraft, außer=
ordentlichen Professor der Historienmalerei, Schloßhauptmann
des k. k. Lustschlosses Belvedere und Gemälde=Gallerie=Direc=
tor, innerhalb vier Jahren mit einer staunenswerthen Pracht
auf eine neue Manier, nach der man eine reine Oelmalerei vor
sich zu haben glaubt, jedoch ohne Glanz, verfertigt.

Es ist nicht der Zweck unseres Buches, in solchem diese Ge=

mälbeſtücke ihrem künſtleriſchen Werth nach zu beurtheilen, ſon=
dern wir wollen in Kürze nur ihre Bedeutſamkeit unſern geneig=
ten Leſern mittheilen.

Obgleich eine jede dieſer Darſtellungen, an denen alle Figu=
ren im Vordergrunde in Lebensgröſſe gehalten wurden, von
auſſerordentlicher Pracht iſt, ſo ſind ſie doch in Hinſicht der Ge=
genſtände ſehr verſchieden, welches auch in den einzelnen Thei=
len zu beachten kommt. Wir finden beim erſten Gemälde es
ſehr zu bewundern, wie es der Künſtler vermochte, inmitten ſo
groſſer Volksgruppen die Reiſekaleſche mit den vier Pferden,
deren Gruppirungen meiſterhaft entworfen wurden, ſo glücklich
anzubringen, daß der Monarch ganz ſichtbar wird, wie er eben
ausſteigt. Alle Stellungen ſind edel gehalten, der jubelnde Aus=
druck der Phyſiognomien Hunderter von Menſchen, ihren geliebten
Kaiſer wieder zu ſehen, überraſchend aus dem Leben genommen,
die Kleider und beſonders der Damenputz mit allem erdenklichen
Farbenſchmelz zum Erſtaunen der Wirklichkeit gleichgeſtellt. Der
Künſtler hat ſich in dieſem Gemälde unter der Menge ſelbſt tref=
fend Porträt ähnlich hingeſtellt, das Antlitz ſeines kaiſerlichen
Herrn zu ſchauen. Der Beſchauer wird von inniger Freude und
Ehrfurcht erfüllt, und glaubt ſich in die Wirklichkeit des damali=
gen Augenblicks verſetzt, welcher ein Tag der unausſprechlichen
Freude nach ſo harten Leiden für die Wiener war.

Jenes zweite Gemälde, dieſem erſt beſprochenen gegenüber,
liefert eine noch wichtigere Begebenheit, nämlich die glückliche
Heimkehr des geliebten Herrſchers. Es waren zwanzig Jahre in
den Strom der Zeit abgelaufen, während welcher Oeſterreich
harte Zeiten zu überleben hatte. Die ſteten franzöſiſchen Kriege
verurſachten tiefe Wunden im Herzen der öſterreichiſchen Lande.

Kaum finden wir einen Monarchen in der Geſchichte, der
gleich wie Kaiſer Franz ſeit ſeinem Regierungsantritte ſo viele
widrige Ereigniſſe zu beſtehen hatte. Doch in der weiſen uner=
gründlichen Vorſicht lag es anders. Der gütige Monarch ſollte
aus dieſer ſchweren Prüfungszeit doppelt glorreich hervorgehen,
dazu bot ſich die Gelegenheit des neuerlichen franzöſiſchen Krie=

ges im Jahre 1812; allen Staaten schien eine große Kluft des Verderbens aufzuklaffen, Oesterreichs innere Kraft erwachte von Neuem furchtbarer als früher, und trug den Schild für Wahrheit und Recht auf die blutige Wahlstatt, siegreich ging es mit seinen Verbündeten aus den Schlachten, und befestigte somit den goldenen Frieden. Kaiser **Franz** gab bei seiner hohen Klugheit den Ausschlag zur Begründung des Glückes so vieler Millionen Menschen. Was konnte also einen größern Jubel in Wien erwecken, als die glückliche Rückkunft des kaiserlichen Herrn, des hohen Vaters! Die Triumphpforte, aufgerichtet am Kärnthnerthore, ober welcher in einer Gallerie das Musikchor die Volkshymne: »**Gott erhalte Franz den Kaiser**,« spielte, alle Erzherzoge und Minister, den Heros Fürsten von **Schwarzenberg** und endlich den Kaiser selbst zu Pferde, umgeben von den Großen des Landes, mit der k. k. Arcieren- und königlich ungrischen adelichen Leibgarde, Alles in großer Prachtgalla, rückwärts die herrliche Carlskirche, mit einer unermeßlichen Menge Volkes, stellt dieses großartige Gemälde dar. — Der Künstler hielt alle die ersten Personen Porträt ähnlich, und besonders gut getroffen lächeln die gnädigen Züge des hohen Siegers auf seine guten Wiener, die in mannichfachen Gruppen jubeltrunken sich in die Nähe des Landesfürsten drängen. Das Gemüth des Beschauers schlägt höher bei Bewunderung dieses schönen Gemäldes, welches gleich wie die zwei andern nach Jahrhunderten jedem Oesterreicher noch werth und theuer seyn wird. Alle Gegenstände sind von dem Künstler auf das höchste nüancirt, sogar die Liebe und Ehrfurcht der Kinder, welche die freudige Mutter, der sorgliche Dienstbothe hoch emporhebt, um das theure Angesicht des Regenten sich einzuprägen; man sieht Freudenthränen den Augen der Menschen entquellen, und nahe an der Triumphpforte in ganz schwarzem Kleide mit der goldenen Civil-Ehrenmedaille, hascht sehnsüchtig des Kaisers Kammerdiener, **Michael Ruthner**, ein alter treuer Diener seines Herrn, nach dem Anblick seines gnädigen Monarchen.

Nicht minder sehenswerth ist das dritte Gemälde an der mittleren Hauptwand, ja es wird selbst dem Kunstkenner schwer, einem davon den Vorzug zu geben, und wenn dieß geschehen könnte, so wäre es nicht der Kunst, sondern des Gegenstandes wegen. — Hier ist der Moment vorgestellt, wie der Kaiser mit seiner erlauchten Gemahlin nach seiner überstandenen schweren Krankheit zum erstenmal wieder von der Bellaria der Burg weg ausfährt. Ein sechsspänniger kaiserlicher Hofwagen, worin das Regentenpaar sitzt, macht die Hauptgruppe aus. Die Pferde so wie die die kaiserlichen Vorreiter sind in mittlern lebensgroßen Zeichnungen gehalten, und die colorirte Darstellung übertrifft alles dieser Art. Des Kaisers blasses Antlitz zeigt sich der Menge, die in kindlich liebenden Gruppirungen ihren Jubelruf, daß er ihnen von der allgütigen Vorsehung wieder geschenkt worden sei, tausendfach erschallen läßt. Die Plateforme des neuen Burgthores sieht man in geringer Ferne von vielen hundert Zuschauern besetzt. So reichhaltig dieses Bild an und für sich ist, so großartig ist es auch ausgeführt. Der Farbenreichthum an den Kleidungen der Personen ist hier wie beim ersten Gemälde in vielen Abstufungen mit einer Wirkung zu schauen, die alles bisherige bunte Costüm an Gemälden übertrifft, und so hat der verdienstvolle Professor Kraft einen schönen Saal der kaiserlichen Hofburg mit Gemälden geziert, die jedem Oesterreicher theuer und heilig sind und auch dem späten Enkel noch die hohen Vorzüge des erlauchten Herrschers zur geschichtlichen Erinnerung zurückrufen werden. Auch das übrige Meublement, als: 30 Fauteuils, deren Gestelle modern und ganz vergoldet, zwei große Candelaber und ein schöner holzvergoldeter Luster mit 50 Lichtern, zwei große Spiegel mit zwei Tischen, wovon die Platten blaugrauer Gipsmarmor sind, ist der Würde und Schönheit dieses Saales ganz angemessen. Von diesem linker Hand befindet sich das Apartement des verstorbenen Herzogs von Reichstadt in vier Gemächern und einigen Zimmern für die Kammer und Dienerschaft bestehend; rechter Hand aber das Apartement des Herzogs Leopold von Salerno mit seiner Gemahlin, der durchlauchtigsten

Erzherzogin Clementine. Daßelbe eröffnet ein Vorzim=
mer, dann ein grünes Speisezimmer, rechts ein Bil=
lardzimmer, dann das Gemach der kleinen Prinzessin
mit grünen Seidentapeten und derlei Meubeln mit zwei Seiten=
zimmern für die Domestiken. Links befindet sich ebenfalls ein
mit grünen Seidentapeten geziertes Zimmer, als das Sitzzim=
mer der Frau Erzherzogin, daneben das Empfangszimmer
mit rothen Damast=Draperien. An dieses reiht sich gegen den
Hof das Schlafzimmer gleichfalls tapezirt mit grünseidenem
Stoff, worin aber die Fenster= und Bett=Draperien von weißem
mit Gold gestickten schweren Atlas und Goldfransen sind. In
der geraden Fronte an dem Burgplatze hingegen stößt an das
Empfangszimmer das Gesellschaftszimmer der Erzherzo=
gin, welches Tapeten und Ueberzüge der Meubeln von schwerem
Atlas hat, die wirklich sehr schön sind, von welchem man ge=
gen den Hof in das Schreibzimmer des Herzogs gelangt,
welches mit gelber Seide, derlei Meubeln, wovon alle Gestelle
und Kästen von schwarzem Holz sind, und Draperien geziert ist;
daran stößt zum Ausgange das Zimmer der Kammerdiener. In
der Ecke rückwärts, anstoßend an den Amalienhof, befindet sich
im ersten Stocke das Bureau des k. k. Obersthofmeister=
Amtes und weiter vorn das k. k. Oberstmarschall=Amt.
Im Hofe im ersten Stocke gibt es hier noch einige Wohnungen
für höhere Hoffchargen. — Im sogenannten Halbgeschoß (zwi=
schen dem ersten Stock und ebener Erde) ist das k. k. Contro=
lor=Amt, die k. k. Hofstaatsbuchhaltung und das Hof=
zahlamt. Einen Theil zu ebener Erde nehmen k. k. Stal=
lungen und Wagen=Remisen ein, wo man durch einen
Hof auch in die Schauflergasse gelangt.
Als ein eigentlicher Bestandtheil der k. k. Burg ist auch
noch der k. k. Hofgarten mit dem großen Gewächshause
zu betrachten. Dieser ist bei der Haupumstaltung des Platzes
vor der Burg mit dem Volksgarten zu gleicher Zeit angelegt
worden, und befindet sich auf der entgegengesetzten Seite dessel=
ben. Wenn auch gleich der Raum eben nicht von bedeutender

Größe ist, so verdient doch derselbe in Rücksicht der vielen ein=
heimischen, amerikanischen wie auch afrikanischen und andern
erotischen Gewächse eine besondere Werthschätzung, wobei dieser
kaiserliche Garten, da das Terrain zu Terrassen, Alleen, Blu=
menbeeten und mannichfachen Abstufungen mit umsichtiger Kennt=
niß benutzt wurde, einen besondern lieblichen Reiz gewährt.
Ueberdieß ist in demselben nebst einem schönen Bassin auch noch
die Bildsäule Kaiser Franz I., welche ehedem im sogenannten
Paradiesgärtchen stand, aus Erz aufgestellt; die Statue zu
Pferde in Lebensgröße ist kunstvoll von der Hand des Baltha=
sar Moll verfertigt worden.

Nicht also nur der in beschränktem Raume angelegte schöne
Garten, sondern vielmehr die darin befindlichen großen Gewächs=
häuser, welche eine schöne, obschon von der korinthischen Ord=
nung abweichenden Bauart, die auch eigentlich zu Land= oder
Glashäusern, mögen sie auch noch so großartig angelegt seyn,
doch nicht gehört, sind sehr sehenswerth. Bei diesen finden wir
auch den Blumensaal, von acht Säulen getragen, besonders
schön, in welchem Fenster und Doppelthüren aus reinem Eisen
gearbeitet und alle Räume mit feinem Glase geschlossen sind.
Dieser wahrhaft fürstliche Blumensaal befindet sich zwischen
zwei sehr großen Glashäusern, worin die größten Bäume und
Pflanzen stehen können, und welche auch so eingerichtet sind,
daß sie jeden Wärmegrad erhalten, der für ein Treibhaus so
seltenen Inhalts oft nöthig wird. Dazu bildet der Gebäudeflü=
gel zwei Salons, welche, wie alle Gemächer der kaiserlichen
Burg, mit vielem Geschmack ausgeschmückt, durch unterirdi=
sche lichte Gänge mit der Burg in Verbindung gesetzt sind,
und worin wir in einem derselben ein vortreffliches Kunstwerk,
in einer Vase bestehend, fanden, welche in Gold die Namens=
Chiffre der kaiserlichen Familie enthält und als besonders bemer=
kenswerth zu erwähnen ist. Diese Salons werden im Frühjahre,
meist am 1. Mai, zu dem anmuthigen Frühlingsfeste, welches
Ihre Majestät die Kaiserin dem gesammten hohen Adel gibt und
welches in der Früh beginnt und gegen zwei Uhr Mittags endet,

bestimmt, die dazu als wahre Feenorte dienen, worin die Huld=
göttin Flora ihren üppigen Reichthum ausschüttet. Schön und
großartig ist ein solcher Freudenmorgen, der stets in diesen Ge=
mächern den größten Theil der schönsten und reizendsten Damen
von Wiens höchsten Ständen aufnimmt! —

Was den Reichthum der hier vorhandenen Pflanzen betrifft,
so ist solcher groß und stammt aus allen Theilen der Welt; da=
bei flattern viele ausländische Vögel herum, unter deren melodi=
schem Gesang und Pfeifen sich oftmals das gellende Geschrei
der seltensten Arten von schelmischen Affen menget, die ihr hei=
mathliches Recht ausüben, und sich auch oft auf der Terrasse, die
den Wintergarten des Kaisers enthält, zeigen.

Das nächste Gebäude an der Burg ist, wie wir schon er=
wähnt haben, das k. k. National=Theater gegen den Mi=
chaeler=Platz zu; der Haupteingang ist aber unter der Haupt=
durchfahrt der Reichskanzlei. Dasselbe ist dem Range nach das
erste Theater, wenn gleich sein Inneres nicht sehr groß und
außerordentlich schön ist. Es hat ein erstes und zweites Par=
terre, zwei Range Logen mit der von Sammet und Gold reich
verzierten Mittel=Loge, welche für den Allerhöchsten Hof be=
stimmt ist, und zwei Gallerien. Immer sammelt sich hier ein
gewähltes Auditorium, wo auch nur deutsche Schauspiele, vor=
züglich classische Werke, von einem ausgesuchten dramatischen
Künstlerverein, einem der ersten in Deutschland, dargestellt
werden. Diese Hofbühne steht unter der obersten Direction des.
k. k. Herrn Oberstkämmerers; Vice=Director ist Johann
Ludwig Deinhardstein, vormals Professor der Aesthetik,
und als Literator im In= und Auslande rühmlichst bekannt.
Da dieses Hoftheater unter kaiserlicher Aegide steht, so sind
auch die Hofschauspieler, welche mit kaiserlichen Decreten ange=
stellt sind, pensionsfähig.

Um alle Theile der Burg durchzugehen, wollen wir nun
auch die k. k. Bibliothek und die sämmtlichen kaiser=
lichen Cabinette anführen, da wir die beiden k. k. Re=
doutensäle, nämlich den großen und kleinen, wovon der

erftere den Hauptaufgang vom Josephsplatz, der letztere hinge=
gen von der erften Stiege des Schweizerhofes, die zu dem Augu=
ftinergang zur großen und zur Privat=Bibliothek Sr. Majeftät
führt, hat, ohnedieß in der II. Abtheilung erwähnt haben.

· Wie der geneigte Lefer aus den äußern Umriffen der Burg
entnommen haben wird, nimmt das Prachtgebäude der k. k.
Hofbibliothek, welches Kaifer Carl VI. aufführen ließ, den
ganzen mittleren Theil des den Josephsplatz einfchließenden
Theils derfelben ein. Dazu ift der Hauptaufgang links in der
Ecke über eine fchöne breite fteinerne Treppe, an der mehrere
römifche Alterthümer, als: Büften, Denkfteine und Säulen=
ftumpfe, fich eingemauert befinden. Rechter Hand gelangt man
in das Lefezimmer der Bibliothek, welches fehr geräumig und
für jeden Erwachfenen geöffnet ift, linker Hand aber in den
Saal der Bibliothek. Wie unbefchreiblich groß ift die Ueber=
rafchung und der mächtige Eindruck, welche der Eintretende in
diefem majeftätifchen Saale empfindet, der durch die wahrhaft
kaiferliche Munificenz Kaifer Carls VI. fo höchft großartig
hergeftellt wurde, daß man mit Recht fagen kann, es exiftirt
kein zweiter Saal wie diefer. Die Höhe ift nach der Größe
nämlich von 240 Fuß Länge und 54 Fuß Breite, äußerft folid
und fymmetrifch, wobei das Ganze zwei Quadrattheile und deffen
Mitte eine ovalrunde Kuppel mit folchen Wänden bildet, die von
Marmorfäulen getragen werden. Alle Gemälde al fresco find
von dem unfterblichen Daniel le Gran, wovon jene am
Plafond in fymbolifchen Figuren alle Wiffenfchaften vorftellen.
In der Mitte des Rondeau's fteht die lebensgroße Statue Kai=
fer Carls VI., aus carrarifchem Marmor künftlich gearbeitet,
und rings um diefelbe bilden zwölf Kaifer=Statuen öfterreichi=
fcher Regenten den Kreis. — An allen Wänden find gefchmack=
volle Bücherfchränke, von Nußbaumholz prächtig gearbeitet und
mit Holzvergoldungen reich verziert, angebracht, über welche eine
geräumige Gallerie den Saal umläuft, ober welcher große ver=
goldete Medaillons mit kunftvollen Büften aus dem Alterthume
angebracht find. Vier gedeckte fteinerne Treppen find im Saale

angebracht, auf welchen man zu den vielen Bücherschränken gelangt. Es beläuft sich die Anzahl von Büchern aus allen Fächern der Wissenschaften, welche sowohl hier als in vielen andern Cabinetten der obern und untern Abtheilung des großen Saales aufgestellt sind, über 300,000 Bände, wozu noch mehrere Tausende von Manuscripten, die in drei besondern Zimmern verwahrt werden, kommen.

Als höchste Seltenheit in der k. k. Hofbibliothek, erwähnen wir das älteste Schriftdenkmal »von der Aufhebung der Bachus= feste« (senatus consultum de Bacchanalibus coercendis) aus der Periode der römischen Republik (186 Jahre vor Chr. G.), dann die Peutingerische Tafel (Tabula Peutingeriana) auf Pergament, in Hinsicht der Geographie, nicht minder ein hiero= glyphisches merikanisches Werk auf einer Hirschhaut, mit 56 ge= malten Blättern versehen. Außer diesen sind noch sehr viele an= dere kostbare und seltene Werke aus dem Alterthum vorhanden, wozu welche aus dem IV., VI., VII. und VIII. Jahrhundert, auf echtem Papyrus und Pergament, gehören. Diese gehören alle zu den Schaustücken, die als die ersten literarischen Kleinode auf Verlangen den Fremden und sachverständigen, gebildeten Perso= nen von den k. k. Bibliotheksbeamten gezeigt werden. Alle übrigen Schätze hier aufzuzählen, welche die k. k. Hofbibliothek so reich= lich enthält, und welche sie zur ersten Bibliothek emporheben, vermögen wir nicht, wegen Mangel an Raum in unserm gegen= wärtigen Werke namentlich anzuführen, nur glauben wir erwäh= nen zu müssen, daß die Mitte des großen Büchersaales die Bibliothek des großen Prinzen Eugen von Savoyen enthält, welche er bei seinem Tode an den Kaiser vermachte. In den bei= den untern Stellen dieses Rondeau's befindet sich auch die Kunst= sammlung der k. k. Hofbibliothek. Die Sammlung der Holz= schnitte und Kupferstiche besteht ungefähr aus 300,000 Blät= tern, die 800 Bände ausmachen, und worunter 217 Bände bloß allein Porträte enthalten. Nächst diesen werden in 25 Bänden lauter Miniaturgemälde gezählt, von denen drei Bände die vor= züglichsten Gemälde der kaiserlichen Bildergallerie, wie solche noch in der k. k. Stallburg bestand, sammt den Namen der Meister enthalten, endlich sind 25 Bände vorhanden, die eine vollkommene große Sammlung der vierfüßigen Thiere, Vögel, Pflanzen, Blumen und Früchte aller nur denkbaren Gattungen enthalten, und die alle auf Pergament nach der Natur gemalt sind. — Sehr erstaunenswerth ist diese prachtvolle Sammlung, die denn auch in jeder Beziehung unter die vollständigsten und kostbarsten in Europa mit Recht gezählt werden kann.

Die wissenschaftlichen Zweige der k. k. Hofbibliothek enthalten sonach eigentlich vier Rubriken, nämlich: die Sammlung der Handschriften, die Sammlung der Incunabeln (dieß sind die ältesten Druckwerke), die Sammlung der Kupferstiche und jene des großen Bücherschatzes. Die Entstehung der Bibliothek wird dem Kaiser Maximilian I., der ein großer Freund und Beschützer der Künste und Wissenschaften war, zugeschrieben, von welchem sie dann immer auf die nachfolgenden Kaiser überging und von Zeit zu Zeit vermehrt wurde, aber bis zu Zeiten Kaiser Carls VI. ein Privat-Eigenthum des Hofes blieb. Gedachter Kaiser Carl erhob sie zu einem öffentlichen Institute, und ließ eigends dazu dieses Prachtgebäude aufführen und mit außerordentlichen Kosten wahrhaft kaiserlich einrichten; ihm gebührt daher das unsterbliche Verdienst um die Wissenschaften und der Ruhm, welcher auch die späte Nachwelt noch mit voller Bewunderung erfüllen wird, ob eines solch' hohen Unternehmens, welches den innigsten Dank der gebildeten Welt verdient. Auch der große Kaiser Joseph II. gab der Bibliothek reichliche Vermehrung und unser um die Wissenschaften hochverdienter glorwürdiger Regent Franz I. von Oesterreich, als besonderer Beschützer solcher Institute, that sehr vieles während seiner segensreichen langen Regierung, ihm verdankt sie in der neuern Zeit das Meiste, und noch immer läßt der gütige Fürst jährlich 15,000 Gulden zur Anschaffung guter Werke als Dotation anweisen, die auch oft, wenn sich die Gelegenheit des Ankaufes seltener Bücher darbietet, auf das Doppelte vermehrt wird.

Außer dieser ist auch die Handbibliothek Sr. Majestät, welche sich zunächst der Kammer Ihrer Majestät der
Kaiserin befindet, ganz besonders erwähnenswerth. Ein schönes
Locale im zweiten Stockwerke ist derselben angewiesen, die in
mehreren Zimmern aufgestellt bei 40,000 Bände beträgt. Sehr
leicht kann man urtheilen, daß hier eine vorzügliche Auswahl
höchst gediegener Schriften des In- und Auslandes sich gesam-
melt finden, welche alle Zweige der Wissenschaften und alle
jene Fächer, welche die sämmtlichen Naturwissenschaften, vorzugsweise die Botanik, umfassen. So wie in der k. k. Hofbibliothek, sind auch hier viele Schätze kostbarer Handschriften und
Druckwerke aus der ersten Periode der Buchdruckerkunst vorhanden, dazu kommen sehr viele Prachtwerke, die von den österreichischen und selbst ausländischen Schriftstellern dem Monarchen zu Füßen gelegt werden, die er auch immer huldvoll aufnimmt und meist wahrhaft kaiserlich honorirt. Dabei ist eine
besondere Abtheilung von Sammlungen der Kupferstiche und
Handzeichnungen in beinahe 1000 Portefeuilles, worunter 700
allein mehr als 15,000 Porträte enthalten, worüber ein eigends
angefertigter Katalog besteht, in welchem die biographischen No-
tizen beigefügt sind. Einen wahren Schatz für Geographie bilden mehr denn 300 auf Leinwand gezogene Landkarten. — Diese
Bibliothek verdient in ihrer sorgfältigen Zusammenstellung, der
vorherrschenden soliden Pracht und wegen der vielen reichen
Schätze für die literarische Welt in jeder Hinsicht den hohen Namen einer Privat-Bibliothek des Kaisers von Oesterreich! —

Nach der Hofbibliothek kommen die vereinigten k. k. Na-
turalien-Cabinette zu erwähnen, und zwar zuvörderst das
k. k. Mineralien-Cabinet. Dieses befindet sich auf dem
sogenannten Augustinergange in der Burg, und nimmt vier Säle
ein. Im ersten befinden sich Versteinerungen aller Art, nebst
Meteorsteinen und Meteor-Eisenmassen; im zweiten und dritten 100,000 Stücke als die eigentliche Mineralien-Sammlung,
indem hier alle erdenkliche Erd- und Steinarten, alle bekannten
Edelsteine, im rohen und geschliffenen Zustande, die Halbedel-

4

steine, kieselerdige Steine, dann die Salze, Pyriten, Metalle
und Halbmetalle, gediegenes Gold, Silber und Kupfer in be=
deutenden Körpern aufbewahrt werden; im vierten Zimmer sind
sehr viele florentinische eingelegte Arbeiten vorhanden, worunter
ein künstlicher Blumenstrauß von bunten Edelsteinen, mit wel=
chem einst die Kaiserin Maria Theresia ihren Gemahl
Franz I. an seinem Namensfest beschenkte, der als ein Kunst=
stück eine vorzügliche Erwähnung verdient. Die große Anzahl,
die Pracht und Kostbarkeit der Stücke geben dieser Sammlung
wirklich den ersten Rang in Europa.

Unfern von diesem Cabinet auf demselben Gange ist das
k. k. Cabinet der Antiken und Münzen. Neben dem
Eingange stehen einige römische Meilensäulen, Säulenstum=
pfe und einige andere alte Ueberreste aus der römischen Zeit=
epoche, in österreichischen Ländern aufgefunden, dann zwei Sta=
tuen aus schwarzgrauem Stein, die ägyptische Gottheiten (dar=
unter die Isis mit dem Löwenkopf, sitzend) darstellen, und ein
ägyptischer Mumiensarg aus einem Stück Granit, auf dem
von innen und außen unendlich viele hieroglyphische Figuren und
Schriftzeichen eingegraben sind. Dieses Cabinet enthält fünf
Zimmer, worin geschnittene Steine, Cameen, antike Münzen
und Medaillen, antike Statuen, Büsten und Basreliefs in
Marmor und Bronze, altgriechische Vasen und alte Monu=
mente in Gold und Silber in großer Anzahl vorhanden sind,
welches sich schon daraus entnehmen läßt, da allein über 24,000
Gold= und Silberstücke in der Münzabtheilung gezählt wer=
den. Dabei besitzt dasselbe eine sehr schätzbare Büchersamm=
lung, die zur Bereicherung der Münzkunde rc. rc, von großem
Werth ist.

Ferner ist noch das k. k. physikalisch=astronomische
Cabinet in der Burg, im Thurme des Schweizerhofes, wel=
cher seinen Vorsprung gegen den äußern Burgplatz hat, welches
nur zum Gebrauche des allerhöchsten Hofes dienet.

Am Josephsplatz, in jenem Seitenflügel, welcher an die Au=
gustinerkirche anstößt, befindet sich das erst von Seiner Majestät

dem Kaiser Franz I. neu angelegte k. k. zoologisch=botanische Cabinet in allen drei Stockwerken, und nimmt 25 Säle und Zimmer ein. Der symmetrischen Ordnung zufolge sind zu ebener Erde die Affen und affenartigen Säugethiere, die Beutelthiere, die hunde= und katzenartigen Raubthiere von der kleinsten bis zur allergrößten Race, und die fledermausartigen Flugthiere; auf diese folgen die sogenannten Zahnthiere, die zahnlosen Thiere, die vielhufigen, die zwei= und einhufigen, dann die Seesäugethiere. Nach diesen Abstufungen kommen die sehr reichhaltigen in= und ausländischen Vögelsammlungen, die in Raub=, Sing=, hühnerartigen, Sumpf=, Wasser= oder Schwimm= vögeln bestehen, worauf die Amphibien, Insecten, Fische und Seethiere folgen. An diese reihen sich die Conchilien=, Krebsen=, Krallen=, Zoophyten= (Thierpflanzen=), Schwämme=, Korallen= und Eingeweidewürmer = Sammlungen, worauf dann das Pflanzenreich den Beschluß macht, welches in einem Herbarium von getrockneten Pflanzen aus allen Theilen der Welt, sorglich zusammen getragen, besteht, und dem noch eine Sammlung von Pflanzen, Früchten und Schwämmen, in Wachs bossirt, angefügt ist. — Auch dieses Cabinet, welches mit der Büste des Kaisers, aus carrarischem Marmor von Zauner verfertigt, geziert ist, kann den berühmtesten in Europa nicht nur gleichgesetzt werden, sondern Vieles davon wird die andern derlei Cabinette bei weitem noch übertreffen.

Außer diesem existirt noch das k. k. brasilianische Museum. Es gehört zu den k. k. Cabinetten, und nur Mangel an Raum in der Burg hat dasselbe in die Johannesgasse Nr. 972 versetzt. Darin findet man alle jene naturhistorischen Gegenstände vereinigt, die der k. k. Hof aus Brasilien erhalten hat. In diesem sind eine bedeutende Anzahl neuer Arten von Säugethieren, Amphibien, Fischen, Mollusken, (lat. Mollusca, eine äußerst merkwürdige Art von Würmern, die Gliedmaßen besitzen ohne Bedeckung), Crustaceen, Insecten, Würmern rc. rc., dann botanische und mineralische Artikel, endlich Waffen und Geräthschaften der Brasilianer und Mumien aufgestellt.

4 *

Indem wir nun den geehrten Lesern die k. k. Hofburg um=
ständlich beschrieben vor Augen gestellt haben, wollen wir alle
andern merkwürdigen Gebäude, Kirchen und Denkmale der
Stadt näher beleuchten, und mit dem Palais Se. kaiserlichen
Hoheit, des durchlauchtigsten Herrn und Erzherzogs Carl
beginnen.

Das Palais stammt von dem verstorbenen hochverehrten
Herzog Albrecht von Sachsen=Teschen her, welcher mit
der allgeliebten Erzherzogin Christine, Tochter der großen
Kaiserin Maria Theresia vermählt war; nach seinem Tode
erhielt es gedachter Erzherzog mit allen darin befindlichen Kost=
barkeiten und Meublement nebst allen übrigen Gütern. Wir
haben schon in der II. Abtheilung der Darstellung von Wien
erwähnt, welch' ein hoher Beschützer, Kenner und Beförderer
der verewigte Herzog Albrecht für Kunst und Wissenschaft
war, wir dürfen daher uns gewiß halten, daß auch das Pa=
lais eines solch' hohen kenntnißreichen Herrn prachtvoll seyn
müsse, da sein fürstliches Gemüth bloß allein für Hohes und
Schönes Raum hatte, und so ist es denn auch wirklich. —
Nicht sobald dürfte man etwas prachtvolleres sehen, als in die=
sem Pallaste wirklich zu schauen ist; aber auch in kein besseres
Eigenthum hätte dieses Prachtgebäude übergehen können, als in
jenes des hochgefeierten Erzherzogs Carl, dessen Huld und hohe
Kenntnisse allgemein bekannt sind, und dessen Namen nicht nur
jeder Oesterreicher verehrt, sondern der auch im Auslande in
großen Ehren prangt. Dieses Palais steht durch den Augusti=
nergang mit der Burg in Verbindung, und befindet sich auch
zunächst derselben auf der Bastei. Die äußere Façade dieses
Gebäudes ist im jonischen Style solid aufgeführt, und an der
Hauptfronte, gegen die Vorstädte zu mit sechs derlei Lesenen
geziert. Ober diesen ist am Dache eine steinerne Gallerie, zwi=
schen welcher das doppelte Wappen des verstorbenen Herzogs,
an der einen Seite mit der Kriegsgöttin Minerva und auf der
andern mit dem Apollo, dann in einiger Entfernung mit eben=
falls zwei lebensgroßen Musen und Genien, aus Stein gehauen,

angebracht ift. Das Gebäude hat zwei Stockwerke und ein foge=
nanntes Halbgefchoß als drittes Stockwerk. Die Zimmer zu
ebener Erde werden von den erzherzoglichen Kanzleien der
Caffe= und andern Beamten, und eben fo das Halbgefchoß be=
wohnt. Im erften Stocke befinden fich die Apartements des Erz=
herzogs, der verblichenen Erzherzogin und der älteften Prinzeffin,
Erzherzogin Maria Therefia; der zweite Stock wird von
der übrigen höchften jungen Familie des Erzherzogs Carl,
den jungen Erzherzogen und Erzherzoginnen bewohnt. Es mag
unfern geneigten Lefern von großem Intereffe feyn, die in=
nere Ausfchmückung diefes herrlichen Palais, wovon fich die
Prachtzimmer im erften Stocke befinden, kennen zu lernen,
und dieß wollen wir auch mit kurzen, aber richtigen Umriffen be=
zeichnen.

Obfchon man, wie gefagt, auch durch den fchönen Augu=
ftinergang und vorn unter dem Eingange auf einer Stiege in
das Innere des Palais gelangt, fo ift doch der Hauptaufgang
von der Seite der Baftei durch das Hauptthor und den kurzen
Hof. Hier öffnet fich ein halbrunder Vorplatz mit einer Nifche,
in welcher Minerva lebensgroß und kunftvoll in Stein gehauen
fteht, von diefem entlang führt eine fchöne Säulenhalle zur pracht=
vollen Stiege. Mehrere auf Poftamenten ftehenda Bafen, ein
fterbender und ein ausruhender Gladiator zieren diefe Halle.
Zunächft der Stiege eröffnet ein Vorgemach das Apartement
der verblichenen Erzherzogin Henriette. Bevor wir diefe herr=
lichen Gemächer betreten, können wir unfer fchwermuthsvolles
Gefühl nicht unterdrücken, welches durch die fchmerzvolle Er=
innerung des zeitlichen Hintritts der allgemein geliebten und
verehrten Erzherzogin aufgeregt wird, die, als eine köftliche
Perle der Menfchheit fo reich von der allgütigen Natur mit
hohen und glänzenden Tugenden ausgefchmückt, als ein reiner
Spiegel einer zarten Mutter prangte, leider zu früh ihrem
hohen Gemahl und ihrer Familie, den Armen aber als eine
wirkfame Wohlthäterin in der fchönften Blüthe ihres fegenfpen=
deuden Lebens entriffen wurde. — Wahrlich der Eintretende

findet hier große Pracht und Schönheit in diesen Gemächern, doch das Zartgefühl der Erinnerung gibt ihm unwillkührlich die ernste Weisung, wie alles Schöne und Gute so bald auf dieser Welt vergänglich ist, und dadurch wird die innere Stimmung an demjenigen, der ein gefühlvolles Herz bewahrt, für die noch so große Pracht geschwächt, denn es wird die hohe Besitzerin in diesen Gemächern vermißt, die verklärt dem Erdballe entshoben wurde, deren Hülle aber in der Ahnengruft des österreichisch = kaiserlichen Hauses ruht! —

Das erste der Gemächer ist das grüne Sitzzimmer, in welchem sich viele Gemälde, meist Kunstwerke, befinden, und worunter »die Verläugnung Petri«, von Domenichino, und »die Geburt Christi,« von Raphael Mengs, ein Gemälde, »der Carneval in Neapel,« von Fabius, dann »die heilige Cäcilia,« von Schäffer, zu den vorzüglicheren gehören. Die Draperien sind von grünem, weißen und rothen Seidenstoff mit vielem Geschmack an den Fenstern angebracht, der parquetirte Fußboden, prachtvoll eingelegt, und ein Tisch von Sevreschen Porzellan (eine Porzellan = Fabrik bei Paris), ein Geschenk der unglücklichen Königin M. Antoinette von Frankreich an ihre erlauchte Schwester, die Erzherzogin Christine, Gemahlin des Herzogs Albrecht, von großem Kunstwerth und Pracht. Die vorhandenen Fauteuils sind von rothem Seidenzeug mit schönen Gestellen. An dieses reiht sich das Empfangszimmer, wo die Tapeten von rothem Atlas mit goldgelben Bouquetten = Verzierungen nach einem französischen Muster von dem hiesigen Seidenzeugfabrikanten Hornpostel gearbeitet sind. Diese Tapeten geben den kräftigsten Beweis, auf welcher Stufe die Seidenzeugfabrikation in Oesterreich steht, und daß solche nicht nur die ausländischen Produkte dieser Art, namentlich die französischen, übertrifft, sondern in Hinsicht der vortrefflichen guten Arbeit und Schönheit Bewunderung verdient; denn nicht sobald wird man ein schöneres, feurigeres Farben = Colorit und einen zarteren Geschmack treffen, als sich an diesen wunderschönen Tapeten zeigen. — So wie die Wände, sind auch alle Arm-

feſſel mit demſelben Zeuge überzogen und alle Geſtelle durchaus
vergoldet und mit Schnitzarbeit zart verziert, die Candelaber
von Bronze, die drei großen Spiegel aus dem niederländiſchen
Schloſſe Lacken, die prachtvollen Uhren von franzöſiſcher Arbeit
auf den Spiegeltiſchen, der Plafond reich mit Gold verziert und
ſchön gemalt, der Fußboden, noch reicher und ſchöner eingelegt als
der im Sitzzimmer, die überaus reichen Fenſter-Draperien von
gelb und rothem Seidenſtoffe und die zwei Tiſchplatten von dickem,
braunen fladerartig gebrannten ruſſiſchen geſchliffenen Spiegel-
glaſe, welche das frappante Anſehen haben, als wären ſie vom
feinſten polirten Holze. Die große Pracht dieſes Gemaches,
welche durch dieſes herrliche Meublement dem Eintretenden entgegen ſtrahlt, iſt erſtaunenswerth, und wir können unſern geneigten Leſern die Verſicherung geben, daß wir noch kein ſo reiches Zimmer getroffen haben, wie dieſes, worin Koſtbarkeit,
Schönheit und Geſchmack um die Wette eifern und man ſich in
einen Feenpallaſt verſetzt glaubt, deſſen Schimmer und Reiz jede
Beſchreibung übertrifft. Auf dieſes folgt das Arbeitszimmer,
mit Tapeten von goldgelbem Atlas, ſehr ſchönen Meubeln, worin
Sofa und Seſſel mit blauer Seide überzogen und mit gelbſeidenem
Putz äußerſt geſchmackvoll geſchmückt ſind; um dieſe eigenthüm-
Schönheit zu erhöhen, ſind die Draperien von gelb und weißem
Seidenſtoff. Wir fanden hier koſtbare Spiegeltiſche von Maha-
gonyholz und das ſchöne Gemälde der älteſten durchlauchtigſten
Erzherzogin Maria Thereſia, Tochter des Erzherzogs
Carl, als ſie erſt zwei Jahre alt war, von dem berühmten
Engländer Lawrence, Präſidenten der königl. Kunſtakademie in
London, gemalt. An dieſes ſtößt das ſehr niedliche Schreib-Ca-
binet, mit buntgemalten Pilaſtern geziert, an denen ſich in
blauen Grund eingelegte Figuren von Jaspis-Porzellan (Jaspor)
aus der berühmten engliſchen Wedgewooder Fabrik befinden. Die
Draperien ſind ganz weiß und das Meublement von ſchwarzem
Holze. Ein Amor, ein wahres Kunſtgebilde, ziert dieß Cabinet,
welches ſich durch Schönheit gleichwie durch Zartheit der
geſchmackvollen Ausſchmückung beſonders auszeichnet. Zunächſt

diefem war früher das Toiletten-Cabinet der Frau Erzherzogin angebracht, welches mit weiß und rothem Zeuge auf
türkische Art befpannt war, gegenwärtig aber nicht mehr befteht,
fondern einen Durchgang und einen Theil der Garderobe der
Erzherzogin Maria Therefia bildet. Hierdurch gelangt man
in das vormalige gemeinschaftliche Schlafzimmer, wovon die
Ausficht in den Hof des Palais geht. Diefes ift mit licht- und
dunkelgrün geftreiften Seidentapeten und prachtvollen Bett-Dra-
perien verfehen, die von blaßrofafarbigem und grünem Atlas find,
geziert. Unter mehreren Gemälden fahen wir die Porträte des
Herzogs und der Herzogin von Naffau, der Aeltern der
verblichenen Erzherzogin, und an den Meubeln herrliche bunte
Stickarbeiten von der zarten Kunfthand der Herzogin von Naffau,
die ebenfalls hier in Wien verftarb, und ihrer durchlauchtigften
Tochter im Tode vorausgegangen war.

Von dem vorerwähnten Sitzzimmer der Frau Erzherzogin
rechts führt der Eingang in den fchönen und großen Saal, in
welchem gewöhnlich gefpeift wird, welcher fünf Fenfter in der
Länge und zwei Stockwerke an Höhe einnimmt. Diefer ift durchaus an den Wänden von gefchliffenem Gipsmarmor von violet-
grauer, die Säulen dagegen von gelbgrauer Farbe. Rings um
den Saal find Apoll und die neun Mufen, aus Sandftein gehauen,
in Lebensgröße aufgeftellt, welche von dem Director der Gra-
veurfchule der Akademie der bildenden Künfte, Jofeph Klieber, verfertigt wurden. Bei den Fenftern und zwifchen den Figuren find eilf fchöne Candelaber eingetheilt, das Gefimfe mit
Tragfteinen und andern Verzierungen äußerft gefchmackvoll und
reich verziert, und unter denfelben eine aus hervorfpringenden
Armleuchtern beftehende reiche Beleuchtung angebracht, die fammt
den fünf großen Glaslüftern bei Kerzenfchein ein Meer von Schimmer und Glanz geben. Das überrafchendfte und fchönfte Meubel
in diefem wahrhaft fürftlichen Saal aber ift ein in einer Nifche
hinter einer Doppelthür angebrachtes Mufikwerk, »Panharmo-
nicon« genannt, welches aus einer Zahl von 300 Inftrumen-
ten, worunter Trompeten, Pofaunen und Paucken, befteht, die

nach der Verschiedenheit der Musikstücke von dem darin walten=
den bewundernswerthen Mechanismus in Gebrauch gezogen wer=
den. Der erste Erfinder dieses künstlichen Instrumentes war Jo=
hann Mälzl, welcher sich gegenwärtig in Boston in Nord=
amerika befindet, dann verbesserte solches Christian Seyf=
fert mehrere Male bis zu seiner gegenwärtigen Vollkommenheit,
welches denn auch die Summe von beinahe 20,000 Gulden C. M.
kostete. Vierzig Walzen spielen ebenfalls auch so viel verschiedene
Stücke aus Opern oder sonstigen Tonstücken. Die Kraft der Musik
ist mit Ausnahme von Streichinstrumenten (Violinen ꝛc. ꝛc.)
bei jedem Stücke eben so groß, als wenn zum mindesten 20 Per=
sonen im Orchester spielen würden, die, wenn sie noch so gro=
ße Künstler wären, eine solche Präzision und einen solchen Ueber=
gang, gleichsam vom Hauch eines Anhauches bis zum stärksten For=
tissimo, durchaus nicht beobachten könnten. Klar geht dadurch
die Meisterschaft des Schöpfers dieses seltenen Instruments her=
vor. — Beinahe an jedem Tage, wenn die hohe Herrschaft in
Wien anwesend ist, spielt dieses Instrument während der Tafel=
zeit, und es ist fürwahr keine kleine Würze des menschlichen Le=
bens, ein solches Kunstwerk zu besitzen, welches uns in so lieblich
süße Situationen durch seine harmonischen sanften Töne versetzt,
und bei Ausführung ernster Stücke uns durch die Macht solcher
auf das Gefühl des Menschen mächtig einwirkenden Accorde
gleichsam hoch in die geistige Ideenwelt empor hebt, in jene
herrlichen, blauen Aether=Räume, dessen Näherseyn jedem Sterb=
lichen nur durch erhöhte Phantasie möglich zu seyn scheint. Dem
Saale zunächst befindet sich das Billardzimmer, mit grauem
Seidenzeug tapezirt, nebst Mahagony=Meubeln, mit blaßgelbem
Seidenstoff überzogen, weiß und grauen herrlichen Draperien und
reich vergoldeten Spaleten. In dieses Zimmer kömmt ein großes
Familiengemälde des Erzherzogs Carl, von Ender gemalt,
welches in der Kunstausstellung stand. An den Meubeln prangen
überaus reiche Verzierungen kostbarer Bronzearbeiten, und auf den
Tischen befinden sich weiße Marmorplatten und derlei Kunstvasen.
An dieses Gemach schließt sich das Audienzzimmer des

Erzherzogs, welches graue Tapeten von Seiden = Mar hat. Ein vorzüglich prachtvoll eingelegter Fußboden, schöne Einrichtungen, wobei die Sessel mit rothem Atlas überzogen sind, derlei Draperien, künstlich gearbeitete Girandolleuchter nebst einer werthvollen Alabasteruhr, ein vorzüglich schöner und reich verzierter Spiegeltisch, dann zwei große Gemälde, das eine den erhabenen Kaiser Joseph und Kaiser Leopold, das andere den Kaiser Franz vorstellend, und zwei Porträt = Gemälde, die Erzherzogin Christine und Herzog Albrecht, zieren dieses Gemach auf die überraschendste Weise. Neben dem Audienzzimmer ist das Schreib = Cabinet mit grünen Seidentapeten und ganz vorzüglichen Fenster = Draperien, chamoisfarbnen Meubeln und mit mehreren kostbaren chinesischen Vasen versehen. Dieses Cabinet entspricht der hohen Würde eines Erzherzogs und ist überdieß mit mehreren Landschaften in Wasserfarben von dem berühmten Hackert geschmückt. Von diesem tritt man in das letzte Cabinet in dieser Haupt = Fronte, welche gegen das Glacis und die Vorstädte gelegen ist, mit einer lieblichen Ansicht gegen dieselben und den äußern immerwährend lebhaften Burgplatz und einer großartigen Ansicht gegen die dunkeln Mödlinger = Gebirge, im Hintergrunde mit der Silberkuppe des mächtigen Schneeberges. Dieses letzte Cabinet wird mit vollem Recht das »Gold= Cabinet« genannt, da von unten bis oben sammt dem Plafond weiters nichts als bloße Goldwände und dergleichen Spalten, Gesimse und Verzierungen zu sehen sind, die mit bunten Kunstgemälden auf Goldgrund, sowohl Blumen als Figuren, und vielen Spiegeln, die den ohnehin großen Reichthum und diese Pracht tausendfach vervielfältigen, mannichfach wechseln, und diesem Gemache ein staunenswerthes Ansehen geben, welches durch zwei Ottomanen, mit ganz echtem, mit Gold und Silber durchwirkten schweren persischen Stoff und einen sehr kunstvoll von purem Rosenholz eingelegten Fußboden noch mehr erhöht wird. Dieses Cabinet ist der Endpunkt dieser Prachtgemächer, die, wie wir so eben erwähnt haben, in einer Fronte aufeinander folgen, und einen unbeschreiblichen Zauber und Schimmer ihrer

vielen Schönheiten wegen verbreiten. Der Beschauer ist in Ver=
legenheit, einem Zimmer davon den Vorzug zu geben, weil in
jedem große Pracht vorherrscht, und ihn kaum aus den Fesseln
seiner versunkenen Anstaunung frei läßt, wobei wir bemerken,
daß Vieles davon noch zum Theil Werke des verewigten Herzogs
Albrecht sind, dessen hoher Kunstsinn noch in seinem hohen
Alter sich darin deutlich ausspricht. — Von hier gegen den Hof
zu befindet sich das jetzige Schlafzimmer des Erzherzogs,
mit weiß und grünen Bett=Draperien von prachtvollem Sei=
denzeug und derlei Fenster=Draperien, ein sehr großes Bild von
Kraft, »den Grafen Rudolph von Habsburg« vorstellend,
wie er dem Priester sein Pferd anbietet, nebst mehreren andern
kleinen Bildnissen, dem Kreise der erzherzoglichen Familie ange=
hörend. An dieses reihen sich drei Versammlungszim=
mer, wovon zwei in Halbbogenform bestehen, die für jene ge=
hören, welche ansuchen, sich dem Erzherzog vorstellen zu dürfen.
Sie sind geschmackvoll grau gemalt, mit Spiegel= und Glas=
thüren versehen, und schön eingerichtet. In einem daranstoßenden
kleinen Cabinette fanden wir eine große braune Sepia=Male=
rei (eine braune Tuschmanier), den Genius des Ruhms vorstel=
lend, von Seidelmann in Dresden, als ein Kunstwerk, und
in den Zimmern einen großen prachtvollen chinesischen Candela=
ber und zwei sehr große derlei Blumenvasen, dann Tische mit
Stein=Mosaik, welches alles zusammen einen wahrhaft impo=
santen Anblick gewährt; den Eingang in das Apartement des
Erzherzogs Carl auf derselben Stiege und Seite wie bei je=
nem der verewigten Erzherzogin endlich bildet ein ebenfalls schö=
nes Zimmer mit den lebensgroßen Musen der Dichtkunst und
der Musik aus Gips, von Professor Fischer.

Den vorderen Theil des ersten Stockwerkes gegen den Lob=
kowitzplatz bewohnen Ihre kaiserliche Hoheit die älteste Erzherzo=
gin Maria Theresia, und der ebenfalls, wenn auch nicht
in so prachtvollen, doch in schönen Zimmern besteht, den zwei=
ten Stock die übrige durchlauchtigste junge Familie des Erz=
herzogs. Nebst diesen befindet sich auch in diesem Palais die

Bibliothek des Erzherzogs, welches ein Erbgut vom Herzog Albrecht ist und auf mehr denn 20,000 Bände geschätzt wird; die eigene vom Erzherzog Carl selbst angelegte Handbibliothek, vorzüglich aus den Fächern der Kriegswissenschaft bestehend, beläuft sich über 6000 Bände, und enthält eine große Sammlung von Karten und Plänen. Alle Werke, worunter sehr viele Prachtausgaben sind, welche die erzherzogliche Bibliothek umfaßt, sind kostbar und reichhaltig in den Zweigen des menschlichen Wissens, sie kann daher zu den auserlesensten Bibliotheken gerechnet werden. Eben so großartig und einzig in ihrer Art kann die Kupferstichsammlung genannt werden. Im Augustinerhause, welches an den erzherzoglichen Pallast anstößt, nimmt es den Raum von 16 Fenstern ein, und enthält bei 15,000 Stück Zeichnungen der berühmtesten Meister aus allen Schulen und Zeiten, an Kupferstichen aber über 150,000 Blätter, die in beinahe 1000 prächtig gebundenen Portefeuilles aufbewahrt werden. Was Vorzügliches in diesem Fache je erschienen ist, kann hier getroffen werden, da diese Sammlung die Werke der berühmtesten Maler, von den größten Kupferstechern dargestellt, enthält.

Wir müssen es bedauern, den verehrten Lesern wegen Mangel an Raum im gegenwärtigen Buche nicht alle die vorzüglichsten Stücke namentlich aufführen zu können.

Uebrigens aber bemerken wir, daß sowohl in dieser Gallerie, so wie in der Bibliothek, eine immerwährende, nicht genug zu lobende Fürsorge besteht, wegen guter und zweckmäßiger Eintheilung in Aufstellung der Werke und Aufbewahrung der Zeichnungen und Kupferstiche; diese beiden Sammlungen, die durch den hohen Sinn des allverehrten Erzherzogs Carl noch täglich mit Kunstwerken aller Art bereichert werden, können daher auch ganz ausgezeichnet genannt werden, würdig der großmüthigen Absichten eines solchen Erzherzogs und großen Feldherrn, wie es Carl ist, der ein gnädiger Beschützer und Förderer der Kunst und Wissenschaften von jeher war und bleiben wird.

Da wir nun die k. k. Burg und das erzherzogliche Palais, als den nächsten Theil derselben, in allen Theilen und in ihrem

Innern beschrieben haben, so wenden wir uns nun zu den andern berühmten Denkmalen, welche die Stadt zieren, und die wir so der Reihenfolge nach ausführlich vorführen werden, wie wir solche in der allgemeinen Darstellung von Wien, in der II. Abtheilung, angeführt haben.

Die k. k. Hofpfarrkirche zum heil. Michael.

Wie aus der Geschichte zu entnehmen, wurde diese Kirche und Pfarre vom Herzog Leopold VII., dem Glorreichen, von Oesterreich, aus dem Hause der Babenberger, im Jahre 1221 zu Ehren des heiligen Michael gestiftet, wovon dessen Stiftsbrief, von diesem Jahre in Wien am nächsten Pfingsttag vor St. Katharina ausgefertigt, noch vorhanden ist, nach welchem dem Pfarrer die Seelsorge über den ganzen herzoglichen Hofstaat eingeräumt wurde.

Der erste Bau bestand schon damals aus drei Schiffen, die aber nicht weiter als bis zu dem Staffel vor dem heutigen Presbyterium reichten. Im Jahre 1276 ward sie bei einer großen Feuersbrunst in Asche gelegt, und blieb bis zum Jahre 1288 in ihrem Schutte vergraben, wonach solche vom Kaiser Albrecht I. von Habsburg aus den Trümmern empor gehoben, auch dieselbe noch mit der bisher einzeln gestandenen Johannes = Capelle vergrößert wurde. Nicht lange darauf, im Jahre 1319, brannte diese Kirche abermal sammt dem mit 3 Glocken versehenen Thurme ab, und es dauerte bei 21 Jahre, bis die Wiedererbauung derselben unternommen werden konnte. Im Jahre 1340 wurde die Kirche neu hergestellt, und zugleich durch die neue Hinzufügung des untern Theils des jetzigen Presbyteriums verlängert. Kaum stand sie 10 Jahre in ihrer neuen Gestalt, als eine dritte Feuersbrunst dieselbe verwüstete, und alle Geräthschaften verzehrte. Durch die Freigebigkeit einer großen Anzahl Gutthäter ward die Kirche wiederholt ganz hergestellt, und der Haus=Officier Krezel des Herzogs Albrecht ließ die Johannes = Capelle neu erbauen, und schaffte überdieß mehrere Kirchen=Paramente an. — Endlich im Jahre 1416 legte

Erzherzog **Albrecht** V. (nachmals römischer Kaiser) die letzte Hand an den Kirchenbau, indem er den obern Theil des Pres= byteriums, wo sich jetzt der Hochaltar und der Chor befindet, hinzubauen ließ. So blieb sie in ihrer herrlichen altgothischen Gestalt sammt dem schönen, durchaus von Stein aufgeführten Thurme bis zum Jahre 1525, in welchen am Dinstag vor Jakobi der Glockenstuhl verbrannte. In demselben Jahre, am Sonnabende vor Michaelis, wurde die noch gegenwärtige große Glocke auf den Thurm gebracht, welche also unter die ältesten Glocken Wiens gezählt werden darf. — Im Jahre 1590 stürzte die Krone des Thurmes durch ein Erdbeben zusammen, wonach solcher die heutige spitzige Gestalt erhielt, wie die Aufschrift vom Jahre 1594 unter der Kugel zeigt.

Die von der **Johannes=Capelle** in gleicher Situation links gelegene Capelle, die **Geburt des Erlösers**, sammt dem Altar wurden im Jahre 1620 durch die Herren Grafen von **Werdenberg** erbauet.

Wir wollen nun diese alte Kirche, so wie sie sich jetzt dem Auge darstellt, von Außen und Innen beschreiben.

Die Hauptfaçade gegen den Michaelerplatz ist neuere Bau= art, und zwar das Portal mit dorischer Säulenordnung, mit dem **Erzengel Michael** auf dem Frontispicium und an einer je= den Seite mit einem lebensgroßen Engel (sämmtlich aus Stein gehauen) geziert; der obere Theil der Façade jedoch besteht nach jonischer Ordnung in vier Lesenen. An der Seite derselben steht der im Achteck gebaute altgothische hohe Thurm mit geschmack= vollen derlei Verzierungen, wovon aber mehrere in neuerer Zeit bei einer Haupt=Reparatur hinzugefügt worden seyn müssen. Die Mitte seiner Höhe umlaufen steinerne Gallerien mit gothischen Pyramiden, welche ihn recht zierlich gestalten, und dessen sehr künstlich spitzig zulaufendes, an Höhe 12 bis 14 Klafter betragen= des Kupferdach ihm ein schönes Ansehen gibt. Die ganze Höhe des Thurmes mag über 46 Klafter betragen.

Wenn auch gleich von allen vier Seiten mit Häusern ver= baut, sieht man doch das Kirchengebäude gegen den Vögelmarkt zu recht gut. Das hohe Alter dieses Steingebäudes mit den Strebepfeilern und den hohen Bogenfenstern ist nicht zu verkennen; so wie die äußere Bauart der Johannes = Capelle die untrüglichsten Zeichen eines noch höheren Alters als die Kirche selbst verräth. Wenn auch gleich keine Urkunden von der Zeit der ersten Erbauung der Capelle vorhanden sind, so glauben wir schwerlich uns in unserer Behauptung zu irren.

An der rechten Seite weiter vorne beim Seiteneingang befindet sich in einer Nische Christus am Oelberge mit feinen Jüngern, aus Sandstein gehauen, wovon die Figuren in Oelfarbe bunt bemalen sind. Die altgothische Aufschrift lautet: »Hanns Hueber« 1292 (1494); auch sind zwei Wappenschilder dabei angebracht in Stein, wovon eines ruinirt ist, das andere aber einen aufsteigenden Ziegenbock darstellt. In der Vorhalle beim Seiteneingang steht eine Statue, der mit Dornen gekrönte Heiland. Der Haupteingang durch das Portal besteht in niederm bogenartig zulaufenden Gurtengewölbe, als der älteste Bautheil dieser Kirche. — Die Kirche ist sehr hoch, lang und schmal, gegenwärtig durch den Ausbruch mehrerer neuen Fenster ziemlich licht, und bildet drei Gänge, deren einfach gothische Bogengewölbe auf starken Säulenpfeilern ruhen, wovon sich auf jeder Seite drei befinden, wodurch zwei Seitengänge gebildet werden.

Vor Alters mag dieser Tempel des Herrn, welcher nur durch spärliches Licht erleuchtet wurde, einen noch größeren Eindruck auf den Gläubigen hervorgebracht haben, obschon sein gegenwärtiges Ansehen allerdings majestätisch ist.

Durch Kaiser Ferdinand II. schon bekamen die Ordensgeistlichen aus der Versammlung der Priester des heiligen Apostel Paulus (insgemein Barnabiten genannt) diese Kirche und Pfarre, in welche sie von dem damaligen Cardinale, Melchior Klesel, am 4. April 1626 mit besonderer Feierlichkeit eingesetzt wurden.

Diese Priester bemüheten sich vor Allem, der Kirche eine zierlichere Gestalt zu geben. Der Boden davon war damals nur mit Ziegeln gepflastert, keine Stühle in derselben vorhanden, und

an den Pfeilern ringsherum waren 21 Altäre angebracht, mit vielen Grabsteinen vermengt, daß fast kein Raum für die Betenden übrig war; sie übertrugen daher aus der Mitte der Kirche
den Hochaltar in den Grund des Presbyteriums, schafften von
den Pfeilern die Altäre hinweg, zu welchem Ende im rechten
und linken Schiffe Capellen erbaut wurden, deren Wohlthäter
der Graf von St. Julien, die Fürsten von Eggenburg,
Freiherren von Strattendorf, die gräflich Trautsohn'-
sche Familie, der Graf Volkra und die Grafen von Wer-
benberg waren. So bestehen gegenwärtig in denselben 14 Seitenaltäre, mit der Benennung nämlich: 1) die Geburt Christi; 2) der heilige Johann von Nepomuck; 3) die
14 Nothhelfer; 4) der Apostelaltar; 5) der Kreuzaltar; 6) zum heiligen Julius, mit dem heiligen Leib
des jungen Blutzeugen geschmückt, als ein Geschenk von
der Kaiserin Maria Theresia; 7) zum heiligen Alexander und Paulus; 8) zum heiligen Anton; 9) der
Allerseelenaltar; 10) zum heiligen Sales, Patron
der Barnabiten-Congregation; 11) zur heiligen Anna;
12) zur schmerzhaften Mutter Gottes; 13) zum heiligen Blasius; 14) die Taufcapelle.

Eine ganz vorzügliche Erwähnung verdient der durch from-
me Wohlthäter im Jahre 1642 angeschaffte Tabernakel in der
Johannes-Capelle, welcher von Ebenholz, Schildkröte, Silber
und orientalischem Jaspis künstlich zusammen gesetzt ist, und im
Werth auf 1500 Mailänder Scudi zu stehen kam; auch der
Altar erhielt eine verschönerte Gestalt mit einem neuen, vom
Professor Schindler gemalten schönem Altarblatte, den heiligen Johannes in der Glorie vorstellend. — Jene zwei
Blätter der Altäre des heiligen Paulus und Alexander Sauli sind
von der Meisterhand des Herrn Ludwig von Schnorr. Die
übrigen Bildnisse befinden sich alle im besten reparirten Zustande,
wovon einige von Unterberger, Bock und Carloni ge-
malt sind. Ueberdieß wurde eine neue Kanzel und zwei neue
Seitenaltäre auf das Geschmackvollste hergestellt, ein neues hei-

liges Grab, von Franz Käßmann, Professor der Bildhauer=
schule, verfertiget, welches alles zusammen die Schönheit dieser
k. k. Hofpfarrkirche im hohen Grade steigert.

Schon im Jahre 1673 wurde das Geländer bei dem Hoch=
altare aus Salzburger Marmor, und das kaiserliche Oratorium
verfertiget. In demselben Jahre übergab der General von Kiel=
mannsegg ein aus Candien mitgebrachtes Muttergottesbild,
welches auf Cypressenholz gemalt und von hohem Alter ist, und
welches noch heut zu Tage in silbernen Rahmen am Hochaltar
zur Verehrung sich ausgesetzt befindet.

Die schönste Zierde erhielt die Kirche während den Jah=
ren 1780 und 1782 an dem gegenwärtig stehenden Hochaltar,
wozu der Oberstlieutenant d'Avrange den Riß entworfen hatte.
Diese herrliche und sinnvolle Verzierung des letzten Theils vom
Presbyterium besteht in acht kanelirten Säulen und an der Gur=
te mit Rosetten besetzten Füllungen, die da, wo das Speisege=
länder den Gurten berührt, sich an marmorne würfelförmige
Fußgestelle schließen, auf welchem jeden an der Seite ein mehr
denn sechs Schuh hoher Cherubim von weißen Marmor steht,
eine Fackel in der Hand haltend. Der Altar selbst ist aus car=
rarischem Marmor mit Rosetten und Festonen geschmackvoll ge=
schmückt; auf beiden Seiten sind zwei Opfertische, und eben so
viele metallene, halb erhabene Bilder angebracht, welche die
Verkündigung und Heimsuchung Mariä vorstellen. Der untere
Theil des Hochaltars ist einfach und fest. Er trägt den Taber=
nakel, dient den vier Evangelisten (aus weißem Marmor
künstlich gearbeitet), die das Heiligthum umringen, zum Sitze,
und den lebensgroßen Heiligen Sebastian und Rochus zum
Fußgestelle. Oben, wo das Hochwürdige Gut ausgesetzt wird,
ist er mit zwei anbetenden Engeln besetzet, und seine Ziera=
then sind theils Sinnbilder des heiligen Abendmales, theils aus Fi=
guren des alten Testaments zusammen gesetzte Trophäen. Rückwärts
am Tabernakel sind zwei aufrecht stehende Cherubim, welche
das uralte gnadenreiche Bildniß der Mutter Gottes vorweisen.

Das gothische Gewölbe des Presbyteriums ist in erhabener

5

Steinarbeit, mit einer reichen Glorie bedeckt, um welche sich zwischen Wolken verschiedene Engelsgruppen, mit Blumenkrän= zen, Palm= und Lorberzweigen lagern. Das Ganze ist ein herrlich durchdachtes und gut dargestelltes Sinnbild von der Herrlichkeit und Majestät des Welterschaffers, in deffen Mitte im Hinter= grunde der heilige Erzengel Michael erscheint, wie er mit seinem mächtigen Himmelsgefolge die abtrünnigen Geister aus dem Raum des Himmels stürzt.

Die Rückwand des freistehenden Altars, dem Priesterchore gegenüber, trägt in der Mitte einen von zwei Engeln gehalte= nen Medaillon, der die unbefleckte Empfängniß Mariä vorstellt. Unter diesem Bilde ist ein Kreuz, und auf beiden Seiten sind zwei metallene Bilder angebracht, auf deren einem David den Psalmgesang mit der Harfe begleitet, auf dem andern aber ist die Weissagung des Propheten Jesaias, daß eine Jungfrau ge= bären werde, dargestellt.

Unter jedem der vier Fenster im Chore zeigt sich ein von Metall gegossenes Bild; das erste zur Rechten enthält die Ge= burt, das zweite die Opferung Mariä im Tempel, das dritte ober der Sakristeithüre stellt ihre Reinigung und das vierte ihre Himmelfahrt vor.

Uebrigens besitzt die Kirche sehr schöne Paramente.

Es besteht auch eine Gruft unter derselben, in der nun aber Niemand mehr zur Ruhe gebracht wird. Der berühmte Dichter Metastasio (nach seinem eigentlichen Namen Trapassi), wel= cher am Hofe Kaiser Carls VI. lebte und in einem Alter von 84 Jahren im Jahre 1784 in Wien verstarb, befindet sich in die= ser Gruft. — Viele Grabsteine, deren Aufschrift nicht mehr le= serlich ist, sind in den Fußboden dieser Kirche eingesenkt. Die vorzüglichsten und sehenswerthesten Grabmäler sind jedoch die der gräflich Trautsohn'schen Familie im Chore, übrigens befinden sich sehr viele Steine und kleinere Monumente mit er= habener Arbeit an den Wänden und bei den Capellen in der Kir= che, unter welchen die vorzüglichsten dem Johann Ludwig von Brassicani, Kaiser Ferdinands I. Rath, † 1549;

dem Carl Baron von Prumberg, Kaiser Leopolds I.
Hofrath, † 1664; dem Jacob von Zollerhausen, † 1552;
dem Andrä Wagner, Landschreiber von Oesterreich unter der
Ens und Rath, † 1555; dem Christoph Volkra Grafen
von Heidenreichstein, † 1660; dem Ambros von Braf=
sicani, † 1567; dem Georg Freiherrn von Herberstein,
Erbkämmerer und Truchseß in Kärnthen, † 26. März 1570;
dem Johann Bapt. Grafen von Werdenberg, † 1643;
dem Ritter Mollat zu Rainek und Drosendorf, † 1591;
dem Georg von Lichtenstein, † 1548; der Dietrichstei=
nischen und der Plankensteinischen Familie, angehören.

Das Barnabiten-Collegium stößt unmittelbar an die Kirche,
und ist ein sehr großes Gebäude, worin sich auch zugleich die
Verwaltungs=Kanzleien von den ihm gehörigen Herrschaften be=
finden.

Zunächst dieser schönen Kirche erwähnen wir des gräflich
Czerninischen Palais in der Wallnerstraße. Dieses ist
nicht nur in solidem Styl gebaut, sondern auch die Gemächer
sind prächtig ausgeschmückt, wobei ganz vorzüglich die Ge=
mäldesammlung zu erwähnen ist, welche mehr als 300 Oelge=
mälde von den größten Meistern enthält, unter denen jene der
niederländischen Schule besondere Kunststücke sind; ein kleines
Thierstück von Potter kostete allein 4000 Stück Ducaten. —
Unfern von diesem steht jenes des regierenden Fürsten von
Esterhazy, welches eine noch schönere Bauart an sich trägt,
eine sehr schöne breite steinerne Treppe hat, und dessen innere
Einrichtung der vielen Gemächer, wenn auch nicht mehr ganz
modern, doch von nicht geringer Pracht zeigt, und viele Kunst=
werke enthält. Die Bibliothek, die Gemälde=, dann Kunstsamm=
lungen befinden sich im fürstlichen Garten=Palais zu Mariahilf,
bei welcher Vorstadt wir sie auch näher besprechen werden.
Eine vorzügliche Erwähnung aber verdient die fürstliche Haus=
capelle, welche zu den schönsten in Wien gezählt wird.
Dieselbe hat einen Hochaltar (dem heiligen Leopold geweiht)
und zwei Seitenaltäre, zu Ehren des heiligen Antou

5 *

und der heiligen Anna, welche auf Holz schön marmorirt und mit vielen vergoldeten Verzierungen geschmückt sind. Das Schiff dieser niedlichen Capelle ist mit Gipsarbeiten verziert und ein Musikchor angebracht, auf welchem eine schöne und gute Orgel sich befindet. Die Stiftung besteht in einer täglichen Messe.

Die Minoritenkirche (gegenwärtig die italienische Nationalkirche) ist in Betracht ihrer altgothischen Bauart sehr merkwürdig und berühmt wegen ihres hohen Alters. Nur mit der Haupt-Façade steht sie frei am Platze gleiches Namens, alle übrigen Theile dieses herrlichen aus puren Quadersteinen aufgeführten Tempels sind unregelmäßig verbaut; noch sieht man aber von Außen ihren Baustyl, die mächtigen Strebepfeiler, die hohen und vielen Bogenfenster, die einst gewiß mit gemalten Glasfenstern prangten, nun aber zugemauert sind, und den achteckigen Thurm, der nun ein einfaches plattes Dach hat, früher aber mit einer gothischen Kron-Kuppel geziert war. Der verschlossene Haupteingang an der Façade zeigt noch deutlich seine alte Bauart. Dieß sind viele altgothische Gurtenstäbe und Figuren, wovon erstere spitzig in Bogen laufen. Diese Steinarbeiten, die schon 500 Jahre alt sind, gehören zu den besten dieser Art. — Schon Herzog Friedrich, der Streitbare, erbaute auf diesem Platze ein Gotteshaus, welches aber zu Anfang des Jahres 1276 von den Flammen einer furchtbaren Feuersbrunst verzehrt wurde. Gleichsam innigst getrieben, als sollte ein neuer Tempel bald die irdische Hülle, das letzte der Segnungen auf dieser Erde, aufnehmen, fing noch in demselben Jahre König Ottokar von Böhmen (damals Herr von Oesterreich) den Kirchenbau an, und brachte solchen durch Thätigkeit nach zwei Jahren ziemlich weit vorwärts. Und was der König vielleicht geahnet, geschah, denn als er in der Marchfeldschlacht (1278) gegen Rudolph blieb, wurde er dann von der Schottenkirche hieher gebracht und zur Ruhe gesetzt, bis nach einiger Zeit die Hülle in sein Vaterland abgeführt wurde. Oftmals besah der König den Bau, und pflegte sogar die ermüdeten

Arbeiter zur größern Haft aufzumuntern, sie sahen seinen Glanz und seine Majeſtät, — jetzt aber war es anders — ſtill und traurig ging der Zug ohne Sang und Kerzenſchimmer dem alten Landhauſe entlang, welches dem Königsſarge den Arm der Ge= rechtigkeit mit dem Schwerte entgegen ſtreckte, warnend die ſtar= renden Leidtragenden: daß die Gerechtigkeit des Himmels auch den höchſten irdiſchen Stolz und Macht brechen könne, zur Mi= noritenkirche. — Blanca von Frankreich und die milde engelſchöne Iſabella von Arragonien, Gemahlin Frie= drichs, des Schönen, deren himmelblauer Stern ihres Auges durch Thränen, ob des ſchweren Geſchickes ihres kaiſerlichen Gatten, erblindete, waren es, die die Minoritenkirche (1305 — 1330) in ihrer noch heutigen Geſtalt beendigten. So entſtand dieſe herrlich geſchmückte Kirche, und es blieben die ſchon durch Herzog Leopold den Glorreichen nach Wien gezogenen Minoriten (fratres minores) im ungeſtörten Beſitz derſelben. Das Anſehen dieſes uralten Gotteshauſes war groß, reiche Stif= tungen erhielt es durch viele mächtige Familien, die hier ihre Ruheſtätte wählten; noch überaus wichtig iſt der bei den Mino= riten in der Alſervorſtadt aufbewahrte Necrolog, und gibt uns einen ſprechenden Beweis davon. Leider hat die Gelegenheit der Aufhebung dieſes Kloſters im Jahre 1786 durch Kaiſer Jo= ſeph II. es vermocht, Vieles zu vernichten; daher kömmt es auch, daß wir außer zwei Grabmälern ſonſt gar keine Ueberreſte, nicht einmal jenes der Blanca, Gemahlin Rudolphs, Kö= nigs von Böhmen, welches unter der ſogenannten heiligen Stiege (scala sancta) war, mehr finden. Die alterthümliche, zu ehrende Schönheit iſt verſchwunden, und eine moderne Aus= ſchmückung im Innern an ihre Stelle getreten. Unbezweifelt iſt es gegenwärtig eine ſchöne Kirche noch voll Majeſtät und An= ſehen, aber ihre Eigenthümlichkeit hat ſie verloren, die durch nichts erſetzt werden kann. So hat ſie gegenwärtig die Beſtim= mung, als italieniſche Nationalkirche zu dienen. Es iſt im Innern ein hohes, breites, anſehnliches Gebäude mit Gurtengewölben, die auf acht ſtarken Pfeilern ruhen. Die ur=

fprünglicke Länge ift ihr benommen, übrigens aber ift fie fchön und einfach ausgefchmückt. Als die italienifche Gemeinde die Kirche übernahm, hat fie einen neuen Hochaltar fammt Altar= blatt herftellen laffen. Erfterer ift fehr gefchmackvoll, in einem Tabernakel mit Säulen ganz aus Marmor beftehend, letzteres das Bildniß Maria Schnee, ein Kunftftück vom Maler Chriftoph Unterberger. Außer diefem beftehen zwei Sei= tenaltäre, zum heiligen Rochus und der heiligen Fa= milie, mit großen fehr fchönen Altarblättern, wovon aber die Meifter nicht bekannt find. Zwifchen den Seitenaltären find an jeder Seite noch zwei große Bilder auf Leinwand grau in grau gemalt, die Gegenftände aus dem alten Teftamente enthalten. Ein fehr fchönes Chor, fo breit der hintere Theil der Kirche ift, ziert das Innere noch mehr, auf welchem fich auch eine gute Or= gel, deren Äußeres grau gefaßt ift, befindet. Der ganze Hoch= altar ift Marmor und mit Alabafter eingelegt, deßgleichen auch die Nebenaltäre. Vier große Statuen der Evangeliften, künftlich aus Stein gehauen, und marmorne hohe Vafengeftelle zu Ampeln beim Hochaltar verdienen eine vorzügliche Erwähnung. Hier beim Hochaltar im erften Stocke find auch auf jeder Seite zwei Orato= rien angebracht. Unter einem derfelben links gelangt man in die Kreuzcapelle, die noch wie vordem in einem gothifchen Kirchlein befteht. Darin ift ein Hochaltar vorhanden mit einem in Gold gefaßten Medaillongemälde, in welchem ein goldenes in einem Herzen fteckendes Kreuz und drei Engel vorgeftellt find. Der hier ftehende Tabernakel ift wegen feiner reichen Alabafter= arbeit koftbar und merkwürdig. Rückwärts an der Marmorwand ift der Erlöfer am Kreuze angebracht, auch befinden fich zu beiden Seiten des Altars fteinerne Statuen. Diefe Capelle dient in der Charwoche zum heiligen Grabe, und es wird auch öfters Meffe darin gelefen.

Die Kirche hat mehrere Stiftungen, der Gottesdienft wird ftets folenn abgehalten, fie ift aber keine Pfarrkirche. — Die früher an derfelben gewefenen Minoriten Conventualen wurden bei ihrer Aufhebung nach der Alfervorftadt überfetzt, wo fie noch gegenwärtig bestehen. — Das Klostergebäude wurde zu den Kanzleien der n. ö. Regierung verwendet und umgestaltet.

Eine ganz vorzügliche Erwähnung verdient die k. k. geheime Staatskanzlei mit der Wohnung Sr. Durchlaucht des Herrn Fürsten von Metternich, k. k. Haus-, Hof- und Staats-Kanzlers, welche in einem prachtvollen Gebäude unfern der Minoritenkirche und zunächst dem Amalienhof am Ballplatze besteht. Die Einrichtungen der Bureau's dieser hohen Stelle sind vorzüglich, und die Gemächer des hochgefeierten Herrn Staatskanzlers wahrhaft fürstlich zu nennen. Sein hoher Sinn für Kunst und Wissenschaft ist allgemein bekannt, und als Curator der Akademie der bildenden Künste ist Fürst Metternich ein Beschützer derselben. Man findet daher in diesem Palais auch eine prachtvolle Bibliothek mit vielen Prachtwerken aus allen Fächern des menschlichen Wissens, angemessen dem hohen Standpunkte dieses großen Staatsmannes, eine Gallerie ausgesuchter Gemälde und eine vorzügliche Kunstsammlung.

In Bezug auf Pracht und Schönheit können wir auch das Palais der jüngst verblichenen Frau Erzherzogin Maria Beatrix in der Herrngasse nennen. Der Baustyl dieses Pallastes aus neuer Zeit ist vorzüglich geschmackvoll, und so wie das Gebäude sind auch die Gemächer reich und prachtvoll geschmückt. Gegenwärtig ist dasselbe ein Eigenthum ihres Sohnes, des Erzherzogs Franz von Este, Herzogs von Modena.

Diesem gegenüber prangt der Pallast des regierenden und souveränen Fürsten von Lichtenstein, ebenfalls in neuer Zeit und im großartigem Style erbaut, worin sich sehr viele Gemächer, alle schön und kostbar geziert, befinden. Eine vorzügliche Erwähnung verdient der prachtvolle Bibliotheksaal unter den vielen Sehenswürdigkeiten dieses hohen und bekannten fürstlichen Hauses.

Ein ehrwürdiges Denkmal einer alten fürstlichen Stiftung ist die Abtei der Schotten auf der Freiung.

Diese wurde, wie wir uns aus dem Stiftungsbrief und

andern Urkunden überzeugt haben, im Jahre 1158 vom Herzog Heinrich Jasomirgott unter Beistimmung und Mitwirkung seines Bruders Conrad, Bischofs zu Passau, und Eberhards, Erzbischofs zu Salzburg, zu Ehren der heiligen Jungfrau Maria und des heiligen Gregorius gestiftet, und den durch frommen Christensinn, Demuth und einfache Lebensweise ausgezeichneten Schottländer-Benedictinern (Hiberner), die sich nach dem Willen ihres heil. Stifters mit der Seelsorge, dem Unterrichte der Jugend, mit der unentgeldlichen Pflege der armen Reisenden und der Wallfahrer beschäftigen sollten, übergeben. Und nicht mit Unrecht verdienten diese Mönche eine solche Auszeichnung, die gar keine Mühe scheuend mehr als ganz Europa durchzogen, ja bis in das tiefste verwilderte Rußland und Asien reisten, und den Samen des christlichen Glaubens ausstreuten; wie viele Länder gibt es nicht, die den Schotten das noch heute darin bestehende Christenthum zu verdanken haben? — da sie es auch waren, die dem damals so rauhen Schweizervolke die göttliche Lehre gaben, und es so der Thierheit entzogen.

Er erbaute diese Abtei auf Grund und Boden zu Favianis (heutiges Wien) außerhalb der Stadt auf der Stelle, wo gegenwärtig das an die Kirche anstoßende Haus (der Schubladkasten ob seiner solchen Bauart genannt) steht, und gab ihnen das Recht einer fürstlichen Freiung, nämlich um die Klostermarken herum einen Platz, innerhalb welchem jeder, der aus was immer für einer Furcht oder wegen was immer für eines Verbrechens sich dahin rettete, frei war, und Niemand an ihn Hand anlegen noch ihn mit Gewalt hinwegnehmen durfte; dieser merkwürdige Platz wird noch heut zu Tage die «Freiung» genannt.

Herzog Heinrich gab ihnen mit Genehmhaltung seines fürstlichen Bruders Conrad und mit Bewilligung des damaligen einzigen Pfarrers in Wien, Heberger (Eberger), zu St. Stephan nicht nur die eigentliche Dorf- und Grundherrlichkeit, sondern auch allen pfarrherrlichen Dienst in der Gegend außer Wien, von der Residenz des Herzogs (dem Hofplatze angefangen) bis zu der Kirche St. Johann am Als (heutige Lazarethkirche in der Währingergasse), und von da bis zu dem Einflusse des Als-Baches in die Donau (die Gegend der heutigen Vorstädte Thury und Roßau). Da aber die ersten Schottländer-Benedictiner der deutschen Sprache unkundig waren, so bestimmte der Herzog den St. Pancrazhof (das heutige Nunciaturgebäude am Hof, damals in einem Kirchlein bestehend) mit einem eigenen Grundbuche zu einem Pfarrhofe, in welchem ein deutscher Laienpriester als Pfarrer die Seelsorge ausüben sollte. Ueberdieß wurden zum besseren Unterhalte der Abtei in Wien selbst die Beneficien: Maria am Gestade (Mariastiegen), St. Peter, St. Rudpert (Ruprecht) und St. Pancraz am Hof; außer Wien aber die Capelle St. Colomann zu Laub (Laab), St. Stephan in Krems, heiligen Kreuz in Tuln, die Pfarre Pulkau mit den drei Filialien Zellerndorf, Schrattenthal und Waizendorf, und die Pfarre Eggendorf (im langen Thale) mit allen Patronatsrechten abgetreten. Ferner erhielten sie einen Hof im Wirchperge (so hieß damals die Gegend der heutigen Vorstädte Landstraße und Erdberg) mit den dazu gehörenden umliegenden Besitzungen, und noch mehrere andere Besitzungen in den Ortschaften Eberdorf, Labendorf, Grützenstätten, Rußbach, Erdberg bei Falkenstein, in der Schwechat, Phissenmundt (Fischamend) und Wolfpassing. Auch den fürstlichen Küchenzehend, wozu von allen aus ganz Oesterreich in die herzogliche Küche gelieferten Lebensmitteln den Schotten der zehnte Theil abgegeben werden mußte, ertheilte ihnen der so gnädige Stifter. — In gerichtlicher Hinsicht waren alle ihre Unterthanen, Leibeigene und Dienstleute (mit Ausschluß der peinlichen Verbrecher) von jedem bürgerlichen Richterstuhl unabhängig, und blos allein dem Ausspruch des Schottenabtes unterworfen. — Die Schottenkirche wurde als Begräbnißstätte der herzoglichen Familie für immer bestimmt, und der Abtei das Recht ertheilt, die Wahl ihres

Abtes jederzeit ganz frei, ohne alle Einmischung eines jeweili=
gen Regenten, oder irgend eines Andern, vornehmen zu können.
Mit solchen Rechten und Stiftungen war also diese berühmte
Schottenabtei zu Anfang ihrer Gründung schon ausgestattet,
kein Wunder also, daß ihr Ansehen so sehr aufblühte, besonders
da durch so viele Zeiten hindurch sie den unveränderten Schutz
der Regenten genoß und so außerordentlich viele und ansehn=
liche Wohlthäter fand.

Es dürfte dem geneigten Leser nicht unwillkommen seyn,
bei der Gelegenheit hier den gegenwärtigen Besißstand an Gü=
tern der mehrerwähnten Prälatur kennen zu lernen. In Ungern
besißt sie, zwei Stunden von der Hauptstadt Ofen westlich ent=
fernt, die Abtei Telky, die Pfarre zu Jenö, und ein
Haus (der Schottenhof genannt) in Ofen selbst, mit mehreren
Weingärten am Ofnergebirge, seit dem Jahre 1700. In Oester=
reich, und zwar in Wien selbst: das sehr große und ansehnli=
che Stiftsgebäude (genannt der Schottenhof) mit der
Abtei, womit das Gymnasium, die Normal = Schule, die stifts=
herrschaftlichen Kanzleien und sehr viele Miethwohnungen ver=
bunden sind, welches gegenwärtig meist neu erbaute Gebäude
aus drei Höfen nebst zwei Gärten besteht. Es hat gegen den
Haupteingang der Kirche eine schöne Façade, mit jonischen Le=
senen und einer Gallerie geziert, und ist durchaus vier Stock=
werke hoch. Im ersten Hofe am Eingange der Abtei an der
Pforte ist ein prachtvolles Portal erbaut, welches von vier
jonischen Säulen getragen wird, unter dessen Gesimse folgende
Aufschrift angebracht ist: »Henricus. Austriae. Dux.
Fundavit. MCLVIII.« Auch die innern Gemächer des
Convents, vorzüglich das Refectorium, der Prälatur=Saal mit
der darunter befindlichen Capelle, das Vestibulum mit der an=
sehnlichen Bibliothek und der Capitel=Saal verdienen eine be=
sondere Erwähnung. Ein ganz vorzügliches Verdienst aber er=
warb sich der um das Stift Schotten vielfach verdiente Käm=
merer und Kanzleidirector, der hochw. Herr P. Hermann

Gaunersdorfer, der mit bewundernswerther Thätigkeit die Oberleitung dieser großen Baulichkeit vollführte.

Nebst diesem das vier Stockwerk hohe, an die Stiftskirche angebaute Prioratshaus; eine bedeutende Grund=herrlichkeit in und außer Wien, die sich über mehr als zwölfhundert Häuser erstreckt; die Stadtpfarre zu den Schotten; dann die Vorstadtspfarren: St. Ulrich oder Maria Trost, St. Egydius zu Gumpendorf und St. Laurenz am Schottenfeld. An Pfarren besitzt es in V. U. M. B. jenseits der Donau jene im Markte Pul=lau mit den Filialen Leobagger, Rohrendorf, Respers=dorf, Rasing und Müssingdorf; im Markt Gauners=dorf seit dem Jahre 1280; Stammersdorf mit der Filia=le Strebersdorf seit dem Jahre 1469; Zellerndorf; Eggendorf (im langen Thale) mit den Filialen Weyer=burg, Altenmarkt und Stöbldorf; Klein=Engers=dorf; St. Veit der Korneuburg, mit den Filialen Hagen=brunn und Flandorf, seit dem Jahre 1540: Breiten=lee seit dem Jahre 1217; Waizendorf nächst Pulkau; Platt nächst Zellerndorf; Martinsdorf; Höbers=brunn; Enzersfeld außer Stammersdorf; Watzelsdorf nächst Zellerndorf, und Enzersdorf im Thale, bei Eggendorf. Außer diesen kommen noch die Besitzungen dießseits der Donau im V. U. W. W. zu erwähnen, und zwar: zu Enzers=dorf, bei Lichtenstein und Medling, schon seit dem Jah=re 1287; zu Grinzing seit dem Jahre 1342; zu Ottogrünn seit dem Jahre 1358; zu Dornbach seit dem Jahre 1336 und 1358, und zu Berchtoldsdorf seit 1478.

Bei solch' ansehnlichen Besitzungen und Einkünften, die durch so viele Jahrhunderte bestehen, kann die Schottenab=tei zu den größten und herrlichsten Stiftungen ge=zählt werden, die auch eine wahre Zierde der Haupt=stadt ist.

Seit der Zeit ihrer Stiftung (1158) haben dieser Abtei 62 Aebte vorgestanden, und nicht nur unter diesen, sondern auch

unter den Priestern waren jederzeit wie auch heut zu Tage Män=
ner von hellglänzender Gelehrsamkeit und ausgezeichneter Fröm=
migkeit mit seltenen Fähigkeiten. Wir glauben hier überhaupt auf
den Benedictiner=Orden hinweisen zu dürfen, der, wir gestehen
es ganz frei, der erste in der Welt ist. Um alle Vorzüge die=
ses hochberühmten Ordens und seine heiligen und vortrefflichen
Mitglieder aufzuzählen, würde ein ganzes Werk leicht auszu=
füllen seyn. Der erste Abt war Sanctinus, ein sehr gottes=
fürchtiger Mann, und von diesem angefangen bis zum 29sten
Abte, nämlich Thomas III. (gest. 1418), waren sie ursprüng=
liche Schotten. (Wir haben den Grund ihrer Entfernung in der
II. Abtheilung unsers gegenwärtigen Werkes angegeben). Mit
Abt Nicolaus III. aber (1428) kamen die deutschen Benedic=
tiner, die noch jetzt bestehen. Der gegenwärtige hochw. Herr
Prälat, k. k. Rath und Landstand in N. Oe., Sigismund
Schultes, ein geborner Wiener, erst 31 Jahre alt und seit
sechs Jahren Priester, wurde seiner hohen Kenntniße wegen und
der großen Vorzüge, die ihn der Liebe aller seiner Mitbrüder
schätzbar machten, einstimmig im Jahre 1832, den 6. Jänner,
zum Abte erwählt. Der übrige geistliche Stand besteht in 68 wirk=
lichen Priestern und zwei Novizen.

Was die jetzige Stiftskirche betrifft, so steht sie nicht auf
dem Platze, wo ehedem die alte Kirche stand, doch nicht sehr
entfernt davon, und hat ungefähr auch wie jene die äußere Ge=
stalt. Sie stammt aus dem XVII. Jahrhundert, und verdankt
ihre Restauration dem Kaiser Ferdinand III. Von außen ist
es ein einfaches Gebäude, an beiden Seiten der Haupt=Façade
mit viereckigen Thürmen, die aber kaum über das Kirchendach
hinausreichen, weil sie seit einer großen Feuersbrunst nicht mehr
ausgebaut, sondern nur ganz flach eingedeckt wurden; Glocken
befinden sich darin keine. Dagegen ist rückwärts der Kirche ein
ganz freistehender, viereckiger, massiver Thurm mit einer zierlichen
Kuppel vorhanden, der ein großes und schönes Glockengeläute
enthält. Die Seitenwände sind flach und mit starken Streberfei=
lern versehen. Die Kirche ist sehr hoch und groß; sie ist in

Halbkuppelform ohne Pfeiler oder Säulen gebaut, und der Plafond gleich wie die Wände reich mit Stuccatur = Arbeiten verziert. Ein großer herrlicher Hochaltar ist an der Wand des sehr geräumigen Presbyteriums, ganz von schwarzem Holze mit Säulen aufgeführt, daran die vielen und schönen Verzierungen, so wie auch die zwei lebensgroßen heiligen Figuren, weiß und neu vergoldet sind. Der Altar selbst ist von holzversilberter Arbeit. Die acht Seitenaltäre sind an den Seitenwänden hallenartig gebaut, mit Durchgängen; ober den Altarblättern sind theils Medaillon=, theils länglich = viereckige Gemälde von S a n d r a t, P o ck und P a ch m a n n angebracht. Die Statuen, Verzierungen und Säulen sind von marmorirtem Holze mit vielen Vergoldungen, mit Ausnahme des B e n e d i c t= und A n n a = Altars, welche beide ganz aus Salzburger Marmor bestehen und die alle gegenwärtig durch die besondere Fürsorge des hochw. neuen Herrn Prälaten, unter der Leitung des Kirchendirectors R. P. A n t o n S t o l l, in der ganzen Kirche durchaus neu hergestellt werden. Davon sind die vier rechts vom Eingange befindlichen Altäre: 1.) dem h e i l i g e n G r e g o r, mit dem Grabstein eines Grafen von K h e v e n h ü l l e r; 2.) dem h e i l i g e n B e n e d i c t, mit dem Grabstein des Grafen S t a r h e m b e r g; 3.) dem h e i l i g e n S e b a s t i a n, mit dem Grabstein des Grafen R o s e n b e r g=U r s i n i; 4.) den h e i l i g e n A p o s t e l n; jene vier links stehenden aber: 5.) dem h e i l i g e n K r e u z e, mit dem Grabstein der Gräfin A i c h b i c h l und des Marquis von B e a u f f o r t; 6.) U n s e r e r l i e b e n F r a u; 7.) der h e i l i g e n A n n a, mit dem Grabstein eines Obersten von P r e v o s t; 8.) der h e i l i g e n B a r b a r a, mit dem Grabmale des Grafen W i n d i s ch g r ä t z, geweiht. Außer diesen Denkmälern waren im vorigen Kreuzgange (dieser ist jetzt verbaut worden) die Ruhestätten vieler edlen Geschlechter des Landes vorhanden, nämlich der von L a m b e r g, B r e u n e r, E y t z i n g e r, F r o h n a u e r, der Truchsessen von S t a t z, der tirolischen und nicolsburgischen L i ch t e n s t e i n e, der Gemahlin des Hans von L i ch t e n s t e i n, der berühmten »w e i ß e n F r a u«, der F r e i s l e b e n, V o l k r a v o n S t e i n a=

brunn, der Muschinger von Gumpendorf, der Gräfin Josepha Erdödy, deren schönes Mosaikbild noch rechter Hand beim Haupteingange, und jenes des Marschalls Grafen von Khevenhüller=Metsch links daselbst in der Kirche prangen; endlich das Grabmal Rüdigers Grafen von Starhemberg, Wiens heldenmüthigen Vertheidigers gegen die Türken (1683). Die hier befindliche Orgel von Ignaz Kober ist eine der größten in Wien, und ein wahres Meisterstück, sie hat 50 Register und ein kunstvolles Posaunenwerk. Auch besteht noch die Gruft unter der Kirche, in welche jedoch Niemand mehr gelegt wird. Selbst die Grabstätte des glorreichen Stifters der Schotten war unbekannt, weil solche der Sage nach durch ein großes Erdbeben verschüttet worden seyn soll, doch als man vor mehreren Jahren im Grunde des alten Gotteshauses grub, stieß man auf eine abgesonderte kleine Gruft, in der sich nur drei Gerippe befanden, zwei weibliche und ein männliches, das in der Mitte der andern ruhte und dem das Schenkelbein gebrochen war. An diesem Abzeichen (Heinrich Jasomirgott brach sich auf seinem Rückzuge von Mähren beim Sturze seines Pferdes auf der äußern Taborbrücke im Jahre 1177 wirklich den Fuß) bleibt wenig Zweifel mehr übrig, daß es die Gebeine dieses unvergeßlichen Herzogs, seiner zweiten Gemahlin Theodora, aus dem griechischen Kaiserhause des Manuel Commenas, und seiner Tochter Agnes aus dieser Ehe, die als Witwe des Hermann von Ortenburg in Wien lebte und verstarb, sind. — So prangt nun diese wahrhaft fürstliche Abtei seit ihrer Entstehung 672 Jahre, nachdem sie während der abgelaufenen Zeiten und so vieler Stürme oftmals hart gelitten, aber stets wieder verjüngt empor kam.

Nicht fern von diesem Stifte, in der Renngasse Nr. 140 befindet sich das k. k. große Zeughaus, welches schon, jedoch in viel kleinerem Raum, von Kaiser Maximilian II. erbaut wurde. Kaiser Leopold I. erhielt einen Theil des Gartens von den Schotten, und vergrößerte und vollendete das Gebäude. Dieses Gebäude, in welchem mehrere Depositorien, wie auch Werkstätten, angelegt sind, ist ein Stockwerk hoch und enthält einen sehr großen Hof. Das erste Stockwerk ist in viele Säle eingetheilt, welche mit allem nur erdenklichen Kriegszeug und Waffen an den Wänden und am Plafond ausgeschmückt sind, und welche auch in mehreren Zimmern aus verschiedenen Gattungen zusammen gesetzte Säulen darstellen. Eine große Anzahl von aufgestellten Gewehren, wohl mehr den 100,000 Stücke, formiren eine massive Brustwehr. Uebrigens sind sehr viele kostbare und seltene Rüstungen und Trophäen aus allen Kriegsepochen, und sogar jener durchlöcherte lederne Koller zu sehen, welchen der Schwedenkönig Gustav Adolph bei Lützen trug, als er am 6. November 1632 in der Schlacht gegen Wallenstein blieb. Ringsum im Hofe sind sehr viele, mitunter auch sehr alte Kanonen aufgestellt, worunter sich eine mit vorzüglich reicher erhabener Arbeit befindet. Eben so hängt hier auch die große Kette, mit welcher die Türken die Donau sperren wollten; sie wiegt 1600 Centner und enthält 8000 Glieder. Unter die besonders erwähnenswerthen Gegenstände dieses k. k. Zeughauses, welches eines der ersten in Europa ist, gehört das metallene Brustbild des Fürsten Wenzel von Lichtenstein, welches ihm die Kaiserin Maria Theresia wegen seiner Verdienste setzen ließ, und die zwei metallenen Brustbilder von Kaiser Franz I. und Maria Theresia, welche der obenerwähnte Fürst und Feldherr seinem Monarchen und der großen Kaiserin errichtete.

Beinahe gegenüber von diesem Gebäude befindet sich das gräflich Schönbornische Palais, in welchem die in drei Zimmern aufgestellte Gemäldesammlung von großem Kunstwerth ist. Weit größer ist aber die Bildergallerie des Grafen von Harrach auf der Freiung in seinem schönen Pallaste, die aus einem Saale und vier Nebenzimmern besteht, und nicht weniger als 1000 Gemäldestücke, dann in einem eigenen Zimmer eine ausgesuchte Kupferstichsammlung, welche alle in Portefeuilles liegen, enthält; überdieß sind hier noch mehrere kostbare Gegenstände verschiedener Art, große

Spiegel und künstlich gearbeitete Mosaik-Tische vorhanden. Der
Gesammtwerth aller vorhandenen Kostbarkeiten, Kunststücke und
Meubeln in diesem Pallaste der hochansehnlichen Familie der
Grafen von Harrach wird auf eine und eine halbe Million
Gulden angeschlagen.

In diesem Palais befindet sich auch eine schöne Haus-
Capelle mit in Fresco gemalter Kuppel, zu Ehren Mariens
der unbeflekten Empfängniß geweiht. Zunächst dem
Hochaltar sind zu beiden Seiten auf steinernen Postamenten
Glaskästen, in welchen sich die Häupter der heil. Märti-
rer Hubertus und Victor als Reliquien befinden. In
dieser Capelle, die schon alt ist, wird auch jetzt noch immer
Messe gelesen.

Als ein öffentliches Denkmal muß auch die Marien-
Säule am Hof genannt werden. Kaiser Leopold I. ließ solche
im Jahre 1667 errichten. Sie ist aus Metall gegossen, und bildet eine zwei Klafter hohe korintische Säule, worauf Mariä
Empfängniß mit dem Drachen zu ihren Füßen sich befindet, und welche Säule auf einem schön gearbeiteten marmornen
Fußgestelle, welches mit einer lateinischen Aufschrift geziert ist,
steht, an dessen vier Ecken überall ein Engel ein Ungeheuer bekämpft. Das Ganze ist sehr sinnreich und mit künstlerischem
Werth von Balthasar Herold gegossen worden, und hat
ein Gewicht von 205 Zentner an Metall. Eine steinerne Balu-
strade umschließt dieses Denkmal. — Zur Rechten und Linken befinden sich in geringer Entfernung zwei Springbrunen, welche
am Namensfeste des Kaisers im Jahre 1812 mit aus weichem
Metall gegossenen, mehr als lebensgroßen Figuren geziert wurden. Die rechts von der Säule stehende Gruppe bedeutet die
Treue der österreichischen Nation, mit der Inschrift:
In fide unio, in unione salus; und die andere den Ackerbau und den Gewerbfleiß, mit der Devise: Auspice
Numine faustus. Solche wurden von dem bereits verstorbenen
Professor Fischer gezeichnet, und auf Kosten der Stadt ge-
gossen und aufgestellt, man liest daher an der Rückseite des

Fußgestelles die Jahrzahl MDCCCXII und: Sub Consule a Wohlleben.

Auf diesem Platze steht auch die Pfarrkirche zur heiligen Maria, als Königin der Engel genannt. Sie ist die ehemalige, von Herzog Albrecht III. im Jahre 1386 an der Stelle des alten Herzogshofes erbaute Carmeliterkirche, welche aber später vom Kaiser Ferdinand I. 1554 sammt Kloster den Jesuiten eingeräumt wurde. Da diese Geistlichen mehrere Kirchen in Wien besaßen, so hieß diese ihrer Lage nach die obere Jesuiten-Kirche. Sie erhielt im Laufe der Zeiten mehrere Umstaltungen, und das daranstoßende große Gebäude ward vom Kaiser Ferdinand II. 1625 zum Profeßhause dieses Ordens bestimmt. Dessen Witwe Eleonora erbaute 1660 die reich verzierte Hauptfronte. An dem Aeußern dieses Gotteshauses findet man an einem Theil des Presbyteriums noch die ursprüngliche gothische Bauart des XIV. Jahrhunderts, welcher auch ganz von Quadersteinen aufgeführt ist, Strebepfeiler und hohe Bogenfenster und ein ganz kleines Thürmchen mit 2 kleinen Glocken hat. Die Seitentheile haben wohl auch einige derlei Pfeiler, doch nimmt man ganz deutlich den Baustyl des XVII. Jahrhunderts wahr. Von innen ist die Kirche mehrfach umgestaltet; so ist z. B. das Presbyterium ganz modern, eine Halbkuppel mit vergoldeten Rosetten, das große Schiff der Kirche hingegen zeigt noch die gothischen spitzen Gurtenbögen und alten Pfeiler, die aber auch in achteckige Säulen umgestaltet und mit römischen Kapitälern versehen wurden, deßgleichen tragen die Wände eine reiche Stuccaturarbeit und die Seitenaltäre aus derselben Zeit sind wie bei den Schotten hallenartig angebracht. Das XVII. Jahrhundert überhaupt zeigt sich im Baustyle überall mit Verzierungen höchst überladen, und der Geschmack für Altes, Edles und Einfaches verdrängt; dieß finden wir leider bei vielen Denkmälern aus diesen Zeiten, da durch solche sinnlose Verzierungssucht vieles verdorben ward, was nun nicht mehr verbessert werden kann.

Beim Hochaltar, welcher, mit dem Säulen-Tabernakel und zwei vergoldeten knieenden Cherubimen versehen, sehr schön

6

ist und frei steht, befindet sich ein sehr großes und wirklich prachtvolles Altarblatt, Maria, von 9 Chören der Engel umgeben, welches unter Aufsicht des berühmten Professors Maurer von Döringer gemalt wurde. Die acht Seitenaltäre, wovon zwei an den hervorspringenden Wänden beim Presbyterium, die übrigen aber in den Hallen angebracht sind, strotzen gleichsam von Verzierungen und Holzvergoldungen; gegenwärtig wird die ganze Kirche renovirt und bei der Gelegenheit manches Ueberflüssige hinweggenommen. — Ein schöner Chor und eine große Orgel ziert das Ganze. — Die Gemälde an den Seitenaltären sind alt, und werden jetzt durchaus restaurirt, doch fanden wir darunter keine Kunststücke.

Seit Auflösung der Jesuiten wurde diese Kirche als eine selbstständige Pfarre erklärt, rückwärts derselben den Weltpriestern ein Wohnhaus angewiesen, das sehr große Klostergebäude aber, welches an die Kirche anstößt, zur Hofkriegskanzlei umgestaltet, in welchem der Kriegspräsident seine Wohnung hat, die prachtvoll ist.

In diesem Priesterhause ist noch jetzt die sogenannte Stanislaus=Capelle vorhanden. Es war dieß ein vornehmer Pohle Stanislaus Kostka, ein Jüngling, der ehedem in diesem Hause war, sehr schwer erkrankte, und da er bei einem protestantischen Bürger wohnte, und ungeachtet seiner großen Sehnsucht nach der heiligen Wegzehrung keinen Priester erhalten konnte, soll ihm die heilige Mutter Gottes mit dem Jesuskinde erschienen seyn und getröstet haben. Der gottesfürchtige Jüngling genaß und zog in Folge des gehabten Traumbildes nach Rom, allwo er in den Jesuitenorden trat, aber schon am 15. August 1568, erst 18 Jahre alt, verstarb. Bald war ganz Wien voll von dieser Erscheinung, und nach 15 Jahren schon wurde dessen Wohnzimmer in eine Capelle umgestaltet, die eben in diesem Priesterhause noch unter der Benennung »Stanislaus=Capelle« besteht.

Auf diesem Hofplatze steht überdieß noch ein bemerkenswerthes Gebäude, und dieß ist das bürgerliche Zeughaus.

Der geneigte Leser wird aus unserer Geschichte Wiens entnom=
men haben, wie vor Alters schon die Bürger Wiens bei jeder
Gelegenheit sich durch ihr tapferes und heldenmüthiges Vertheidi=
gen ausgezeichnet haben, es ist daher mit Grund zu vermuthen,
daß sie auch schon damals ein Zeughaus gehabt haben; im
XV. Jahrhundert haben wir von dem wirklichen Bestehen eines
solchen volle Gewißheit, unter dem Namen »Zeugstadl,« der
unweit des Kienmarktes war. In neuerer Zeit, nämlich vor
hundert Jahren, wurde das gegenwärtige Zeughaus auf Kosten
der hiesigen Bürgerschaft in seiner noch jetzt bestehenden schönen
Form erbaut, welches aus dem Erdgeschosse und einem Stock=
werke besteht, und ober dessen Thore die Aufschrift angebracht
ist: Imperante Carolo VI. instauravit S. P. Q. V. Anno 1732.
Die Haupt=Façade gegen den Hof ist von dem Hofbildhauer
Matielli mit Trophäen geziert, und ganz oben zu Anfang
des Daches stehen zwei Figuren, welche die vergoldete Weltkugel
tragen. In drei Sälen des obern Stockwerkes sind 24000 brauch=
bare Gewehre aufgestellt, und zu ebener Erde befinden sich meh=
rere Kanonen und Pulverwägen in gutem Stande, nebst vielen
andern dazu gehörigen Geräthschaften. Es sind auch hier noch
viele andere alte und besondere Waffen und Rüstungen, worun=
ter ganz vorzüglich türkische erwähnt werden können, und die
alle in bester Ordnung aufgestellt sind. Die Säle sind mit den
aus carrarischem Marmor vom Professor Fischer verfertigten
Büsten Sr. Majestät des Kaisers Franz I., des Erzherzogs
Carl, des Feldmarschalls Loudon, des Herzogs Ferdinand
von Würtemberg und des Grafens Franz von Saurau,
dann mit jener Metall=Büste von Zauner, den allgemein gelieb=
ten, leider schon verstorbenen Oberstkämmerer Grafen Wrbna
darstellend, geschmückt. In einem Saale ist auch der Kopf und
das Todtenhemd des Großveziers Kara Mustapha, welcher
1683 Wien belagerte, aufgestellt, die uns noch die traurige
Erinnerung an jene qualvolle Zeit erneuern; ingleichen der Halb=
mond von Messing und vergoldet, welcher lange Zeit auf dem
Stephansthurme aufgesteckt war, die große türkische Blutfahne,

6 *

früher in der Stephanskirche, und eine berühmte chronologisch=
aſtronomiſche Uhr, von Chriſtoph Schener zu Augsburg
1702 verfertigt. Da die Franzoſen, welche im Jahre 1805 das
bürgerliche Zeughaus verſchonten, ſolches 1809 zum Theil plün=
derten, worunter ſechs Kanonen waren, ſo ließ der gütige Mo=
narch ſechs neue Kanonen gießen und ließ ſie an ſeinem Namens=
feſte 1810 hieher übergeben; auf einer jeden derſelben iſt ein
Schild angebracht, worauf ſich folgende Worte in erhabener Ar=
beit befinden: Franz I. den Bürgern der Stadt Wien
für erprobte Treue, Anhänglichkeit und Bieder=
ſinn. 1810. Die ganze Einrichtung dieſes Zeughauſes iſt ſehr
geſchmackvoll, mit Umſicht geordnet und zweckmäßig.

In dem Magiſtrats = Gebäude rückwärts in der St. Sal=
vatorgaſſe befindet ſich die ſehr alte Kirche zu St. Salvator.
Otto Haimo (die Haimo waren zu der Zeit ein angeſehenes
Wiener Bürger= und Rittergeſchlecht), ließ dieſelbe als eine
Capelle erbauen, wobei, dem Verzeichniß der Wieneriſchen Stein=
metzmeiſter zu Folge, im Jahre 1282 Nicolaus Scheiben=
böck als Baumeiſter genannt wird. Im Jahre 1300 erhielt ſie
ſchon einen Ablaßbrief von Biſchof Peter von Baſel für
Jene, welche die zu Ehren Gottes und unſerer
Frauen neu erbaute Capelle andächtig beſuchen,
und mit hilfreicher Hand unterſtützen werden.
Der ſtädtiſche Capellan, Jakob der Polle, fing 1360 einen
neuen Bau an, und vergrößerte dieſe Capelle, ſo daß drei
Altäre darin aufgeſtellt wurden, wonach ſolche 1361 zu Ehren
der Mutter Gottes geweiht ward. Sie beſaß ſehr viele
und anſehnliche Stiftungen, und wurde nach des Stifters Na=
men und ihrer Weihe allgemein Maria Ottenhaim ge=
nannt. Der damalige Rector dieſer Capelle, Peter Haini=
fogl zeigte dieſe verkehrte Benennung dem Papſt Leo X. an
und verklagte die Wiener ob ihres Unglaubens, worauf 1504
eine beſondere Bulle in Rom erſchien, daß ſolche künftig St.
Salvators=Capelle benannt werden ſoll. Rückwärts ſtand
das Beneficiatenhaus, welches der allda angeſtellte Canonicus

von St. Stephan, Tobias Schwab, im Jahre 1616 dem
Magistrate verkaufte, der solches abreißen und bis dahin das
Rathhaus vergrößern ließ; so kam es, daß nun dieses Kirch=
lein von drei Seiten in das magistratische Rathhaus=Gebäude
eingebaut ist, und nur auf der Seite der Salvatorgasse mit
dem Portale frei steht, welches zwei verzierte Säulen und
Steinbilder der heiligen Jungfrau und des Welterlösers, aus
den Zeiten zu Anfang des XVI. Jahrhunderts enthält. Das
Kirchengebäude ist ganz unregulär und besteht aus zwei kleinen
durch einen freien Bogen verbundenen Capellen, wovon die links
befindliche viel niedriger ist und ein vielgurtiges Kreuzgewölbe
hat, welches eine ältere (wahrscheinlich die ursprüngliche) Bauart
andeutet, als die der rechts stehenden Capelle, die sehr hohe
Wände, hohe Bogenfenster und ein ganz einfaches gothisches
Gewölbe aufweist. Der schöne neue Salvator=Altar wurde
im Jahre 1795 angeschafft, und das prachtvolle Bild auf Kosten
des Herrn von Weinbrenner von dem Künstler Meidin=
ger gemalt. Täglich werden in diesem Kirchlein mehrere Mes=
sen gelesen, und überhaupt der Gottesdienst eifrigst abgehalten.
Es sind auch mehrere Grabsteine darin vorhanden.

Nicht fern von demselben steht jene gothische Kirche Ma=
riastiegen, oder Maria am Gestade, die in uns noch so
herrliche Erinnerungen alter Zeiten aufregt. Im Jahre 882
wurde an diesem Platze eine Capelle zu Ehren Mariä erbaut,
die den frommen Schifferleuten, aus fernen Landen kommend,
zum Wallfahrtsorte diente. Seit Kaiser Carl der Große die
Avaren zähmte, erhoben sich in Fabianis mehrere Tempel des
Herrn, darunter gehört vorzüglich die St. Peterskirche, als eine
Stiftung des gedachten Kaisers. Er war es, der mit siegreichen
Waffen die dunkeln Pforten der Ostmark aufschloß, und Leben
und Regsamkeit in selbe brachte; ein vorzüglich lebhafter Ver=
kehr erhob sich, der von Regensburg aus, als dem damaligen
Hauptplatze des Handels, bis zu den Byzantinern reichte. Da
wallten und wogten auf der Donau viele Schiffe, die großen
Reichthum bis Constantinopel trugen. Eine lange und gefahr=

volle Wafferreife, die fich durch den Wirbel und Strudel ver=
mehrte, machte die Schiffer und Kauffahrer fehnfüchtig nach
der Capelle der gnadenreichen Maria, die zu Fabianis hoch
am Geftade der Donau ftand, und zu der nur fchmale Stie=
gen führten.

Wunderlieblich und Segen fpendend mag diefe Capelle in
den filberhellen Fluthen der Donau fich gefpiegelt haben, die
damals ihre Ufer befpühlten, denn noch höher als das St. Ru=
prechtskirchlein, auf einem ziemlich fteilen Berge, lag der Wall=
fahrtsort Maria amGeftade, wo ein vorzüglich frommer und
alter Priefter das heilige Meßopfer viele Jahre hindurch verrichtete
und auch jenen, welche die Wafferreife nach Conftantinopel antraten,
das heilige Abendmal darreichte. Durch die vielen Spenden er=
hielt fich die Capelle gut, und blieb fo bis zur Stiftung der Schot=
tenabtei im Jahre 1158, welche von Herzog Heinrich Jafo=
mirgott das Patronatsrecht über diefelbe bekam. Im Jahre
1303 kam diefe Capelle in das Eigenthum des angefehenen Rit=
ters in Wien Wernhard Greif, deffen Nachkommen die=
felbe bis zum Jahre 1357 befaßen. Nahe an diefelbe war zu der
Zeit fchon der bekannte Paffauerhof hingebaut, und fo fuch=
te denn auch das dortige Bisthum die Capelle käuflich an fich
zu bringen, welches auch gefchah. Im Jahre 1393 wurde folche
durch die reichen Gefchenke des Hanns von Lichtenftein,
der gewaltige Hofmeifter genannt, durch Bifchof Georg
Grafen von Hohenlohe, mit Unterftützung der Herzoge
Albrecht III. und Albrecht IV., von Grund aus neu um=
gebaut und mit dem noch jetzt vorhandenen prachtvollen Thurme
verfehen. Im XV. Jahrhundert fcheint diefelbe einen neuen
Zubau erhalten zu haben, und diefer ift das hintere Kirchenfchiff,
was fchon daraus fehr deutlich zu erfehen ift, weil der Thurm
zwifchen diefem und dem hohen Chor (heutiges Presbyterium)
fich befindet, welcher letztere die Bauart des XIV. Jahrhunderts
ift. Nur Schade, daß wir nichts Näheres davon, nicht einmahl
den Namen des Baumeifters, erfahren konnten, obfchon gar
nicht zu zweifeln ift, daß diefer letztere Bau und jener der Voll=

endung des Stephansthurmes in eine Zeit gehören. So blieb
die Kirche im Besitzthum Paſſau bis zum Jahre 1805, in welchem
ſämmtliche Paſſauiſche Güter dem inländiſchen Religionsfonde zu=
fielen. Zur Zeit der franzöſiſchen Invaſion 1809 verwendete der
Feind ſolche zu einem Getreidemagazin, wurde aber ſpäterhin
auf Befehl Sr. Majeſtät des Kaiſers Franz I. wieder herge=
ſtellt. Dieſe Kirche bedurfte eine große Reparatur, und wurde
auch ſo gut hergeſtellt, daß man ſagen kann, die Kirche hat an
ihren ſchönen gothiſchen Formen und den vielen Verzierungen gar
nichts verloren, obſchon die Altäre mit der alterthümlichen Bauart
in gar keiner Harmonie ſtehen.

Sechs und zwanzig hohe ſchmale Bogenfenſter verſchaffen
derſelben das hinlängliche Licht, wovon viele mit berühmter Glas=
malerei verſehen waren, und durch welche auch, gleich wie im
alten Stephansdome, das Licht ſehr gedämpft ward; dieſe wur=
den nach Lachſenburg gebracht, wo ſie noch bei ihrem hohen
Farbenſchmelz von Jedermann bewundert werden. Zwei Fenſter
aber ober dem Eingange ſind von dem berühmten Glasmaler
Gottlieb Mohn vor einigen Jahren nach Zeichnungen des
geſchickten Malers Ludwig Schnorr von Carlsfeld ge=
malt worden, die ſich den alten enkauſtiſchen Kunſtmalereien ſehr
nähern. Zu bedauern iſt nur, daß dieſer um dieſes Fach ſich ver=
dient gemachte Künſtler auch ſchon verſtorben iſt. Die an den
Gurtengewölben befindlichen Stäbe im Innern verbinden ſich mit
den hervorſpringenden gothiſchen Wandpfeilern, die oben beinahe
lebensgroße Figuren enthalten, welche auch das Innere ſchön
ſchmücken. Von den drei Eingängen der Kirche iſt jener beim gro=
ßen Thore über mehrere Stufen und der erſte Seiteneingang mit
dem einem ſteinernen gothiſchen Baldachin ähnlichem Dache aus
alter Zeit her prachtvoll geziert, beſonders bewundernswerth aber
iſt der ſiebeneckige, 30 Klafter hohe Thurm, der als ein altes
Denkmal eine ganz vorzügliche Zierde der Stadt iſt. Am aller=
ſchönſten iſt ſolcher von der Gallerie angefangen gegen die halb=
runde, kronartige, aus Blättern und Zweigen beſtehende Stein=
kuppel, welcher ganze Theil vollends durchbrochen und höchſt

sinnreich verziert ist, wie das Kupfer in der II. Abtheilung gegenwärtigen Werkes genau zeigt.

Seit ihrer Herstellung wurde immer Gottesdienst in dieser
Kirche verrichtet, seit dem Jahre 1820 aber solche den Priestern
der Versammlung vom Orden des heiligsten Erlösers (den Redemtoristen, die auch, nach ihrem Stifter Alphonso Liguori, Liguorianer
genannt werden) übergeben, die noch jetzt im Besitz derselben sind,
und auch ein ganz neues Klostergebäude im großen Style zunächst
der Kirche aufgebaut haben.

Das Innere dieser schönen Kirche zieren der schon früher
vorhanden gewesene Hochaltar, auf welchem nebst der M a r i e n -
S t a t u e der W e l t = E r l ö s e r a m K r e u z e sich befindet,
und noch drei S e i t e n a l t ä r e, nämlich der kleine S t. A n n a =
A l t a r, der J o s e p h s = A l t a r, ganz gothisch verziert, und der
M a r i a h i l f = A l t a r, dann eine schöne Orgel. Der Gottesdienst
wird von diesen Priestern mit vieler Erbauung abgehalten; auch
haben sie schöne Paramente angeschafft und viele Wohlthäter gefunden.

Noch älter als die erste Capelle M a r i a a m G e s t a d e ist
das R u p r e c h t s k i r c h l e i n, welches der e r s t e c h r i s t l i c h e
T e m p e l i n F a b i a n i s war. Des heiligen R u p r e c h t, Apostels
der Baiern, fromme Schüler, C u n a l d und G i s a l r i ch, wurden von ihm nach dem Avarenland gesendet, um auch hier unter
den wilden Völkern den Samen des christlichen Glaubens zu streuen
und das Evangelium zu predigen. Diese beiden Apostel verwalte-
ten durch längere Zeit ihr mühevolles Amt, und erbauten zu Ehren ihres heiligen Vaters, der die Erzkirche Salzburg auf den
Trümmern der uralten Hadriansstadt Juvavia gründete, hier auf
einem ziemlich steilen Felsen an der Donau eine Kirche im Jahre
740. Dieß besagt uns die Geschichte und die Reim = Chronik
E n e n k e l s, eines Zeitgenossen der Babenberger Herzoge, und
es wird auch in wenigen Worten ober dem Presbyterium im
Bogen der Kirche angemerkt gefunden. Nicht hoch und groß,
aber von außerordentlich fester, einfacher Bauart mit einem
viereckigen massiven Thurme ist dieses 1000jährige höchst

merkwürdige und ehrenwerthe Denkmal, welches seit gar vie=
len Jahren schon von Häusern umbaut ist. Ursprünglich
stand die Kirche frei, und eine hohe Stiege führte von den
Ufern der Donau zu ihren Pforten; gar alterthümlich und ehr=
furchtgebietend schaute dieser Tempel in den klaren Wellenspiegel,
und mächtig von dem Glauben angezogen, besuchten die Salz=
schifferleute, die unweit von hier landeten, und auch gleich die
Salzniederlage seit undenklichen Zeiten sich befand, fleißig die=
ses Kirchlein, welches ihrem heiligen Patron geweiht war. In
der ersten Gestalt verblieb sie lange, und nur der Zahn der Zeit
hatte schon mächtige Eingriffe an ihrem Bau gethan, die aber
durch den krainerischen Ritter Georg von Auersberg im
Jahre 1436 wieder hergestellt wurden. Sie zählte viele Wohl=
thäter und bis in die Tage Ferdinands II. bestand eine an=
sehnliche Salzzeche (Brüderschaft), die aber, da sie mit den
Protestanten im Bunde stand, aufgelöst wurde. Die Schotten
hatten bei ihrer Stiftung (1158) schon das Patronatsrecht über
diese Kirche erhalten, und nun überließen sie solche, sammt dem
anliegenden Wohnhause, den durch die türkische Belagerung von
1529 aus ihrem Kloster zu St. Theobald auf der Laimgrube ver=
triebenen Franziscanern, die in ihren Häusern zerstreut lebten.
Im Jahre 1545 bezogen die Franziscaner St. Niclas in der
Singerstraße, und St. Ruprecht fiel wieder seinen alten
Wohlthätern, den Oberamtmännern des Salzamtes anheim. —
Die Josephinische Periode wirkte auch auf dieses Kirchlein, in=
dem es gesperrt ward, doch gar bald erhielten es die bisher an
der Capelle im Cöllnerhof gesessenen Hieronymitaner, die
denn gänzlich ausstarben. Es ward, gleich Mariastiegen, 1809 zu
einem Magazin der Franzosen verwendet, doch durch die Bancal=
Gefällen= und Salz=Direction ward dieses überaus theure Denk=
mal den Gläubigen erhalten, und erst vor kurzem ganz neu aus=
gebessert und hergestellt.

Wie bereits erwähnt, ist das Kirchlein ein kleines niederes
Gebäude, mit untrüglichem Zeichen für ein sehr hohes Alter,
nämlich ganz einfachem Gurtengewölbe, welches, so zu sagen,

zwei Abtheilungen oder zwei Capellen bildet. Der Hochaltar enthält außer dem Altarblatt, den heiligen Rupertus darstellend, noch die Statue Maria-Zell, an welcher die Krone und der Mantel geschlagenes Silber ist, die übrigen Verzierungen, Statuen und Kirchenzierden sind meist von Holz, vergoldet und theils marmorirt. An den Stufen des Hochaltars befindet sich eine Gruft, in welcher mehrere Leichname liegen, die Sage will sogar, daß es österreichische Herzoge wären, welches wir aber gänzlich bezweifeln. Außerdem ist rechts im Bogengange ein Seitenaltar zu Ehren Maria-Hilf, und unter dem Altarblatt ein Glasbehältniß, in welchem die ganze Reliquie des heiligen Vitalis in Gold gefaßt sich befindet; ein zweiter Seitenaltar ist dem heiligen Johann von Nepomuck geweiht. Noch wird ein im Presbyterio befindliches Bild, »Maria Schatzkammer« genannt, ob seines hohen Alters besonders bemerkt. — Das Gemälde des Hochaltars ist ein Kunstwerk von Rothmayer, und jenes am Seitenaltare von Braun. Die sehenswerthen Glasgemälde sind von dem schon bei Mariastiegen erwähnten vortrefflichen Künstler Gottfried Mohn.

Der hohe Markt, ein großes, doch eine sanfte Abdachung enthaltendes Viereck bildend, ist mit einem schönen Monumente, »die Vermählung Mariens,« geziert. Dasselbe ließ Kaiser Carl VI. im Jahre 1732 errichten. Es stellt einen freien Tempel vor, dessen Kuppel auf korinthischen Säulen ruht, worin Joseph und Maria von dem Hohenpriester vermählt werden; über dem Tempel schwebt der heilige Geist in Gestalt einer Taube, von vergoldeten Strahlen umgeben, und an jeder Säule vorn steht ein lebensgroßer Engel, mit einem Trauungszeichen in der Hand. Das Piedestal so wie der Tempel, Säulen und Verzierungen sind von Marmor und aus der Kunsthand des Baron Fischer hervorgegangen, die Figuren aber wurden von dem Venetianer Anton Corradini verfertigt. Gleichsam mit diesen in Verbindung, stehen links und rechts marmorne Wasserbecken mit Springbrunnen, ebenfalls zierlich gearbeitet,

woju das lebendige Quellwasser von Ottogrün in Röhren her=
geleitet wird.

Die auf dem alten Fleischmarkt befindliche C a p e l l e der
ö st e r r e i ch i s ch e n U n t e r t h a n e n des g r i e ch i s ch e n R i t u s
ist der h e i l i g e n D r e i f a l t i g k e i t geweiht, und besteht in
einem Hofe, wozu ein hohes Portal mit Stufen führt. Diesel=
be hat einen Altar, an welchem ein Kreuz und zwei mit vielen
Armleuchtern versehene Luster von Holzvergoldung angebracht sind.
Vor dem Altar selbst steht eine hölzerne Wand, welche mit sehr
vielen Goldmalereien und Heiligen aus dem alten und neuen Te=
stamente verziert ist. In der bogenförmig gebauten Capelle be=
finden sich vergitterte Gallerien, wie überhaupt in allen griechi=
schen Kirchen. Ein mit Kupfer gedeckter Thurm mit einer Uhr
ziert dieselbe. Hier existirt auch eine Schule, in welcher Alt= und
Neugriechisch, Deutsch und die übrigen dahin gehörigen Ge=
genstände gelehrt werden.

Die andere K i r ch e der G r i e ch e n aber, welche für Je=
ne gehört, die aus fremden Provinzen kommen, ist zunächst
dem alten Fleischmarkt am sogenannten Hafnersteig gelegen. Sie
bildet ein eigenes Gebäude ohne Thurm, und besteht zu Ehren
des h e i l i g e n G e o r g. Dieselbe hat ebenfalls einen solchen
Altar wie die vorige, aber nur einen Luster, und ersterer ist mit
einer solchen gewöhnlichen Wand ebenfalls verdeckt. Das Innere
der Kirche ist viereckig mit einer Kuppel, dann mit Gemälden
und vergoldeten Zierathen ausgeschmückt; besonders sind aber
an den vier Ecken sehr schöne Oelgemälde angebracht. Auch be=
steht ober dem Eingange im Innern eine gitterartige Gallerie
mit einer Uhr.

Die K i r ch e der u n i r t e n G r i e ch e n hingegen besteht
auf dem Dominicanerplatze zwischen der Bancal=Administration
und der Postwagen=Direction. Sie ist sehr klein und hat von
außen ein Portal mit Steinfiguren und einen gemauerten Thurm,
mit Kupfer gedeckt. Die Aufschrift besagt, daß Kaiser J o s e p h II.
und M a r i a T h e r e s i a im Jahre 1775 die Stifter waren.
Das Innere der Kirche ist den andern griechischen Capellen ganz

ähnlich; es hat auch viele vergoldete Medaillon = Gemälde, und das Altarblatt, ober welchem ein schwarzes Kreuz angebracht ist, stellt die heilige Jungfrau und Märtyrin Barbara vor.

Dieser Kirche gegenüber auf dem Dominicanerplatz besteht die Universitäts = Bibliothek. Die Windhagische und Gschwindische Bibliothek gaben die Veranlassung zur Gründung derselben. Diese waren ohnedieß schon zum öffentlichen Gebrauche bestimmt, daher versetzte sie Kaiser Joseph II. an die Universität, vermehrte sie mit jenen Bibliotheken der aufgelösten Klöster, und wies zur Ergänzung der nöthigen Anschaffung einen Fond an, hierzu sind ihr noch gegenwärtig jährlich 3200 Gulden angewiesen. Diese Bibliothek umfaßt über 80,000 Bände von allen Wissenschaften, worunter sich viele kostbare und seltene alte Bücher befinden. Der Zutritt ist fortan geöffnet, und wird meist von den Zuhörern der Universitäts = Collegien besucht. Erst vor Kurzem wurden die Säle und das Lesezimmer durch einen ganz neuen Zubau vergrößert und schön eingerichtet. Diese Bibliothek hat einen Vorsteher, der zugleich Regierungsrath ist, zwei Custoden, zwei Scriptoren und zwei Bibliotheksdiener.

Auf diesem Platze befindet sich auch die altberühmte Dominicanerkirche Maria Rotunda, oder Jungfrau Maria vom Rosenkranze. Am allerersten sollen der Sage nach hier die Tempelritter ansäßig gewesen seyn, die nebst andern Ordensrittern mit Herzog Leopold dem Glorreichen im heiligen Land und in Egypten gestritten, welcher sie nach Wien nahm. Doch bald darauf räumte er dieses Gebäude dem feurigen Predigerorden der Dominicaner ein, die ebenfalls auf seinen Zügen wider die Mauren und Albigenser gefochten hatten. Die ersten Predigermönche kamen im Jahre 1225 von Ungern in Wien an; sie erhielten eine ganz neu erbaute Kirche und ein Kloster, welche beide im Jahre 1227 vollendet waren. Kaum stand solches zwanzig Jahre, als die 1258 in Wien ausgebrochene Feuersbrunst auch diese Gebäude in Asche legte, und erst nach vier und vierzig Jahren (1302) wurde die neue Kirche durch den Cardinal von Ostia wieder eingeweiht. In dieser Gestalt blieben

Kirche und Kloster, welche fortan ein herrlicher Kranz gelehrter und im Glauben eifriger Männer schmückte bis 1529, in welchem Schreckensjahre die Gebäude von den Türken, die an dieser Seite häufigen Minenkrieg und viele Stürme unternahmen, gänzlich zu Grunde gerichtet wurden. Jedoch durch Ferdinands I. fromme Großmuth sah man sie alsbald wieder wenigstens in so weit hergestellt, daß sie in Gebrauch gehalten werden konnten. Kaiser Ferdinand II. und sein Sohn Ferdinand III. (1639) erbauten die Kirche von Grund aus ganz neu, wie sie noch jetzt sich unserm Blicke darstellt. Sie ist viel kürzer als die ältere, weil eben letztgedachter Kaiser die in ihrem Rücken bestehende Ba= stei noch mehr gegen die Kirche hinbauen und dadurch einen fe= sten Vertheidigungspunkt aufführen ließ. Das Portal der Kirche ist mit Verzierungen und Heiligen=Statuen reichlich verziert und an beide Seitentheilen mit Strebepfeilern versehen, zwischen welchen runde Fenster angebracht sind, die nur ein sparsames Licht dem Innern der Kirche mittheilen. Der Bau ist nicht mehr gothisch, sondern römischer Ordnung, und gleicht sehr viel der Schotten= und Hofkirche, die zu derselben Zeit eine gänzliche Umstaltung erhalten haben. Beim Presbyterium (gegen die Ba= stei) befinden sich zwei Thürme, die mit niedern runden, mit weißen Blech gedeckten Kuppeln versehen sind. Das Innere for= mirt einen Plafond in Halb=Kuppelform ohne freistehende Säu= len oder Lesenen, und ist medaillonartig sehr reich mit Stucca= tur=Verzierungen versehen, wovon die Medaillons sämmtlich al fresco von dem Frater Pozzo, jene an den Seitenwänden aber von dem berühmten Danzala, gemalt sind. An den bei= den Seiten der Kirche sind hallenartig erbaute, mit Durchgän= gen versehene, in allen zusammen neun Seitenaltäre, wel= che ebenfalls mit Bildhauerarbeiten, holzvergoldeten Verzierun= gen und mit Statuen gleich wie mit schönen Gemälden reichlich ausgestattet sind. Diese sind geweiht dem heiligen Domi= nicus im Gebete, der heiligen Dreieinigkeit und der heiligen Jungfrau, gemalt von Tobias Pock; die An= betung der Hirten, von Spielberger, und schwarz mar=

morirt, dem heiligen Johann von Nepomuck, unbe=
kannt, von wem gemalt, der ganze Altar von röthlichem Mar=
mor; der heiligen Märtyrin Katharina, von Spiel=
berger; der heiligen Katharina von Siena, von Ro=
thiers, beide Altäre von Holz und beinahe ganz vergoldet; dem
heiligen Vincentius Ferraris, einen Todten erweckend,
von Rothiers, der Altar von Marmor mit einem von Kupfer
verfertigten und im Feuer vergoldeten Tabernakel; dem heili=
gen Thomas von Aquin, von Pachmann, der Altar von
Holz und marmorirt; die Krönung Mariens, unbekannt,
von wem gemalt, der Altar von Holz und beinahe ganz vergol=
det; der heiligen Anna, ebenfalls unbekannt, von wem ge=
malt, der Altar von Holz und marmorartig gefaßt. Nicht min=
der zeichnet sich der sehr hohe Hochaltar aus, welcher ebenfalls
reich an Verzierungen ist, und ober welchem anstatt des Altar=
blattes die Statue Mariens steht.

In früheren Zeiten mögen wohl sehr viele Epitaphien und
Grabsteine berühmter Familien vorhanden gewesen seyn, die
aber leider alle verschwanden (wahrscheinlich bei dem neuen Um=
bau), und nur noch eines verdient die besondere Aufmerksamkeit
der geneigten Leser. Dieß ist das Grabmal der Kaiserin Clau=
dia Felicitas, zweiten Gemahlin Kaiser Leopolds I., Toch=
ter Erzherzogs Ferdinand Carl von Tirol, † den 8. April
1676, welche hier nebst zwei ihrer Prinzessinnen vor dem Domi=
nicus=Altare im Habit des Dominicaner=Ordens ruht. Der
Gruftstein ist mit dem kaiserlichen Adler geziert, und der Altar
mit ihrem Namen und der Kaiserkrone.

Durch vielerlei Unfälle hat das Kloster seine meisten und
wichtigsten Urkunden bis auf jene der neuern Zeit verloren, da=
gegen besitzt die Kirche viele Ornate, darunter mehrere sehr rei=
che, einen goldenen und zwei silberne Kelche, reich mit echten
Steinen besetzt, die übrigen Kelche sind gewöhnliche, zwei Mon=
stranzen, ebenfalls reich an Verzierung von echten Steinen, die
von der goldenen und silbernen Monstranz vor der Silberabliefe=
rung herabgenommen und damit zwei neue Monstranzen geziert

wurden. Gegenwärtig besitzt die Kirche nur ein kleines Capital, und wird aus den Kloster = Einkünften erhalten. Da solche zu= gleich eine Pfarre ist, so wird die Seelsorge von einem Pfarrer und vier Cooperatoren aus dem Predigerorden, und der Gottesdienst von den übrigen Conventualen versehen; die Pfarre ist zu dem Leichenhofe außer der St. Marrer=Linie an= gewiesen. In diesem Kloster sind dermalen 11 Priester, 2 Cleri= ker und 2 Laienbrüder. Einen Theil des sehr großen Klosterge= bäudes bewohnen die Geistlichen des Ordens, in dem andern sind mehrere kaiserliche Behörden untergebracht.

Den Universitätsplatz am Ende der unteren Bäckerstraße ziert nebst der Universität selbst die sehr schöne Kirche der vormals sogenannten unteren Jesuiten, heutiges Tags aber die akademische Kirche.

Der in seinen Gundfesten erschütterte katholische Cultus zog am 31. Mai 1551, auf König Ferdinands I. Verlan= gen, den für den christlichen Glauben feuerglühenden Orden der Jesuiten nach Wien, wo sie, wie unsere verehrten Leser ohne= dieß wissen, die Kirche der Carmeliten am Hof bekamen, wo ihr erstes Profeßhaus war, dann erhielten sie nach 30 Jah= ren ihrer ersten Gründung durch Rudolph II. die Kirche von St. Anna, welche einige Zeit die Ritter des St. Stephans= Orden besaßen, woran sie ihr Noviziat erbauten, und endlich als der ergraute Held Tilly am Prager weißen Berge über Friedrich von der Pfalz und den Dänenkönig Christian einen vollständigen Sieg erfocht, erbaute ihnen Kaiser Ferdi= nand II. diese Kirche und ein Kloster zum ewigen Gedächt= niß der errungenen Triumphe des katholischen Glaubens, wie es die Inschrift mit folgenden Worten zeigt: Deo Victori Triumphatori opt. max. trophaeum hoc in memoriam B. Virginis Mariae SS. que Jgnatii et Fran- cisci Xaverii Ferdinandus II. Imperator statuit. MDCXXII.

So vereinigte denn dieser Kaiser die Jesuiten mit der Uni= versität und erbaute ihnen eine prachtvolle Kirche und Collegium an der Stätte, wo ehedem das von Herzog Abrecht III. ge=

stiftete Collegium war. Im Jahre 1627 wurde die Stiftung unterzeichnet, der Bau rasch fortgeführt, und die Kirche schon im Jahre 1631 von Cardinal Dietrichstein der Gottes=mutter und zu Ehren der h. h. Ignaz und Franz Xavier geweiht. Auch diese Kirche ist im großen (römischen) Style er=baut, und hat eine herrliche Haupt=Façade, von welcher aus zwei sehr schöne Thürme sich erheben, deren Kuppeln mit Ku=pfer gedeckt sind, und in welchen sich ein großartiges sehr har=monisches Glockengeläute befindet. Noch mehr als das Aeußere ist das Innere majestätisch; denn es besteht aus einem einzigen großen Gewölbe (Halbkuppel), welches auf sechzehn colossalen Säulen von Marmor ruht, die ringsherum in der Kirche so symmetrisch angebracht sind, daß sich zwischen zweien eine Capelle bildet, in der die acht Seitenaltäre sich befinden. Der Hoch=altar, zu Ehren der seligsten Jungfrau Maria und der h. h. Ignaz und Xavier, stellt eine reicher Draperie mit einer Krone vor, und in jeder Capelle der Seitenaltäre sind die Plafonds durchbrochen, auf denen sich an jedem eine geöff=nete runde Gallerie bildet. Der Plafond ist in Basreliefs ein=getheilt, wovon die Gemälde, so wie jene am Hoch= und an den Seitenaltären, von dem Jesuiter Pozzo gemalt, die außer=ordentlich vielen Stuccatur=Verzierungen aber alle vergoldet sind. In dieser Hinsicht betrachtet, ist diese Kirche die allerreichste in Wien und eine wahrhafte Siegeskirche; ja wie überaus reich alle diese Verzierungen sind, kann schon daraus ab=genommen werden, daß diese Vergolderarbeiten allein, die, wie überhaupt alle übrigen Reparaturen, in Folge allerhöchster Ge=nehmigung, auch schon in drei Jahren vollendet seyn müssen, 30,000 Gulden betragen, obschon die ursprüngliche Ausschmückung des Innern vor ungefähr 200 Jahren weit mehr als 80,000 Gul=den gekostet hat. Die acht Seitenaltäre sind: zum heiligen Ignaz, zu den Schutzengeln, Stanislaus, Christus am Kreuze, Joseph, Leopold, Anna und Katharina.

Auch besitzt die Kirche schöne Paramente und eine pracht= und werthvolle Monstranz. Seit Aufhebung der Jesuiten ist

diese Kirche hauptsächlich zum Gottesdienste der nahe dabei be=
findlichen Universität gewidmet, und trägt daher den Namen einer
akademischen Kirche, welcher ein Rector, ein Präfect, ein
akademischer Prediger und zwei Cooperatoren zur Verrichtung
des Gottesdienstes vorgesetzt sind. Pfarrherrliche Rechte werden
von derselben nicht ausgeübt. Das sehr große daranstoßende Klo=
stergebäude ist zum k. k. Stadt=Convict verwendet worden.
Auf dem sogenannten Universitätsplatze, der gar nicht groß
ist, steht das Universitätsgebäude (welche Universität,
laut Stiftungs=Urkunde, am 12. März 1365 den herzoglichen
Brüdern Rudolph IV., Albrecht und Leopold ihr Da=
seyn verdankt), von allen vier Seiten frei, mit der Hauptfronte
gegen den Platz, die architektonisch schön verziert ist, und vorn an
jeder Seite einen Springbrunnen hat. Die Eingangshalle ist
durchaus frei und ruht auf Säulen; im Erdgeschosse befindet sich
auch der Sections=Saal für Studierende, wozu Jedermann
vom männlichen Geschlechte den Zutritt hat. Die schöne Treppe
führt in die Lehrsäle der vier Facultäten, und in jenen großen
Saal, wo Tausende von Gegenständen, besonders der Anatomie
angehörend (Skelete u. s. w.), aufgestellt sind, und welcher über=
aus sehenswerth ist. Das Ganze enthält eine vortreffliche Ein=
theilung.

Unter die vielen alten Denkmäler Wiens gehört auch die
deutsche Ordenskirche, zu Ehren der heiligen Elisa=
beth, in der Singerstraße. Herzog Leopold, der Glorreiche,
brachte die deutschen Ritter ums Jahr 1200 nach Wien,
wo sie eine Capelle erhielten, die aber bei einer großen Feuers=
brunst zu Grunde ging. Die noch jetzt bestehende Kirche wurde
im Jahre 1316 von dem Steinmetzmeister Georg Schiffe=
ring aus Nördlingen erbaut, späterhin erneuert, und im Jah=
re 1719 von dem General=Feldmarschall Grafen Guido von
Starhemberg in ihrer jetzigen Gestalt verschönert, und von
den Ordenshäusern von zwei Seiten umbaut. Das schöne Kirchlein
ist ganz gothischer Bauart, mit einem ziemlich hohen viereckigen
Thurme; eine Seitenfronte mit drei hohen Bogenfenstern steht

7

frei in die Singerstraße, an der man sowohl gleich wie im In=
nern ihr hohes Alter deutlich entnehmen kann. Sie ist nicht groß,
aber ziemlich hoch, mit spitzigzulaufenden Gurtengewölben, und
enthält mehrere Oratorien, worunter zunächst dem kleinen Chor
auch jenes für den Großmeister dieses hohen Ordens, dem ver=
ehrten durchlauchtigsten Herrn und Erzherzog Anton Victor
angebracht ist. An den Wänden hängen mehr dem 50 halbrunde
vergoldete Wappenschilde der verstorbenen deutschen Ordensritter
und Comenthurs. Der Hochaltar der Kirche ist der heiligen
Elisabeth geweiht, und das Altarblatt darin von Tobias
Bock gemalt. Von den vorhandenen Grabmälern der verstorbe=
nen Landescomenthure ist besonders jenes des Baron Jobst,
Truchseß von Wezhausen, vom Jahre 1524 en Hautrelief,
den Abschied Jesu von seiner Mutter darstellend, ganz vorzüglich
zu nennen. Der rechts gleich beim Eingang stehende Altar ist
noch ein Andenken des als Gelehrten und Staatsmann gleich be=
rühmten Cuspinian, welcher sein Grabmal im Stephans=
dome hat.

Die deutsche Ordens=Ballei Oesterreich behauptete durch
ihr Alter und die Wichtigkeit ihrer Besitzungen stets einen aus=
gezeichneten Rang bei diesem hohen Orden. Was die Landcom=
mende betrifft, so besteht solche aus der Commende Wien und
Wienerisch=Neustadt, und ist zur nutznießenden Dotation eines
jeweiligen Landcomthurs bestimmt. — Der Pfarrer des deutschen
Hauses zu Wien versieht sein geistliches Amt nur innerhalb des=
selben und über die dem hohen Orden unmittelbar angehörigen
Personen. — Der zu Preßburg am 26. December 1805 abge=
schlossene Friede hob im Artikel XII den deutschen Orden als sol=
chen auf, der Hoch= und Deutschmeister wurde ein weltlicher
Erbfürst, nicht mehr vom Großcapitel, sondern vom Kaiser von
Oesterreich zu ernennen. Die Vorrückung in den Commenden
zum Noviziat und der Novizen dauert fort, und dadurch sind
also auch die Gelübde nicht aufgehoben. Das die Kirche umgeben=
de deutsche Ordenshaus ist von großer Ausdehnung, enthält zwei
Stockwerke, sehr viele Wohnungen und 3 Höfe. Se. kaiserliche

Hoheit der Erzherzog Anton, als Großmeister dieses hohen Ordens, bewohnt einen Theil desselben an der Ecke gegen die Singerstraße und das Churpriesterhaus. Die Gemächer sind dem hohen Range des Besitzers gemäß prachtvoll meublirt und auch eine herrliche Bibliothek nebst Gemäldezimmern und Kupferstich= sammlungen vorhanden, da der erlauchte Erzherzog ein großer Kenner, Verehrer und Beschützer der Künste und Wissenschaften ist. Seine hohe Milde und der Zartsinn für alles Gute und Schöne umfaßt alles Erdenkliche, daher auch die Liebe und Ver= ehrung der Wiener für den erlauchten Bruder des gnädigen Kaisers!

Im Angesichte des deutschen Ordenshauses prangt der ur= alte majestätische Stephansdom als ein überaus werthvolles Denkmal Wiens.

Es ist uns zwar nicht gegönnt, diese Cathedrale ganz um= ständlich zu beschreiben, weil solche allein einen Band füllen wür= de, und über solche auch schon Werke bestehen, die alle Theile einzeln besprechen, dessen ungeachtet aber wird der geneigte Le= ser bei unserer hier folgenden Darstellung von dem Merkwürdi= gen nichts vermissen, und solche genügend finden.

Dieses gleich großartige als ehrwürdige Denkmal altdeut= scher sogenannter gothischer Baukunst erhebt sich in eben so festen wie kühn empordrängenden Steinmassen — den Fremden mit ge= rechtem Staunen über ein so hohes Kunstgebilde, den Einheimi= schen mit ehrfurchtsvollem Hochgefühle erfüllend — fast in Mit= telpunkte der Stadt auf dem nach ihm benannten Stephans= platze. — Wenige Denkmäler des Alterthums werden wohl je= mals während des unaufhörlichen Drängens der Weltbegeben= heiten so Vielartiges in so unendlichem Wechsel an sich haben vorübergehen sehen, als dieser siebenhundertjährige Riesenbau! —

Dem Herzog Heinrich II., genannt Jasomirgott, einem der edelsten Glieder des um Oesterreichs Cultur so hoch verdienten Babenbergischen Stammes, verdankt derselbe seine Gründung; denn dieser begann im Jahre 1144 außer den Ring= mauern der damaligen Stadt durch Octavian Wolzner aus

7 *

Krakau den Bau eines Gotteshauses, dessen beide Ecken an der Vorderseite mit zwei Thürmen geziert wurden, welche nebst dem steinernen Chore bei dem Haupteingange noch die ursprüngliche Gestalt zeigen; rüstig schritt dieses Unternehmen vorwärts, so daß schon 1147 die Kirche zu Ehren des heiligen Stephan eingeweiht werden konnte. Da nun dieselbe durch die in den Jahren 1258, 1265 und 1276 wüthenden Feuersbrünste, vorzüglich durch letztere, sehr bedeutend beschädigt worden war, so ward sie darauf unter der Regierung König Ottokars von Böhmen in verbesserter Gestalt wieder hergestellt, auch wurden im Laufe dieser Zeit zunächst der beiden erwähnten Thürme auf beiden Seiten, und zwar rechts die Kreuz=, und links die Tauf= oder Eligius=Capelle, erstere von Ulrich von Tirna 1326 gestiftet, letztere späterhin unter Herzog Albert II. errichtet, dem alten Baue hinzugefügt. Dieser Fürst erbaute noch einen Chor, und erweiterte die Kirche durch Herausrückung der Mauern hinter dem erwähnten ersten von Heinrich Jasomirgott herrührendem Vordertheile, welcher jedoch auch während aller nachfolgenden Veränderungen seine unveränderte Gestalt behielt. — Wenn die Kirche auch in ihrer Hauptgestalt jetzt als ein gewisses vollendetes Ganze erscheint, so verdankt sie doch erst Herzog Rudolph IV. (genannt der Stifter) das eigentliche Würdevolle und Hohe, was heut zu Tage noch alle fesselt und noch nach Jahrhunderten fesseln wird, denn dieser kunstsinnige Fürst, der oft in den ehrwürdigen Hallen Tage lang sinnend weilte, war es, der zuerst und zwar gleich im ersten Jahre seiner Regierung (1358) für die Verschönerung des Gebäudes Sorge trug, er war es, der nicht nur das Gewölbe des untern Theiles der Kirche vollenden und dasselbe mit dem hohen, noch heute dauernden Dache versehen ließ — der in dem obern Theile der Kirche den Thekla= und Frauenchor anzulegen begann — er war es auch, den jeder Kunstsinnige, jeder Freund des Seltenen und Schönen als den Gründer des weltberühmten, in unzerstörten Formen den Wolken entgegen strebenden Stephansthurmes, den er durch den kunstsinnigen Meister Georg Hauser von

Klosterneuburg anlegen ließ, verehren muß! — Zwei Drittel dieses herrlichen Werkes waren auch bis zu Hausers im Jahre 1400 erfolgtem Tode bereits vollendet, während Heinrich Kumpf aus Hessen und Christoph Horn von Dünkelspühl die an Kirche und Thurm befindlichen zahlreichen Bildhauerarbeiten in Zierathen und Bildsäulen mit kunsterfahrner Hand schufen, aus welcher Zeit auch die in der Eingangshalle unter dem großen Thurme befindlichen Bildnisse Herzog Rudolphs und seiner Gemahlin Katharina herrühren. Gern trugen auch Wiens und ein großer Theil der Bewohner des Landes, ein jeder nach seinen Kräften, zur Förderung dieses erhabenen, Alle erfreuenden Werkes bei.

Nach Herzog Rudolphs frühzeitigem Tode ward der Bau unter Herzog Albert III. und Kaiser Albert II. mit genügender Regsamkeit fortgesetzt, jedoch mußte das nach Hausers Tode am Stephansthurme Gebaute wegen Unhaltbarkeit wieder abgebrochen werden, bis endlich im Jahr 1407 Meister Anton Pilgram aus Brünn, ein Mann gleich an Kenntnissen und Kraft, den Fortbau desselben überkam und nach einer Zeit von 26 Jahren, die noch dazu verwendet wurden, am 3. October 1433 den Thurm, während dessen Bau im Ganzen 74 Jahre verflossen waren, durch die das letzte Drittel bildende, mit Kühnheit und Leichtigkeit aufgeführte Spitze vollendete; auch der hohe Chor und die schöne Kanzel, an welchen beiden sein Bildniß in Stein angebracht ist, sind sein Werk. Nach seinem Tode führte sein Schüler, Hans Buchsbaum, den Bau fort, er vollendete unter der Regierung des Königs Matthias Corvinus von Ungern den obern Theil der Kirche, während auch der Bau des andern Thurmes, zu welchem 1450 der Grundstein gelegt worden war, fortgesetzt worden ward, bei welcher Gelegenheit Kaiser Friedrich IV. die Verordnung gab, daß alle diejenigen, welche den zur Zeit des Anfanges dieses Baues gewachsenen Wein, da er nicht gerathen war, wegen seiner Säure nicht genießen mochten, denselben nach St. Stephan bringen sollten, damit

er zum Mörtel verwendet und somit den Grundmauern eine
desto größere Festigkeit gegeben werde. — Hierher gehört auch
die Widerlegung des Mährchens, daß Pilgram während dem
unter Buchsbaums Leitung fortschreitenden Thurmbau die=
sen aus Künstlerneid vom Gerüste des Thurmes herabgestürzt
habe, welche seltsam genug sehr ausgebreitete Sage sich da=
durch von selbst widerlegt, daß Pilgram, als der Thurm=
bau schon so weit gediehen, längst tod war. — Nachdem un=
ter Buchsbaums Nachfolgern in der Leitung des Baues
derselbe wegen Mangel an dazu gehörigen Einkünften, da die=
selben nur auf einzelne Vermächtnisse und auf die vom Landes=
herrn dazu bestimmten wöchentlichen 4 Pfund Pfennige be=
schränkt waren, bei nur sehr wenigen dazu verwendeten Ar=
beitsleuten auch nur äußerst langsam fortgeschritten war, ward
mit dem Fortbau des zweiten Thurmes endlich ganz aufgehört.
Beinahe fünfzig Jahre lang blieb derselbe in diesem unvollen=
deten Zustande, den Einwirkungen der Witterung, durch welche
sein Gewölbe sehr litt, bloß gestellt, bis dasselbe im Jahre
1579 ausgebessert ward, und durch den Baumeister Saphony
einen kleinen steinernen Aufsatz mit einem Kupferdach erhielt.

Kleine Nebenbauten abgerechnet, hat seit dieser Zeit das
Aeußere dieses Tempels keine Veränderungen mehr erfahren.

Alle die ungeheuern Massen dieses majestätischen Domes,
zu denen die Steinbrüche von Mannersdorf, Liesing, Rodaun
und Burg Schleiniz das Material lieferten, sind in Quar=
dratform nach der Schnur gehauen und mit eisernen Klammen
an einander gefügt; seine Länge beträgt 57, die größte Breite
zwischen den zwei großen Thürmen 37, die vordere Breite 24
und die Höhe der äußern Mauern über 13 Wiener Klafter,
mit 31 zum Theil gemalten Glasfenstern, die das grelle Licht
dämpfen, und eine erhöhte Wirkung zur Ehrfurcht für den
Eintretenden verursachen. Ueber diesen erheben sich die beiden
außergewöhnlich hohen Dächer, zu deren Holzwerk — man
kann wohl sagen — ein ganzer Wald von Stämmen, 2900
an der Zahl, verwendet ward! — Beide sind mit roth=, weiß=

und grünfarbig gebrannten Ziegeln, wovon ein Theil des Da=
ches den kaiserlichen Doppeladler in bunten Farben darstellt,
gedeckt, und mit einem aus zierlicher Steinarbeit bestehenden
Geländer umgeben, neben welchem ein bequemer Gang hin=
läuft. — An der Südseite der Kirche erhebt sich über einer
mit kunstvoller Steinmetzarbeit versehenen Eingangshalle, auf
welche wir später zurückkommen werden, und ober welcher von
außen an der einen Seite alle Wappenschilber, und darunter
auch recht deutlich die fünf Adler, und nicht Lerchen, zu sehen
sind, in eine Höhe von 74 Klafter, 4 Schuh der aus lauter
Quaderrsteinen aufgeführte, mit vielfachen Steinzierathen ge=
schmückte, oben erwähnte gewaltige (Stephans=) Thurm, von
dessen Aufgängen einer im Thekla=Chore, der andere in dem
an die Kirche gebauten Häuschen des Thurmmeisters sich befindet,
und zu dessen Höhe 553 steinerne und 200 hölzerne Stufen, zu
seiner äußersten Spitze aber nur Leitern (welche jetzt nicht mehr
betreten werden dürfen), führen.

Diese Spitze des Thurmes hat durch das Erdbeben im Jah=
re 1590 eine sehr sichtbare Neigung gegen Norden, welche über
3 Schuh abweicht, erhalten. Auf derselben erhebt sich ein be=
weglicher kupferner, vergolbeter Doppeladler, und über demsel=
ben ein über 6 Schuh hohes, 120 Pfund schweres, ebenfalls
vergoldetes Kreuz. Unter diesem Aufsatze sind vier in Stein ge=
hauene Hirschgeweihe, so wie eine sinnlich dargestellte Vieh=
weide aus gleichem Material angebracht, wahrscheinlich um nach
dem sich so gern in Bildern aussprechenden Sinne der Alten
damit anzuzeigen, daß da, wo sich dieser Thurm jetzt erhebt,
einst Wald und Wiesen waren. Tiefer unten befindet sich nächst
einem den Thurm umlaufenden Gange der Sitz, von welchem
aus Graf Rüdiger von Starhemberg, wie in der II. Ab=
theilung schon erwähnt worden, das türkische Lager zu beobach=
ten pflegte; in diesem Theile des Thurmes sind auch viele Ku=
geln eingemauert, welche von der Beschießung der Türken her=
rühren, die, so wie durch ein Gleiches 1809 die Franzosen,
dem Thurme nicht unbedeutenden Schaden thaten, und eine

große Reparatur im folgenden Jahre nöthig machten, welche ei=
ne eherne im Jahre 1810 in den Thurm eingemauerte Platte
mit einer deutschen und lateinischen Inschrift beurkundet. Seit
dem Jahre 1699 ist derselbe mit einer Uhr versehen, an welcher
das Zifferblatt 2 Klftr., 5 Zoll breit, der Stundenweiser 1 Klftr.,
4 Zoll und die Ziffern 2 Schuh lang sind; auch ist hier wegen
richtiger Bestimmung der Zeit eine Mittagslinie angebracht. Wei=
ter unten befinden sich die 5 Glocken, unter denen die unter Kai=
ser Joseph I. im Jahre 1711 aus eroberten türkischen Kanonen
gegossene, über 9 Schuh hohe und 30 Schuh im Durchmesser
haltende, 402 Zentner schwere wohl ihresgleichen nicht viele
finden dürfte! — Von der Wohnung des Thurmwächters aus
wird das Feuersignal durch Anschlagen an die sogenannte Raths=
glocke und Ausstecken einer rothen Fahne, und bei Nacht einer
Laterne gegeben; auch ist eine zunächst derselben angebrachte
Kegelbahn, auf welcher man die Kugel rückwärts schieben muß,
als Curiosität zu erwähnen. — Einen unbeschreiblichen, für je=
den gewiß unvergeßlichen Eindruck gewährt die Aussicht von
den verschiedenen Gallerien des Thurmes.

Am entgegen gesetzten Theile der Kirche, ganz symmetrisch
mit diesem erstbesprochenen Thurme, steht der obenerwähnte noch
unvollendete, nur bis zur Höhe von 25 Klaftern gediehene Thurm,
zu welchem im Innern der Kirche zwei Aufgänge führen; in
demselben hängt eine über 208 Zentner schwere, im Jahre 1558
unter Kaiser Ferdinand I. gegossene Glocke, die »Pummerin«
genannt. — Noch sind nun die beiden an der Vorderseite der
Kirche befindlichen, unter Herzog Heinrich Jasomirgott
von Quadersteinen erbauten, das Kirchendach nur wenig überra=
genden sogenannten »Haidenthürme« zu erwähnen, deren
Höhe gegen 34 Wiener Klafter beträgt; auf ihrer äußersten Spitze
sind die drei Schuh hohen Statuen des heiligen Stephan und
Laurenz im Jahre 1631 angebracht worden. Sie enthalten 6 Glo=
cken, von denen die größte 80 Zentner wiegt, und unter denen
sich einst auch die sogenannte »Zwölferin,« die aber im vorigen
Jahrhundert umgegossen ward, so wie in dem gegen den Bischofs=

hof gelegenen die in der Geschichte Wiens erwähnte »Bier=
glocke,« nach deren Ertönen einst alle Gasthäuser geschlossen
werden mußten, befanden. Die Bauart derselben, so wie jene
der Haupt=Façade mit dem Riesenthor, gibt ein klares Bild
der ganz alten Bauart, und überzeugen uns deutlich von der Ver=
schiedenheit des Baustyls zwischen diesen Bestandtheilen und den
andern der Domkirche und des Thurmes, die an gothischen Ver=
zierungen überaus reich sind.

Unter den 5 Eingängen zeichnet sich das Haupt= oder Rie=
senthor an der Vorderseite der Kirche durch seine hallenartige
Bauart und seine eigenthümlichen Verzierungen aus, unter wel=
chen ein über demselben angebrachtes Bildniß des Heilandes in
Stein bemerkenswerth ist. Nächst diesem Portale, welches merk=
lich vor die Kirchenwand hervortritt, sind in der Höhe in vier=
eckigen Vertiefungen einige kleine Steinfiguren, als ein Mann,
der einen Löwen bekämpft, ein fabelhaftes geflügeltes Thier u.
m. a., angebracht. Darüber zeigt sich ein 'großes, spitzig zulau=
fendes Fenster, über welchem in halberhabener Arbeit die Figuren
des heiligen Stephan, Laurenz und des Erzengels Michael her=
vortreten. Noch befinden sich an den beiden Ecken dieses ältesten,
in seinen Verzierungen dem damals herrschenden morgenländischen
Baustyle sich nähernden Theiles die frei stehenden Steinbilder
Herzog Rudolphs IV. und seiner Gemahlin Katharina,
auf Löwen stehend. — Von den übrigen sich einander gegenüber
befindenden Eingängen sind zwei zunächst der erwähnten vorderen,
die beiden andern in den verzierten Hallen der beiden hinteren
großen Thürme.

Unter den an der Außenseite des Domes noch befindlichen
Verzierungen, Bildnissen und Grabmälern in Stein, letztere
nahe an hundert, sind vorzüglich erwähnenswerth: die Bekehrung
und Enthauptung des Paulus über dem Sängerchore, nicht weit
davon wieder die Bildsäulen Herzog Rudolphs, eine Kirche in
der Hand haltend, und seiner Gemahlin; nahe beim Eingange
vom Stock im Eisenplatze her das ziemlich verstümmelte Grab=
mal des 1334 verstorbenen Neidhard Otto Fuchs, ge=

nannt Bauernfeind, luſtigen Rathes Herzog Otto's, des Fröhlichen; zunächſt jenes Einganges ein Steinbild des Heilandes, vor welchem man zu allen Stunden Betende antrifft; neben dem am Fuße des großen Thurmes an die Kirche angebauten kleinen Häuschen, der Wohnung des Thurmmeiſters, ein vorzügliches Steinbild, Chriſti Abſchied von ſeiner Mutter, in halberhabener Arbeit; ein gleiches, Chriſtus am Oelberg, mit Darſtellungen aus ſeiner Leidensgeſchichte umgeben; ein Eccehomo=Bild auf ei= ner Säule; eine Kreuzigung Chriſti; die in der Geſchichte Wiens erwähnte ſteinerne Kanzel des heiligen Capiſtran und über derſelben deſſen Steinbild; ein gut gearbeitetes Eccehomo= Bild auf einer Säule; ein Oelberg. Von den oben erwähnten Hallen unter den hintern Thürmen enthält die unter dem großen Thurme, neben welcher auch das Peimglöcklein ſich befindet, einige werthvolle Bildniſſe von Heiligen. Unter dem unausgebau= ten Thurme befindet ſich das ſogenannte Adlerthor, neben wel= chem das Grabmal des im Jahre 1508 verſtorbenen gekrönten Dichters Conrad Celtes. In der vierten Eingangshalle ſind eine geheime, von Rudolph IV. herrührende, ſeine Grabſtätte bezeichnende Schrift, ſo wie ein weißer in Meſſing gefaßter Stein zu bemerken, welcher, als die heidniſchen Bewohner der Donaugegenden dem heiligen Coloman, der ihnen das Chriſtenthum predigte, das Bein abſägten, von deſſen Blute be= netzt ward. Auch ſind die hier über dem innern Eingange ange= brachten Steinbilder, Darſtellungen aus dem Leben der Maria, ſo wie die gleichen Bildniſſe Herzog Rudolphs und ſeiner Gemahlin ſehr beachtenswerth.

Nachdem wir nun unſere verehrten Leſer mit den äußern Merkwürdigkeiten dieſes Gotteshauſes bekannt gemacht haben, gehen wir zur Darſtellung von deſſen Innern und dem darin ent= haltenen Sehnswürdigen über.

Achtzehn mit Steinbildern verſehene, hohe gothiſche Pfeiler tragen die majeſtätiſchen Spitzgewölbe, an deren meiſten Altäre von mehr oder minderem Kunſtwerth angebracht ſind, die jedoch dem Eindruck, den der große mit einem immerwährenden Hell=

dunkel erfüllte Raum auf den Eintretenden macht, keinen Eintrag thun, sondern vielmehr erhöhen.

Der 1640 errichtete, aus schwarzem pohlnischen Marmor bestehende, mit eilf weißen Marmorstatuen gezierte Hochaltar ward vom Bischof in Wien, Grafen von Breuner, gegründet, und vom Bildhauer J. Bock verfertiget, dessen Bruder das Altarblatt, »die Steinigung des heiligen Stephan« vorstellend, auf Zinnplatte malte, außer welchem sich auch noch das berühmte Marienbild von Pötsch auf dem Altar befindet. Vor den zu ihm führenden Marmorstufen sind zur Linken der kleine Kreuzaltar, dem heiligen Johann von Nepomuck geweiht, zur Rechten des heiligen Carl Borromäus, mit einem Gemälde von Rottmayer. Ueber dem den Hochaltar umgebenden Marmorgeländer, dem dort befindlichen bischöflichen Oratorium gegenüber, hingen vor Zeiten mehrere feindliche Fahnen, unter ihnen auch die schon im Verlauf dieser Blätter erwähnte große türkische Blutfahne, die aber jetzt sämmtlich im k. k. Zeughause aufbewahrt werden. Die im großen Chor zu beiden Seiten hinlaufenden Stände sind mit sehr zierlicher Holzschnitzarbeit versehen, von denen die beiden ersten Bildnisse Kaiser Friedrichs IV., als Stifter des Bisthums, und Papst Pauls II., als dessen Bestätiger, die übrigen aber alle Wiener Bischöfe bis zum Grafen Breuner enthalten; auch die außerhalb des oben erwähnten Marmorgeländers befindlichen zwei Reihen Chorstühle haben werthvolle Holzarbeit. Ueber diesen erhebt sich das 1647 errichtete schöne, Tischlerarbeit enthaltende kaiserliche Oratorium, welchem das seit 1701 mit einer Orgel versehene Musikchor gegenüber ist. — Vor dem Passions-Altar, welcher mit dem sehr schönen Gemälde, die Kreuzigung Christi, von Sandrart, geziert ist, erhebt sich das durch seine herrliche Arbeit mit Recht berühmte Grabmal Kaiser Friedrichs IV. Niclas Lerch verfertigte dieses herrliche Werk aus roth und weiß geadertem Salzburger Marmor, welches einen auf einem zwei Schuh hohen Piedestal ruhenden Sarkophag bildet, der mit vielfacher, herrlicher, halberhabener Arbeit geziert ist, und auf deſſen Geſimsleiſten nach damaligem Zeitgeſchmack allerhand Thiere in kriechender Stellung angebracht ſind, auf dem Sarg= deckel zeigt ſich des Kaiſers lebensgroße Geſtalt im vollen kaiſer= lichen Schmucke und daneben eine Rolle mit den Anfangsbuchſta= ben ſeines ſchon in der Geſchichte W i e n s erwähnten Motto's nämlich: A. E. I. O. U.; das Ganze umgibt ein Geländer von Marmor. Schon bei F r i e d r i ch s Lebzeiten war der Sargdeckel vollendet, das Uebrige jedoch ward erſt zwanzig Jahr ſpäter fer= tig, für welches Kunſtwerk der Verfertiger 40000 Stück Duca= ten erhielt! — Zu beiden Seiten desſelben ſind die Grabſteine der Cardinäle und Erzbiſchöfe M i g a z z i und H o h e n w a r t. Vor dem hier befindlichen Altar des heiligen J o h a n n von K e n t zeigt ſich der aus rothem Marmor beſtehende, mit meſſingenen Wappen und einer lateiniſchen Inſchrift verſehene Grabſtein des in der Geſchichte W i e n s erwähnten Bürgermeiſters C o n= r a d V o r l a u f und der zwei mit ihm zugleich im Jahre 1408 hingerichteten Räthe R a m p e r s d o r f e r und R o ck h. Ueber demſelben hängt der Cardinalshut des Erzbiſchofs M i g a z z i von dem Gewölbe herab. Weiter rechts befindet ſich der T h e k l a= Altar, und daneben der Grabſtein des Leibarztes der Kaiſerin E l e o n o r a, gebornen Prinzeſſin von Mantua, P a u l von S o r b a i t, welcher zur Zeit der zweiten Belagerung W i e n s durch die Türken der Anführer der Univerſitätsmitglieder war.

In der K a t h a r i n e n = C a p e l l e ſind das ſchöne Altar= blatt, das Grabmal des A n t o n W o l f r a t h, erſten gefürſte= ten Biſchofs von W i e n, und ein marmorner Taufſtein vom Jahre 1481, ſo wie in der von einem großen über dem Altar angebrachten Kreuze benannten K r e u z = C a p e l l e, welche aber auch E u g e n = C a p e l l e heißt, das vereinigte, aus dunkelgrü= nem Marmor beſtehende Grabmal des berühmten im Jahre 1736 verſtorbenen Prinzen E u g e n von S a v o y e n und eines Prin= zen E m a n u e l aus demſelben Hauſe, welcher ebenfalls kaiſer= licher General war, und der Grabſtein des Geſchichtſchreibers und Dichters C u s p i n i a n an ihrem Eingange zu bemerken; außer dieſen beſtehen noch in der Kirche die T a u f = oder E l i=

gius= und die Barbara=Capelle, in welcher letzterer der Barbara= und Cyprians=Altar, ein Marienbild und die marmornen Grabmäler der Bischöfe Slatkonia, Klesel, Trautsohn und Kollonitsch, dieses um die Menschheit hoch= verdienten Kirchenfürsten, dessen Büste von Donner gefertigt ward, und dessen Cardinalshut ebenfals vom Gewölbe herab= hängt, sehnswerth sind. — Unter den außer den Capellen in der Kirche befindlichen 21 Altären nennen wir noch den Agnes=, Peter=, Paul=, Katharinen= und Frauenaltar, nächst welchem letzteren das steinerne Grabmal Herzog Ru= dolphs IV. und seiner Gemahlin Katharina, deren Gestal= ten auf dem Sargdeckel angebracht sind, sich befindet. Doch alle die vielen in diesen Räumen enthaltenen Kunst= und Bild= werke werden von der herrlichen steinernen Kanzel, welche in Fleiß der Ausführung nur mit dem Grabmal Kaiser Fried= richs IV. verglichen werden, und als ein vollendetes Kunst= werk deutscher Kunst gelten kann, übertroffen; unter derselben hat der wackere Meister Pilgram, von dem sie errichtet ward, in schöner Steinarbeit sein Bildniß angebracht, so wie ein zweites an der Wand zwischen dem Agnes= und dem Peter= und Paul=Altar unter dem von ihm erbauten Chore.

Von den zwei Sakristeien enthält die obere, zu wel= cher nächst des Hochaltars ein schwarz marmornes Portal mit dem alabasternen Bildniß Papst Pius VI. führt, gute Ge= mälde von Altamonte, ist aber übrigens sehr einfach einge= richtet, die untere, noch von Herzog Rudolph gegründete, aber 1731 beträchtlich erweiterte, zeichnet sich durch ein großes Deckengemälde von jenem Meister und durch die auserlesene Stuccaturarbeit an ihrer Decke aus.

Rechts vom Hochaltar gelangt man in die Reliquien= oder Schatzkammer, in welcher in 12 Kästen von feiner Tischlerarbeit über 200 Reliquien, welche größtentheils Geschenke Herzog Rudolphs IV. sind, verwahrt werden.

Zur Erwähnung der vorzüglichsten Merkwürdigkeiten die= ses erhabenen Domes gehören auch die unter demselben befind=

lichen Grüfte, namentlich die alte und neue Fürstengruft. Der Eingang in erstere, welche von Herzog Rudolph IV. gegründet ward, und bis zum Jahr 1570 in Gebrauch stand, ist unter einer großen Metallplatte in der Mitte der Kirche vor dem das Chor zunächst des Hochaltars umgebenden Geländer, über eine in sie hinabführende Treppe; in dieser alten Gruft sind in kupfernen Urnen die Eingeweide aller Glieder des österreichischen Regentenhauses seit Kaiser Ferdinand III. aufbewahrt. Die damit in Verbindung stehende neue Gruft ward von der Kaiserin Maria Theresia im Jahre 1754 angelegt, indem sie dieselbe in der Richtung gegen den Hochaltar zu bis an das Ende der Kirche ausdehnte; zu welcher Zeit auch zugleich die in der alten Gruft befindlichen hölzernen Särge in kupferne gesetzt wurden. Unter den in beiden Grüften ruhenden zwölf Gliedern des österreichischen Hauses sind die vorzüglichsten: Herzog Rudolph IV., † 1365, Herzog Albert III., genannt »mit dem Zopfe,« † 1395, Katharina, Gemahlin Herzog Rudolphs, † 1395. Zu der neuen Gruft führt auch von der Außenseite der Kirche nächst der Kanzel des heiligen Capistran ein portalähnlicher Eingang, durch welchen man zugleich in die dreißig andern unter der Kirche befindlichen Grabgewölbe, deren jedes 8 Klafter lang, 3 breit und 2 hoch ist, gelangt, in welchen verschiedne Familien und Standespersonen ihre Ruhestätte fanden, deren Grabmäler zum Theil an der Kirche, zum Theil unter den 84 in denen Innern sich befinden, von denen wir die erwähnenswerthesten in dieser Darstellung eben angezeigt haben.

Zu Anfang schon, als Herzog Heinrich Jasomirgott den Dom zu St. Stephan gründete, lernen wir den ersten Pfarrer alldort, Eberhard, Eberberger. auch Herberger genannt, in der Stiftungsurkunde der Schottenabtei (1158) als Pfarrer bei St. Stephan kennen. Von diesem angefangen bis zum Jahre 1359 blieb diese Kirche eine Pfarre, welcher immer ein Pfarrer vorstand; als aber Herzog Rudolph IV. in diesem Jahre vom Papst Innocenz die Bewilligung erhielt, in seiner Hofcapelle zu Allerheiligen eine Probstei errichten und die Canoniker als wahre Domherren roth kleiden zu dürfen, der Raum dieser Capelle aber gleich Anfangs sowohl für die Zahl der Geistlichkeit, gleich wie für das Volk viel zu beschränkt war, so übertrug er diese Propstei mit Zustimmung Papst Urbans nach St. Stephan. Sie bestand aus einem gefürsteten Propst und 24 Domherren, worunter als Würdenträger der Dechant, Custos und Cantor begriffen waren. Der Probst hatte die hohe Gerichtsbarkeit über alle seine Unterthanen, alle bischöflichen Zierden und den Titel: »Wir von Gottes Gnaden Probst zu Allerheiligen in Wien und Erzkanzler in Oesterreich.« Auch war er zugleich der oberste Meister der Universität. In der Folge kamen alle diese Vorzüge des Erzkanzleramtes und der Fürstenwürde in Verfall und Vergessenheit. Kaiser Friedrich IV. betrieb im Jahre 1468 bei seiner Anwesenheit in Rom ernstlich die Bewilligung des Wiener Bisthums, wozu durch Papst Sixtus IV. der Pfarrer von Bertholdsdorf, Leo von Spaur, im Jahre 1471 als erster Bischof von Wien ernannt wurde, von diesem bis zur Ernennung des Wiener Erzbisthums am 1. Juni 1722 durch Papst Innocenz XIII. auf Ansuchen Kaiser Carls VI. standen demselben 24 Bischöfe vor, wovon der letzte Siegmund Graf von Kollonitsch war, welcher ob seiner vielen Verdienste und seiner ausgezeichnet hohen Tugenden am 24. Februar 1723 zum Fürst-Erzbischof von Wien erhoben ward. Diesem hohen und unvergeßlichen Seelenhirten, dem hellglänzendsten Stern an der hiesigen Metropole, folgte in dieser Würde im Jahre 1751 Johann Joseph Graf von Trautsohn; diesem den 19. März 1757 Christoph Anton Graf von Migazzy zu Waal und Sonnenthurn; diesem im Jahre 1803 Siegmund Anton Graf von Hohenwart und Gerlachstein; im Jahre 1822 Leopold Maximilian, aus dem uralten tirolischen Geschlechte der Grafen und Herren von Firmian; im Jahre 1832 Vincenz Eduard Milde, vormals Bischof in Leutmeritz in Böhmen, als Fürst-Erzbischof in Wien.

Auf der rechten Seite des Platzes von der Domkirche befindet sich das Churpriester-Haus, worin auch die Pfarrschule sich zu ebener Erde befindet, auf der linken Seite hingegen steht der fürst-erzbischöfliche Pallast, welcher sehr schöne Zimmer und eine Haus-Capelle enthält. In diesen befinden sich auch die geistlichen Kanzleien vom Consistorium.

Nicht gar ferne von dem deutschen Ordenspallaste befindet sich in der Kärnthnerstraße die Kirche des Johannitter-Ordens, zum heiligen Johann, dem Täufer. Die Ritter von St. Johann zu Jerusalem haben schon zur Zeit der Regierung des Herzogs Heinrich Jasomirgott in dem nahen Ungerlande festen Sitz genommen, und nicht lange währte es dann mehr, als sie bei Gelegenheit der Rückkehr Herzog Leopolds, des Tugendhaften, aus dem gelobten Lande nach Wien kamen. Urkundlich ist es erwiesen, daß sie im Jahre 1200 die Kirche und das Ordenshaus in der Kärnthnerstraße bereits besessen haben. Bei dem großen Brande gingen beide gleich den übrigen Gebäuden der Stadt zu Grunde, doch bald stiegen Kirche und Gebäude durch König Ottokars Unterstützung aus der Asche schnell wieder empor; erstere wurde in der Folge noch erweitert, vorzüglich aber im Jahre 1806 durch den Comthur des Johannitter-Ordens, Franz Grafen von Colloredo-Mels, verschönert hergestellt. Die Kirche, welche klein ist, hat ein schönes Portal im neuern Style, mit einem viereckigen Thürmchen geziert, wovon der Haupteingang von der Kärnthnerstraße ist. Auch das Innere hat ein schönes neues Ansehen, obschon das Gewölbe gothisch gebaut ist, einen kleinen Chor mit einer Orgel, einen schönen Hochaltar, mit dem schönen Altarblatte des heiligen Johannes, des Täufers, und das Denkmal des Seehelden La Valette's, welches demselben zu Ehren der Graf von Colloredo errichten ließ. Es ist von Stein, mit einer Platte, worauf sich die Festung Malta zeigt, und an dessen jeder Ecke ein Ungläubiger steht, welche das auf einem vorspringenden Piedestal angebrachte lorberbekränzte Brustbild La Valette's tragen. Ober dem Monumente ist eine passende Inschrift angebracht. Links und rechts gehören die an die Kirche angebauten Häuser dem Orden, von denen das linksstehende große Gebäude der »Johanneshof« genannt wird.

In den Johanniter=Orden, der auch Malteser=Orden von dem früheren Besitz der Insel Malta genannt wird, werden noch immer Candidaten aufgenommen. Außer in Oesterreich besteht der Orden nur noch in Sicilien und im Kirchenstaate, und Frankreich erkannte den Orden als bestehend an, doch ist er dermalen ohne Großmeister.

Die Kirche und das Kloster der PP. Franciscaner, zunächst der Singerstraße und zwischen der Weihburggasse gelegen, ist auch gleichfalls beachtenswerth.

Auf dem Platze, wo jetzt das Klostergebäude und die Kirche stehen, stand das Haus und Stift für die armen freien Frauen, die sich aus den offenen Frauenhäusern, oder sonst aus dem sündigen Unleben wieder zur Buße und zu Gott wandten, worin sie gänzliche und ewige Freiung haben sollten. Diesen Zufluchtsort stifteten mehrere fromme und reiche Bürger aus rathsmäßigen Geschlechtern, besonders der bekannte Bürgermeister Conrad Hölzler, wie wir schon im Verlaufe der Geschichte erwähnt haben. Herzog Albrecht III., mit dem Zopfe, bestätigte nicht nur diese Stiftung am 24. Februar 1384, und befreite sie von allen Steuern, Mauth, Zoll und Lehen, sondern er wollte sogar ihr Schirmvogt seyn. Die Kirche wurde 1378 durch den Bischof von Castora zu Ehren des heiligen Hieronymus geweiht. So verblieb dieses Kloster, welches schon im Laufe des ersten Jahrhunderts seines Bestehens in Hinsicht der Ordnung des Hauses nicht ganz ungestört bestand, 169 Jahre, wonach aber nach Kaiser Maximilians I. Tode im Beginne der Reformation gänzlich die Ordnung brach, die Nonnen entsprangen, und selbst die letzte Oberin, Juliana Kleebergerin, wegen des schlechten Wandels, den sie im

8

Kloster geduldet und den sie selbst geführt, wie auch wegen Ver=
schleuberung der Stiftsgüter in Untersuchung kam.

So stand das Kloster verlassen und öde, und nur der erstbenann=
ten Oberin war noch die Wohnung in demselben gestattet, die dann
auch am 20. Jänner 1553 alldort verstarb und ihr Grab fand;
dieß bezeuget uns noch der an einem dunklen Orte in der heutigen
Sakristei der Franciscaner eingemauerte, leider nun beinahe unle=
serlich gewordene Grabstein derselben. Nach einem Jahre (1554)
kamen die Brüder des Franciscaner=Ordens, welche während des
Türkenkrieges aus ihrem Kloster St. Theobald auf der Laim=
grube flüchten mußten, und einstweilen Kirchlein und Haus bei
St. Ruprecht besaßen, in das sogenannte Bußhaus bei
St. Hieronymus, das von dem an das Barfüßer= oder
Parfottenkloster hieß. Seit dem Jahre 1525, als Wien
mit einer furchtbaren Feuersbrunst schwer heimgesucht wurde,
war die Kirche in sehr schadhaftem Stande und das Kloster
ohne Dach und öde geblieben. Die vielen wohlthätigen Spen=
den und die wahrhaft kaiserliche Großmuth Rudolphs II.,
Matthias und Ferdinands II. setzten den Orden in den
Stand, das Kloster weitläufig und fest aufzubauen, mit drei
Gärten und Raum auf hundert Conventualen, die Kirche ganz
neu aufzuführen, das alte Kirchlein aber in den Chor zu ver=
ändern, und so war denn das Ganze bis 1615 vollendet. Die
großen prächtigen Gärten der Franciscaner, so wie jene der
Capuciner, wurden aber auf Befehl Kaiser Josephs II. zu
Häusern verbaut. Die Kirche ist sehr geräumig und hoch, und
die Gewölbe gehören der deutschen Baukunst an. Das architek=
tonische Gemälde rückwärts des freistehenden Hochaltars ist von
dem berühmten und fleißigen Jesuiten Pozzo. Sehr schön ist
der Hochaltar von Marmor, ober welchem eine Holzstatue,
Maria mit dem Jesus=Kinde, angebracht ist. Nicht so=
bald wird man einen so reich geschmückten Altar finden, als
hier, welchem aber auch die übrigen Seitenaltäre, die sich
durch ihre meisterhaft gemalten Altarblätter, wie z. B. jenes
des heiligen Franciscus, von Schmid; ein Crucifix,

von Carl Carloni; Maria Empfängniß, von Schmid, Vater; die Marter des heiligen Johann Capistran, von Wagenschön, und eine zweite unbefleckte Empfängniß, von Nothmaier, auszeichnen, nicht nachstehen. Ueberhaupt glauben wir bemerken zu dürfen, daß es allgemein bekannt ist, wie außerordentlich erbaulich und solenn der Gottesdienst bei den Franciscanern gehalten wird. Neben der Kirche im Klostergebäude befindet sich ein Kreuzgang, in welchem sehr viele große Gemälde der Franciscaner-Ordensbrüder sich befinden, die die bittersten Märtyrerscenen dieser gottseligen und frommen Männer für Gott und den Glauben darstellen. In der Mitte des Kreuzganges ist ein ganz kleiner Garten angelegt. Ein großer Theil des Klostergebäudes ist jetzt zu der k. k. Aerarial-Staats-Buchdruckerei verwendet. Die Kirche ist keine Pfarre, für den Franciscaner-Orden hier aber der Sitz des Provinzialats. Noch bemerken wir, daß in der Kirche sich mehrere Grabmäler höchst ausgezeichneter Personen befinden, die den berühmten Familien der Trautmannsdorfe, der Schönau zu Stein, Schwendi, Grafen Rottals, Saillern, Heunisch', de Pace, Potocky, Lamberg-Ortenek, Nostiz, Gatterburg, Appel zu Groß-Petersdorf und Sonnau, Meggau und dem hochgefeierten Kriegshelden Marschall Hannibal, Fürsten von Gonzaga, Markgrafen von Mantua, Obersthofmeister der Kaiserin Eleonora, Gouverneur von Wien, angehören.

In der Johannesgasse, den Ursulinerinnen gegenüber, befindet sich das herzoglich Savoysche Damenstift. Dasselbe wurde von Maria Theresia Felicitas, Herzogin von Savoyen, gebornen Fürstin von Lichtenstein, nebst andern Instituten im Jahre 1769 gestiftet, und enthält 20 wirkliche und einige Honorar-Stiftsdamen; die ersteren wohnen im Stiftsgebäude selbst, sie sind zu gewissen Andachtsübungen verbunden, tragen schwarze Kleidung und ein eigenes Ordenszeichen, haben eine Art von Clausur, können aber ausgehen, verreisen und sich verheirathen. Die Stiftung ist für sie

8 *

sammt der Oberin auf jährlich 19180 Gulden Einkünfte festgestellt. Nach dem Wunsche der hohen Stifterin sollte zum größeren Glanze derselben wo möglich eine Fürstin Vorsteherin seyn, welche aber gegenwärtig in der Maria Anna Gräfin von Dietrich= stein besteht. Das Stifts=Palais, ein Stockwerk hoch, ist ziemlich groß und hat auch eine schöne Capelle, worin Gottes= dienst abgehalten wird.

Die Ursuliner=Nonnen, welche ihre schöne Kirche und ihr Klostergebäude ebenfalls hier in der Johannesgasse haben, wurden von der Kaiserin Elenora von Mantua, Witwe Ferdinands III., im Jahre 1664 von Lüttich hieher berufen, und anfangs in einem Privathaus in der Dorotheergasse unter= gebracht, bis 1675 das neu erbaute Kloster, der Schultract und die Kirche zu St. Ursula gänzlich vollendet waren. Diese Nonnen versehen die zahlreich besuchten Normalschulen für Mäd= chen, lehren auch alle übrigen weiblichen Arbeiten und nehmen auch Kostfräulein auf. Die Kirche befindet sich zwischen dem Klostergebäude und jenem in welchem die Schulen sind. Der Ein= gang dazu ist von der Johannesgasse, und bildet eine ganz ein= fache Fronte, ober welcher sich ein viereckiger mit Kupfer gedeck= ter Thurm erhebt. Sie ist nicht groß, aber sehr reich ausge= schmückt, wobei nebst dem Hochaltar noch sechs Seiten= altäre bestehen. Das Hochaltarblatt, die heilige Ursula darstellend, so wie das des Seitenaltars der unbefleckten Empfängniß sind von der Meisterhand Spiegelbergers gemalt: die Erscheinung der heiligen Jungfrau vor dem heiligen Ignatius und der heiligen Angela Merici, Stifterin der Ursuliner=Nonnen, aber von Wagen= schön; die übrigen Meister der drei Gemälde, des Kreuz=, Jacobi= und Aloisi=Seitenaltars, kennt man nicht. Meßkleider, Teppiche und andere Stickereien gibt es hier pracht= volle, die alle von den Nonnen mit Kunst und Fleiß gearbeitet sind. — Der Gottesdienst wird täglich öffentlich abgehalten.

In der vorderen Gasse nächst diesem Nonnenkloster, näm= lich in der Annagasse, befindet sich die St. Annakirche, welche gegenwärtig die französische Nationalkirche bildet. Aus der Geschichte dürfte der verehrte Leser bereits entnommen haben, daß vor Jahrhunderten diese Gasse die Pippinger= straße hieß, und diesen Namen von dem da gesessenen reichen Bürgergeschlecht der Pippinger bekam; als aber im Jahre 1320 eine fromme Bürgersfrau hierselbst eine Capelle zu Ehren der heiligen Anna und daneben eine Herberge für Kranke und Pilgrime erbaute, so bekam diese Gasse den Namen »Anna= gasse.« 1415 wurde dieses Pilgrimhaus wieder von einer Bürgersfrau, Elisabetha Wartenauerin, reichlich be= schenkt und von derselben zugleich die Capelle zu einer Kirche ver= größert, in welcher Gestalt sie bis zum Jahre 1529 verblieb. Nach beendigter türkischer Belagerung kamen die aus ihrem Kloster am Schweinmarkt (heutigen Lobkowitzplatz) geflüchteten Clarisser= Nonnen zurück, und erhielten nun anstatt ihres alten Klosters die St. Annakirche, woselbst sie bis 1541 zur Zeit der großen Pest verblieben, in dieser traurigen Epoche aber gänzlich aus= starben. An ihre Stelle kamen die damaligen Stephans=Ordens= ritter, und im Jahre 1582 übergab Kaiser Rudolph II. Kirche und Gebäude den Jesuiten, die solche aber erst unter Ferdi= nand II. bezogen, und das Noviziat anlegten. Bei einem furchtbaren Wetter im Jahre 1747 schlug es in dem Thurm ein, in welchem eben ein Jesuiten=Frater läutete, der zu Boden gestreckt wurde, und worauf die Flammen das Meiste der alten Kirche verzehrten (welche Feuersbrunst ein noch vorhandenes Bild bey St. Anna darstellt). Bald wurde solche aber wieder, und in noch schönerem Style hergestellt. Nach Aufhebung des Jesuiten=Ordens übergab Kaiser Joseph II. das Kloster der k. k. Akademie der bildenden Künste und der Normal= Hauptschule, die sich noch daselbst befinden, und in welchem Gebäude auch die Kunstausstellung dieser Akademie Statt fin= det. Der Gottesdienst wird seitdem von Weltpriestern versehen, und die Kirche wird gegenwärtig die französische National= Kirche genannt, weil bisher immer Sonntags französisch ge= predigt wurde, was jetzt nicht mehr geschieht.

Von Außen und Innen verräth sie schon neueren Baustyl ; sie hat einen viereckigen Thurm mit einer schönen mit Kupfer ge= deckten Kuppel und zwei Eingänge, einen von der Annagasse= und einen vom Schulgange rückwärts. Nebst dem Hochaltar mit dem schönen Altarblatte zur heiligen Anna, bestehen noch sechs hallenartig gebaute Seitenaltäre; nämlich der Frauen=, Josephi=, Franz Xaveri= (dieß ist die vorige alte Capelle, mit einem sehr werthvollen Brustbilde dieses Heiligen), Franz Seraphicus=, Stanislaus= und Justini=Altar, un= ter welchem die ganze Reliquie dieses heiligen Märtyrers in ei= nem Glaskasten sich befindet. Die Kirche ist von Gypsmarmor, mit Lesenen geziert, und hat sehr reiche Goldverzierungen, die aber wohl einer Erneuerung dringend bedürften. Die Halbkuppel ist durchaus al fresco gemalt von den berühmten le Gran und Pozzo, dann hat sie Gemälde von dem ältern Schmid. Zum Andenken der Schlacht von Landau gab Kaiser Leopold I. eine reich mit Brillanten besetzte Monstranz hieher; auch besitzt die Kirche sehr reiche sehenswerthe Ornate, einen kostbaren Kreuz= partikel, und die linke Hand der heiligen Anna, als ein Geschenk von Rom, die eine reiche Einfassung von Brillanten hat, wozu selbst mehrere fremde Monarchen vor mehreren Jah= ren Beiträge einsendeten, und die mehr als 14,000 Gulden ko= stete. An dieser Kirche besteht auch ein Kirchen=Musikver= ein, zur Ausbildung der Candidaten für das Land, der, wenn er nach dem Sinne seiner Gründer aufrecht erhalten würde, von allgemeinem Nutzen für die Landkirchen wäre.

Das in der Kärnthnerstraße stehende sogenannte Bürger= spital ist eines der allergrößten Häuser der Stadt und gehört dem unter dem Magistrate stehenden Bürgerspitals=Fond. Vor Zeiten war es wirklich ein Spital und hat von daher auch noch den Namen, so wie die darin befindliche Apotheke zum heiligen Geist von dem heiligen Geist=Spital. Es wurde im Jah= re 1785 zu einem Zinshause umgestaltet, hat 10 Höfe, 20 Stie= gen und enthält in vier Stockwerken 220 mehr oder minder große

Wohnungen, die jährlich einen Zinsertrag von ungefähr 180,000 Gulden abwerfen.

An dieses, mit der Hauptfronte gegen den Mehlmarkt, reiht sich das fürstlich Schwarzenbergische Palais. Es hat zwar nur zwei Stockwerke, doch ist dasselbe sehr geräumig, und hat wunderschöne Zimmer, würdig eines solch' altberühmten regierenden fürstlichen Geschlechtes, wie das der Schwarzenberge ist. Nebst vielen Sehenswürdigkeiten und Sammlungen besteht darin auch eine Bibliothek von mehr als 30,000 Bänden, worunter die vornehmsten griechischen und lateinischen Classiker, historische Werke als Prachtausgaben, staatswissenschaftliche, naturgeschichtliche und ökonomische Schriften. Im Palais befinden sich die Cassen, Kanzleien und eine Hauscapelle, die der seligsten Jungfrau geweiht und auf eine tägliche Messe bestiftet ist.

Zunächst diesem Pallaste steht die Kirche zur heiligen Maria, Königin der Engel, nebst dem Kloster der PP. Capuciner sammt der k. k. Todtengruft.

Kaiser Matthias und seine Gemahlin Anna, welche beide große Freunde des Capuciner=Ordens und daher, dessen Ausbreitung in ihren Staaten zu befördern, eifrig bedacht waren, hatten schon im Jahre 1600 einige Glieder dieses Ordens nach Wien in die Vorstadt St. Ulrich gezogen; jedoch nach dem Wunsche der Kaiserin sollte auch in der Stadt, und zwar in der Nähe der Burg, ein solches Kloster bestehen, weßhalb dieselbe auch in ihrem Testamente dahin gehörige Vermächtnisse machte, wovon die Ausführung dieses Wunsches jedoch durch ihren im Jahre 1618 erfolgten Tod nicht zu Stande kam. Nachdem aber im nächsten Jahre auch der Kaiser starb, so lag es nun dessen Nachfolger, Kaiser Ferdinand II., als Testamentsvollstrecker der verstorbenen Kaiserin, ob, für die Erfüllung ihres Wunsches Sorge zu tragen; allein der zu dieser Zeit ausbrechende dreißigjährige Krieg verhinderte das Beginnen des Baues bis zum Jahre 1622, in welchem jedoch am 8. September vom Kaiser mit großer Feierlichkeit der Grundstein gelegt ward. Im

Jahre 1626 übergab er auch dem Kloster den noch daselbst befindlichen, nach dem Willen der Stifterin nie davon zu trennen-
den Schatz, welchen eine eigens dazu bestimmte Schatzkammer enthält. Jedoch die Einweihung der Kirche nebst der damit zusammenhängenden kaiserlichen Capelle, die linker
Hand in der Kirche sich befindet, konnte, obgleich reichliche Unterstützungen für das neue Kloster einflossen und auch die Ordens-
mitglieder sich vermehrten, dennoch erst, und zwar bei noch nicht
ganz vollendetem Bau, im Jahre 1632 vorgenommen werden,
wo am St. Jakobstage die Kirche zu Ehren der heiligen
Maria, Königin der Engel, und die kaiserliche Capelle
der Himmelfahrt Mariä, durch den Bischof von Wien im
Beiseyn des ganzen Hofes eingeweiht wurden. Dem Willen der
Gründerin gemäß sollte in die oben erwähnte, durch ein starkes
eisernes Gitter mit Thüren von der Kirche getrennte kaiserliche
Capelle ein ganz silberner Altar kommen, was jedoch in Folge
der damaligen Zeitereignisse, wo der Krieg so höchst bedeutende
Summen kostete, nicht geschehen konnte, weßhalb der dahin gehörige Altar nur von hartem Holze gefertigt ward. — Im Jahre 1633 wurden die Leichname des Kaisers Matthias und der
Kaiserin Anna aus dem Kloster der heiligen Clara (vormals
Königskloster), wo sie bis jetzt gestanden, unter sehr großen bis
zum Anbruche der Nacht dauernden Feierlichkeiten, an denen
der gesammte Hof und Adel Theil nahmen, in die zugleich mit
der Kirche gebaute Gruft übertragen. Kaiser Ferdinand II.
besuchte diese Hofgruft zu öfteren Malen, um darin sein Gebet zu
verrichten. Als während jenes Krieges die Schweden im Jahre 1645 in die Nähe Wiens kamen, ward der obenerwähnte
Schatz in neun Kisten nach Grätz in Sicherheit gebracht, wo
er auch bis zu Ende des Krieges 1648 blieb. Nach geschlosse-
nem Frieden ließ Kaiser Ferdinand III. die Capelle verschö-
nern und zwei große vergoldete Statuen, Kaiser Matthias
und Ferdinand II. vorstellend, darin aufstellen. Im Todes-
jahre Kaiser Ferdinands III., 1657, ward die Gruft nach
dem Wunsche der Kaiserin Witwe und des Kaisers Leopold I.

zum ersten Male erweitert. Dieser Kaiser und die kaiserliche Familie fanden sich oft in der Capelle ein, um hier ihr Gebet gegen Himmel zu senden. Zu jener Zeit lebte auch in diesem Kloster der in der Geschichte vom Entsaße der Stadt Wien her bekannte, vom Kaiser sehr geliebte und allgemein geschäßte fromme Priester Marcus Avianus, dessen Leichnam in der heutigen Capelle der schmerzhaften Mutter Gottes rechts vom Altare ruht; die auf einer Marmortafel angebrachte lateinische Grabschrift ward vom Kaiser Leopold selbst verfertigt, welcher darin seinen eigenen Namen anbrachte. Im Jahre 1701 ward die obenerwähnte Gruft wiederum erweitert, auch ließ die Kaiserin Eleonora für die neue Gruft einen Altar von schwarzen Marmor verfertigen, auf welchem die Statuen der Maria, des Heilandes, der Martha und Magdalena aus weißen Marmor sich befinden, welche sämmtlich vielen Kunstwerth haben. Im Jahre 1705 kam die Leiche des Kaisers Leopold I. als erste in die neue hinzugefügte Gruft.

Die meisten Umänderungen und Verschönerungen aber verdanken Kirche, Kloster und Gruft der Kaiserin Maria Theresia; auf ihren Befehl ward im Jahre 1748 neben der bisherigen, zu wenig Raum gebenden k. k. Hofgruft eine neue für das Habsburgisch=Lothringische Haus gebaut, welche von der älteren durch ein starkes eisernes Gitter mit Thüre getrennt ist, wobei der in der ersten Gruft befindliche Altar jetzt in diese übertragen ward. 1751 erhielt auch die kaiserliche Capelle anstatt des hölzernen einen neuen Altar von rothem Marmor, und die Kirche neue von dem Capuciner Norbert gemalte Altarblätter, die übrigens, wie alle Kirchen dieses Ordens, braun und weiß gefaßt sind. Das schöne für ihren und ihres Gemahls Leichnam bestimmte Grabmal, auf welchem deren lebensgroße portraitähnliche Figuren in römischer Tracht in sitzender Stellung neben einander angebracht sind, ließ diese Kaiserin im Jahre 1753 von Balthasar Moll aus Brüssel verfertigen; nachdem im folgenden Jahre diese neue Gruft vollendet war, ward sie vom Erzbischof Trautsohn eingeweiht. Oefter als alle ihre Vorfahren besuchte diese Kaiserin mit ihren Prinzessinnen diesen Ruheplatz, ja nach dem Tode ihres Gemahls kam sie regelmäßig täglich zu einer bestimmten Zeit dahin, um sich dort ihrem Schmerze zu überlassen und durch Gebet zu stärken, und als das letzte Mal die Maschine, mit der die hohe Fürstin sich hinab ließ, den Dienst versagte, bemerkte sie, daß sie nun auch bald hieher folgen werde, was denn auch wirklich geschah. Ihr verdankt die Gruft ihr jetziges, Ehrfurcht gebietendes, mit Würde verbundenes Ansehen, welches auf jeden Besuchenden, der in dem düstern Helldunkel zwischen den Reihen der bronzenen kaiserlichen Särge herumwandelt, einen nie verlöschenden Eindruck macht. Außer jenem schon erwähnten großen Monument sind noch die Grabmäler Kaiser Carls VI. und seiner Gemahlin Elisabeth und jenes vom Kaiser Joseph II. bemerkenswerth. Unter den Särgen waren in früheren Zeiten mehrere unscheinbare von Holz, jedoch Maria Theresia ließ dieselben den andern gleich von Bronze herstellen.

Im Jahre 1781 besuchten der damalige Großfürst, nachherige Kaiser, Paul von Rußland und seine Gemahlin auf ihrer Reise über Wien nach Italien die Gruft. In dieser Zeit mußte das Kloster einen Theil seiner Gebäude und seinen großen dabei gelegnen Garten abtreten, auf welchem Grund auf Befehl Kaiser Josephs II. Privat-Häuser erbaut wurden; auch erhielt der mehrerwähnte Altar in der Gruft fortan in der Kirche, der k. Capelle gegenüber, seinen Platz.

Während der Anwesenheit Papst Pius VI. im Jahre 1782 las derselbe in der kaiserlichen Capelle die Messe, worauf im Kloster-Refectorium die Feierlichkeit des Fußkusses für Herrschaften und Geistlichkeit statt fand.

Am Abend des 5. Octobers 1809 besuchte auch Kaiser Napoleon bei Fackelschein diese ehrwürdige Ruhestätte des habsburgischen Kaiserhauses.

Am Allerseelentage stehen die Hallen dem Publikum offen, sie werden jedoch dem Gebildeten und Fremden auch zu jeder andern Zeit gezeigt.

So einfach übrigens der Capuciner=Orden erscheint, so einfach sich uns auch ihr Kirchlein mit dem kleinen Thürmchen darstellt, so haben doch die frommen Väter einen großen Schatz in ihrer Aufbewahrung an den irdischen Hüllen so vieler mächti= gen Kaiser und andern Mitglieder ihres Regentenhaudses. Die Kraft unserer Seele und unser Gemüth gibt uns, indem wir die Stufen hinabsteigen in die Hallen, an die sich der Gedanke an die Ewigkeit anschließt, den Anklang einer höchst seltsamen Em= pfindung, während dem wir mit sorglich spähenden Blicke unser Auge auf die kaiserlichen Särge heften. Wir erinnern uns an die hohe Majestät, welche die Körper im Leben umfloß und hier — gewahren wir die tiefe, grabesstille Ruhe, die die hohen Häupter nun umfaßt, gern den Glanz alles Irdischen erlassend, um jen= seits zu glänzen. Ja wahrhaftig, dieser Ort ist geeignet unsere Bestimmung deutlich zu erkennen, in der uns unsere hohen und geliebten Herrscher vorangingen, eben auch den gleich bittern Kelch der letzten menschlichen Leiden austrinkend. Unsere innige Liebe zu den abgeschiedenen Fürsten versetzt uns hier an ihrer Ruhestätte in hohe Wehmuth, da wir uns überzeugen, wie selbst das Höchste der Erde gleich der dürftigsten Pflanze abblüht, und lange bleibt demjenigen, der die kaiserliche Gruft besucht, ein großes Herzleid im Busen zurück.

Von der Kaiserin Anna, Tochter des Erzherzogs Fer= dinand von Tirol und Gemahlin des Kaisers Matthias, † den 15. December 1618, angefangen bis gegenwärtig ruhen in Allem 83 Glieder des regierenden österreichischen Kaiserhau= ses in dieser Ahnengruft, wovon das letzte der Herzog von Reichstadt war, der in der schönsten Blüthe seiner Jahre erst vor kurzem dahin versetzt wurde.

Von hier wollen wir uns zur k. k. Hofkirche der re= formirten Augustiner=Barfüßer wenden, welche sich zunächst dem Josephsplatze befindet.

Wir haben schon in der Geschichte angemerkt, daß die Augustiner während der Regierungsperiode König Ottokars in Oesterreich aufgenommen wurden, und wie sie ein klei=

nes Kirchlein im Werd und ein geringes Besitzthum im heuti=
gen Prater erhalten haben. Als aber Friedrich der Schöne
auf der Trausnitz durch seinen Gegenkönig, Ludwig den
Baier, gefangen saß, that er das Gelübde, bei seiner Be=
freiung ein Kloster stiften zu wollen, und da bei dem Aussöh=
nungswerke auch der Augustiner=Prior in München, Conrad
Tattenborfer, ein eifriger Mittelsmann war, so erhielt
derselbe von Friedrich die Einladung, mit mehreren seiner
Brüder nach Wien zu kommen, allwo er ihnen die vom
15. März 1327 ausgestellte Stiftungs=Urkunde übergab und
den Platz zunächst der Burg zu Kirche und Kloster einräumte,
wovon erstere jedoch erst 1349 eingeweiht wurde. Zwei Jahre
darauf erbaute Herzog Otto, der Fröhliche, an die Kirche
dem von ihm geschaffenen Georgsorden eine eigene Ordensca=
pelle, die nun insgemein die Todtencapelle genannt wird.
Bis zu Kaiser Ferdinands II. Zeiten blieben die beschuh=
ten Augustiner im Besitz ihrer Stiftung; doch war dieser Kai=
ser mit ihnen unzufrieden und berief die unbeschuhten Au=
gustiner (Discalceaten, keine Schuhe anhabend, von der
strengeren Regel) von Prag hieher, wogegen die bisherigen Be=
wohner in der Folge das Kloster auf der Landstraße erhielten.
Eleonora, des Kaisers Gemahlin, erbaute 1627 inmitten der
Kirche die Loretto=Capelle, um welche zahlreiche Tro=
phäen hingen. Da solche nicht nur übel angebracht war, son=
dern auch die Kirche ihres schönen Lichtes beraubte, so ließ sie
Kaiser Joseph II. abtragen, neben die Todtencapelle verse=
tzen, und überhaupt im Jahre 1786 die ganze Kirche geschmack=
voll erneuern, und sie zur Hofpfarrkirche erheben. Wenn
wir die Kirche selbst in Betracht ziehen, so finden wir ein sehr
großes und ungeachtet seiner Uebertünchung dennoch gothisches
Steingebäude mit hohen Bogenfenstern nach Sitte des XIV.
Jahrhunderts, mit einem viereckigen Thurme, dessen unterer
Theil noch ursprünglich, der obere aber sammt Kupferkuppel
aus neuerer Zeit ist. Die Kirche nimmt sich von Außen min=
der imposant aus, weil sie von drei Seiten umbaut, und nur

an der nördlichen gegen die Augustinergasse frei ist. Desto ma=
jestätischer ist ihr Inneres. Die spitzen Gürtengewölbe des
Schiffes ruhen auf acht großen Pfeilern, wodurch ein Haupt=
gang und zwei Seitengänge gebildet werden; die Länge davon
beträgt 132 Schuhe, 90 die Breite und 61 die Höhe. Bei=
nahe so lang wie das Schiff ist der hohe Chor oder das Pres=
byterium, welches um 5 Stufen erhoben angelegt, aber um
die zwei Seitengänge des Schiffes schmäler ist. Die Rückwand
des Hochaltars besteht in einem großen, zum Theil gothisch=
architektonischen Fresco = Gemälde, mit der Glorie des heil.
Bischofs Augustin, von der Kunsthand Maulbertsch's
gemalt. Der Hochaltar ist sehr geschmackvoll ganz von Mar=
mor, und steht dergestalt frei, daß hinter demselben bei klei=
nen Aemtern die Musiker Raum finden. Ober dem Tabernakel
ist ein gnadenvolles Marienbild in silbernen Rahmen angebracht.
Außer diesem sind noch vier Seitenaltäre, zu Ehren Mariä
Geburt, des heil. Franciscus Xaverius, der heil.
drei Könige und des heil. Johann von Nepomuck,
angebracht, und überdieß noch inzwischen rechts und links die
Körper der heil. Märtyrin Victoria und des heiligen
Clemens in kostbarer Goldfassung und Glasbehältnissen auf=
gestellt. Der Musikchor ist sehr groß, und es werden auch von
den Mitgliedern des Conservatoriums an Festtagen die größten
musikalischen Hochämter prachtvoll ausgeführt.

Was die obenbemerkte Todtencapelle betrifft, so ist solche
gleichsam mit dem Chor an der rechten Seite in Verbindung
gestellt und an dieselbe nur etwas tiefer die Loretto=Capelle an=
gefügt. Erstere ist ein sehr hohes gothisches, wenn auch nicht
großes Gebäude, mit hohen Bogenfenstern und Pfeilern, in
zwei Bögen getheilt; dann mit zwei Altären zur heil. Apol=
lonia und zum heil. Evangelisten Johann geschmückt.
Inmitten derselben erhebt sich das Grabmal des Kaisers Leo=
polds II., Vaters des jetzt regierenden Kaisers, umgeben von
einem eisernen Gitter. Das Grabmal selbst ist von grau und
weiß geflammten Marmor, das Postament aber von rothen;

auf dem Sarkophage ist das Steinbild, den Kaiser in Lebens=
größe liegend darstellend, und dieses so wie die lebensgroße
trauernde weibliche Figur von weißem Marmor. Beim Kopfe
und zu den Füßen sind von eben solchem Gestein wie das Posta=
ment Gestelle, worauf sich auf Kissen die kaiserlichen Insignien
befinden. Ferner ist auch hier an der linken Seite beim Eingange
daß große sehenswerthe Grabmal des berühmten Feldmarschalls
Grafen von Daun, von schwarzgrauem Marmor mit weißen
marmornen Platten zur Aufschrift und Ausschmückung ange=
bracht; das Piedestal ist lichtgrau und roth geaderter Marmor,
die daran befindliche Vorstellung der Schlacht bei Collin oder
Planian ist von Blei und vergoldet, so wie die Statuen, Me=
daillen, Brustbilder und die übrige militärische Ausschmückung
von Metall und im Feuer vergoldet. — Noch ist hier zu bemer=
ken, daß sich der Grabstein des um die Wissenschaften in Oester=
reich hochverdienten Gerard Freiherrn van Swieten, wel=
cher der großen Kaiserin Maria Theresia Leibarzt und Hof=
bibliotheks=Präfect war († 18. Juni 1772), zu den Füßen des
kaiserlichen Grabmals befindet. Früher bestand ein eigenes Grab=
mal dieses großen Mannes, in erhabener Arbeit, welches aber
leider nur allzubald verschwand. — Die Maria=Loretto=
Capelle ist klein und besteht in einem dunkeln Gewölbe mit
einer Vorhalle, welche mit einem eisernen Gitter verschlossen ist.
Ober dem Tabernakel steht die geschnitzte Marien=Statue mit
dem Jesus=Kinde, und nebenbei zwei kleine Engel von Silber.
So wie nach St. Stephan seit Kaiser Ferdinand III. die
Eingeweide der Glieder des hohen österreichischen Regentenhau=
ses kommen, werden in dieser Capelle hier seit dieser Zeit in sil=
bernen Gefäßen die Herzen derselben beigesetzt. In dieser schönen
Kirche gibt es übrigens noch mehrere Grabsteine angesehener und
berühmter Familien, doch das allerwerthvollste und zugleich das
größte Meisterwerk ist jenes der verblichenen Erzherzogin Ma=
ria Christine, Tochter der Kaiserin Maria Theresia
und Gemahlin des Herzogs Albrecht von Sachsen=Te=
schen, verfertigt von Canova, und als das größte Werk die=

fes berühmten Bildners bekannt, welches 20,000 Stück Duca=
ten koftete.

Das Grabmal ift an ber rechten Seite inmitten des Schif=
fes ber Kirche aufgeftellt und befteht aus carrarifchem Marmor.
Es ftellt eine Pyramibe von gefchliffenem Granitftein vor, bie
28 Schuh hoch ift und auf einer Grundfefte von 2 Schuh, 9 Zoll
ruht. Zwei Stufen von gleichem Stein führen zu dem offenen
Eingang biefer Pyramibe, in beren Juneren fich eine Gruft be=
findet. Ober ber Pforte ift bie einfache Auffchrift angebracht:
Uxori optimae Albertus, weiter oben über biefem Eingange
fchwebt in natürlicher Größe, in halberhabener Arbeit, ber Ge=
nius ber Glückfeligkeit, bas Bildniß Chriftinens emportragenb,
an beffen innerem Rande bie Worte ftehen: Maria Christina
Austriaca. Auf ber andern Seite gegen biefes Medaillonbild
fchwebt ein Fleiner Genius, bie Palme als ben Lohn ihrer Tu=
genben fchwingenb.

Ueber bie beiben Stufen ift ein Teppich von biefem weißen
Marmor, woraus auch bie erftbefprochenen Figuren beftehen,
ausgebreitet, worauf als bie Hauptfigur bes Gegenftandes bie
perfonifizirte Tugend, ernft und büfter eingehüllt in ein langes
faltenreiches Gewand, mit aufgelösten Haaren, bie über ben
Nacken und bie Schulter weit hinab wallen, bas Haupt mit
einem Olivenkranze geziert, gegen ben Eingang fchreitet. Mit
beiben Händen trägt fie forglich bie mit Blumengewinden um=
fchloffene Afchenurne ber hohen Verblichenen, wehmuthsvoll ihre
Stirne gegen bie Urne geneigt. Zwei junge wunderliebliche Mäb=
chen, welche Leichenfackeln in ben Händen tragen, geleiten fie
auf biefem lebten irbifchen Pfade. Mit wahrhaft großartiger Ver=
finnlichung folgt rechts in einer kleinen Entfernung bem Tugenb=
zuge ber erhabenen Wohlthäterin bie Wohlthätigkeit, einen ar=
men blinden Greis führenb, in ftillen Schmerz verfunken, welcher
noch ein kleines Mäbchen mit Dankgebet fchüchtern nachfolgt.
So wie biefe herrliche Gruppe bie hohen Tugenben ber verklär=
ten Erzherzogin auf eine wirklich ergreifenbe, ber Wahrheit zu=
nächft ftehenbe Art ausbrücket, findet ber ftaunende Befchauer

auf der zweiten Stufe der andern Seite einen mit dem Kopf auf
seinen Vordertatzen liegenden Löwen mit dem Ausdrucke des
tiefsten Schmerzes, unter welchem auf der ersten Stufe ein ge=
flügelter, beinahe ganz nackter Trauer=Genius ruht. Sein rech=
ter Arm ist auf die Mähnen des Löwen gelegt, und sein vor
Wehmuth gesunkenes Haupt ruht auf denselben. Seinen linken
Arm hingegen streckt er lässig gegen den Wappenschild von Sach=
sen, damit anzeigend, wer diesen großen Verlust erlitten habe.
Hinter dem Löwen wird der kaiserlich österreichische Schild er=
sichtlich, und versinnlicht dadurch die Geburt und den hohen
Standpunkt der verblichenen Erzherzogin.

Diese k. k. Hof=Pfarrkirche ist übrigens auch zu allen
ordentlichen und außerordentlichen Kirchenfeierlichkeiten des Ho=
fes, Trauungen, Leichenfesten, Ritterschlägen, großen Ordens=
festen, Cardinalshutauffetzungen :c. :c. bestimmt, bei welchen Ge=
legenheiten solche auch immer kostbar ausspalirt, und gleich einem
Feuermeere reich beleuchtet ist. Die Größe dieser Kirche gestattet
daher auch, daß große Tribunen aufgestellt werden können. Der
Hof begibt sich bei derlei Anlässen gewöhnlich durch den Augusti=
nergang (ein bedeckter Gang, welchen schon Paul Kölbel
von Krakau, Hofsteinmetz Kaiser Ferdinands I., 1525 er=
baut haben soll) von der Burg aus in die Kirche. — Es wird
auch darin alle Jahre bei Aufstellung eines großen Castrums, von
Waffen aller Gattungen künstlich zusammen gesetzt, ein großes
Seelenamt für alle Abgestorbenen vom Militär und auch die Re=
quien für die Maria=Theresien=Ordensritter abgehalten. — An
die Kirche stößt unmittelbar das sehr weitläufige Klostergebäude,
im welchem aber, da nur wenige Ordenspriester mehr vorhanden
sind, die Bildungsanstalt für angehende Priester sich befindet.
Auch hat dieß Kloster sehr viele ausgezeichnete Männer hervorge=
bracht; der bekannteste unter diesen ist der als Schriftsteller und
Hofprediger gleich berühmte Pater Abraham a Santa
Clara. Seine hinterlassenen Schriften, obschon 150 Jahre
alt, strotzen von Witz und ausgesuchtem Ernst, und so war er
auch durch 20 Jahre hindurch als Kanzelredner der Liebling des

Hofes und des Publikums. Nebst einer Bibliothek besaßen die
PP. Augustiner ehedem auch eine sehenswerthe Kunst=
sammlung in ihrem Kloster. Unter den vielen schönen Schnitz=
werken verdiente die Kreuzabnehmung Christi von Ra=
phael Donner, die Büste des Kaisers Vitelius von
carrarischem Marmor, und ganz vorzüglich eine astronomi=
sche Uhr von dem kunstverständigen Frater David a Sanct
Cajetano eine rühmliche Erwähnung. Dieses Kunst=Cabinet ist
nun, nachdem alle Gegenstände veräußert worden waren, auf=
gehoben.

Wir haben im Verlaufe unserer Darstellung schon öfters
die Kunstwerke des Raphael Donner zu erwähnen Gelegen=
heit gehabt, daher mag es auch nicht überflüssig scheinen, diesen
Künstler als den Verfertiger der Figuren an dem Spring=
brunnen am Mehlmarkt zu nennen. Dieser sehr schöne
Brunnen, eine wahre Zierde des neuen Marktes, besteht
seit dem Jahre 1736. Er formirt ein ziemlich großes steinernes
Bassin, in dessen Mitte auf einem runden marmornen Fußge=
stelle sich eine aus Blei=Composition bestehende Figur (in sym=
bolischer Hinsicht die Vorsicht darstellend) emporhebt, um welche
vier kleine aus demselben Stoff gegossene Figuren (Najaden) mit
Fischen, ebenfalls mit Springröhren versehen, angebracht sind.
Späterhin erhielt derselbe eine Bereicherung damit, daß von
demselben Meister auf den Rand des Wasserbeckens zwei weib=
liche und zwei männliche Figuren in mehr als Lebensgröße ge=
setzt wurden, die in schönen Stellungen die vier Hauptflüsse von
Oesterreich, nämlich die Ens, Traun, Yps und die March ver=
sinnlichen, neben welchen aus Urnen und Muscheln Wasser fließt.

Ein ganz vorzügliches öffentliches Monument aber darf in
jeder Beziehung die heilige Dreifaltigkeits=Säule ge=
nannt werden, die auf dem Graben steht. Kaiser Leopold I.
hatte, nachdem die gierig lechzende Pestseuche im Jahre 1679
in Wien allein mehr denn 70,000 Menschen furchtbar hinge=
würgt, das feierliche Gelübde gethan, zu Ehren der heilig=
sten Dreifaltigkeit eine Denksäule errichten zu wollen.

9

130

Dieser fromme Gedanke konnte jedoch, da inzwischen der blu=
tige Türkenkrieg (1683) einfiel, erst 1693 zur Reife gebracht
werden. Diese Säule besteht aus weißem salzburgischen Mar=
mor, und hat eine Höhe von 13 Klaftern, das Fußgestell hat
die Form eines hervorspringenden Dreiecks mit in Marmor
gearbeiteten sehr schönen Basreliefs, mit Bezug auf die Er=
schaffung des ersten Menschen, die Ankunft des heiligen Gei=
stes, das Nachtmal des Herrn, und die von der Sündfluth übrig
gebliebene Familie des Noah. Von diesem hinan bildet sie in
immer verjüngter Steinmasse lauter Wolken, zwischen welchen
sehr sinnreich in Gruppen die neun Chöre der Engel angebracht
sind, und wovon die Haupt=Tentenz ist, eine symbolische Figur
des Glaubens darzustellen. Ganz vorzüglich sind die lebensgroßen
Engel, die ober den Vorsprüngen des Postaments stehen. Der
Hauptseite des Grabens zu, eben auch oberhalb des Postamen=
tes, ist Kaiser Leopold I. kniend dargestellt mit gegen Himmel
gerichtetem Angesicht, und zunächst ihm sind die Worte, die er
zu sprechen scheint, mit vergoldeten Buchstaben auf einer Kupfer=
tafel eingegraben. An den drei Vorsprüngen des Postaments sind
abgetheilt folgende sinnreiche Worte angebracht: Deo Patri Crea-
tori; Deo Filio Redemtori; Deo Spiritui Sancto Sancti-
ficatori.

Ganz oben auf der Spitze der Säule erhebt sich eine Gruppe
Wolken von Metall und gut vergoldet mit der heiligsten Drei=
einigkeit. — Von besonderem Kunstwerth sind die Engel, welche
künstlich von den Bildhauern Strudel, Frühwirth und
Rauchmüller gearbeitet sind, und von jedem Kenner be=
wundert werden. Daß übrigens der fromme Kaiser ein bedeuten=
des Denkmal damit aufstellte, beweisen schon die auf 66,646 Gul=
den aufgelaufenen Kosten.

An beiden Enden des Grabens stehen auch noch schöne und
zierliche Springbrunnen, die gutes Wasser in Fülle spenden.
Viele Jahre bestehen diese schon, jedoch mit neuen Statuen aus
Blei=Composition vom Professor Fischer wurden sie erst im
Jahre 1804 geziert. Die eine, gegen den Stock am Eisenplatz zu,

stellt ben heiligen Markgrafen Leopold und die andere ben heil. Joseph vor. Neben diesen befinden sich an jedem zwei kleine Becken mit vier kleinen Springröhren als Zierde.

Zunächst dem Graben, als im Mittelpunkte der Stadt ge= legen, befindet sich die Peterskirche, die uns eine merkwürdige Erinnerung ins Gedächtniß ruft.

Zur Zeit, als Kaiser Carl der Große die Avaren (797) vollends bezähmte, war dieser hohe Regent hauptsächlich um das Christenthum bekümmert, und er stiftete mehrere Pfarren in der Ostmark; und so wie ganz gewiß St. Petronella und St. Martin in Klosterneuburg zu seiner Stiftung gehören, eben so gewiß gehört auch zu jener die Kirche St. Peter in Fabianis, die dann von dem bekannten Passauer Bischof Urolf geweiht wurde. Der Tradition zu Folge war es ein ganz kleines Kirchlein, welches später durch seinen Sohn und kaiser= lichen Nachfolger Ludwig den Frommen erneuert ward. Als aber späterhin die Hunn=Avaren wieder den Strich Landes sammt Fabianis bis Melk durch lange Zeit im Besitz hielten, und bei ihrer altgewohnten Raubsucht den Tempel Gottes ab= brannten und zerstörten, so versank auch dieses Denkmal des christlichen Glaubens. Nur dann erst, als diese verwilderten Hor= den wieder vertrieben waren (1042), war der erste Gedan= ke des siegreichen Markgrafen Adalbert auf die Wiederher= stellung der Gotteshäuser gerichtet; doch nur dürftig glauben wir diese Erneuerung nennen zu müssen, weil wir im Jahre 1156 eine Vergrößerung der Peterskirche durch Herzog Heinrich Jasomirgott sehen, welcher solche dann der neu gestifteten Schottenabtei abtrat. Eine wilde Gluth, die Donnerstag den 30. April 1276 aus einem nahe an den Stadtmauern gestandenen Ziegelofen bei einem heftigen Sturmwind in die Stadt getrieben wurde, verzehrte nicht nur die ganze Stadt bis auf anderthalb= hundert Häuser, sondern auch alle Kirchen, worunter auch St. Pe= ter war, die so stark von den Flammen ergriffen ward, daß so= gar ihr Gewölbe einstürzte. König Ottokar ließ sie zum gottes= dienstlichen Gebrauche wieder herstellen, und wir finden in den

9 *

älteſten Plänen Wiens dieſelbe in einer Kreuzform erbaut, mit einem niedern Thurme, in welcher Geſtalt ſie bis Ende des XVII. Jahrhunderts verblieb. In frühern Zeiten war um die= ſelbe der Friedhof angelegt, und rückwärts derſelben war in ſpä= teren Jahren das Wachthaus, welches gegenwärtig an der Seite rechts gegen das Goldſchmidtgäßchen zu ſteht, angebaut. Im Jahre 1481 finden wir dieſe Pfarre mit Weltprieſtern beſetzt, und Leonhard Langholzer war Pfarrherr. — Im Jahre 1545 überließ der Schottenabt das Kirchenlehensrecht von St. Peter dem Landesfürſten. — Am 19. Juli verſtarb Wolfgang Laz (La= zius), Kaiſer Ferbinands I. Rath, erſter Leibarzt, Hiſtorio= graph und Hofbibliotheks=Präfect, und wurde zu St. Peter begraben, wo noch ſein Monument vorhanden iſt. Obſchon Doc= tor Lazius als einer der fleißigſten Sammler und Vielwiſſer aller Zeiten bekannt, in ſeinen Werken aber auch viele Unrichtig= keiten hinterließ und in der Geſchichte Wiens, ſo zu ſagen, dadurch keine kleine Verwirrung herbeiführte, ſo iſt Oeſterreich ihm doch für ſeinen raſtloſen Fleiß, ſeine glühende Vaterlands= liebe und die unendlich vielen wichtigen Aufſchlüſſe großen Dank und Ehre ſchuldig. Die im Jahre 1675 durch päpſtliche Bulle be= ſtätigte Bruderſchaft zu St. Peter wuchs ſchnell und dergeſtalt übergroß an, daß bei dem hundertjährigen Jubiläum (1776) 34,692 Mitglieder vorhanden waren.

Nachdem alſo die uralte kleine und unanſehnliche Pfarrkirche ganz baufällig wurde, ſo ward ſolche ganz abgetragen, und Kai= ſer Leopold I. befahl, dafür eine neue aufzubauen, wozu er im Jahre 1702 den Grundſtein legte. Dieſelbe iſt im prachtvollen italieniſchen Style aufgeführt von unſerm berühmten Fiſcher von Erlach, mit zwei niedern Thürmen, wovon die Kuppeln mit Kupfer gedeckt ſind, aber nur mit einem kleinen Geläute verſehen, im Kleinen das, was die Peterskirche in Rom im Großen iſt. Die Form iſt ovalrund, mit einer majeſtätiſchen Kuppel, welche mit Kupfer gedeckt iſt. Im Jahre 1756 erhielt die Kirche das ſchöne Säulen=Portal von grauen Marmor, wo= von die darauf ſtehenden zierlichen Bleiſtatuen von Koll verfer=

tigt find. Das außerordentlich schöne Fresco-Gemälde der Kuppel ist von Rothmaier, und die Wölbung des Chors von Anton Galli von Bibiena; die Seitenwände sind durchaus Gipsmarmor und haben, wie alle Altäre, die zwei prächtigen Oratorien und die. Kanzel, sehr reiche Goldverzierungen. Der Hochaltar ist mit vier marmornen Säulen geziert, auf welchen der Bogen ruht, und zwischen denen zwei lebensgroße vergoldete Figuren stehen, ober dem Tabernakel die heilige Dreifaltigkeit, zu Ehren welcher und des heiligen Peter die Kirche geweiht wurde, in Schnitzarbeit in mittlerer Größe, wovon Gott Vater mit einer werthvollen Krone von echten Steinen auf dem Haupte geziert ist; das Hochaltarblatt, den heiligen Petrus, wie er Kranke heilt, vorstellend, ist von Altamonte, Vater, gemalt, so wie auch jene der ersten zwei Seitenaltäre, nämlich zu St. Michael und der heiligen Familie. An den andern vier Seitenaltären, links zur heiligen Barbara und dem heiligen Sebastian, dann rechts zum heiligen Franz von Sales und Antonius von Pabua, ist das Blatt an ersterem von Reem, das zweite von Sconians und die letztern beiden ebenfalls von Altamonte. Außerdem ist zu Anfang des Presbyteriums rechts ein Altar von Holz ganz vergoldet mit großen Statuen angebracht, welcher den heiligen Johannes, wie er in die Moldau gestürzt wird, bildlich darstellt. Beim Altar der heiligen Familie, auch der Josephi-Altar genannt, befindet sich die Reliquie des heiligen Donatus, wovon der Körper ganz mit gestickten Gold und Steinen besetzt ist. Eben eine solche Reliquie des heiligen Benedictus ist in einem Glasbehältniß dem Michaels-Altar beigesetzt. Unter dem linken Oratorium befindet sich die schöne Sacristei, und unter dem rechten die Tauf-Capelle mit einem sehr schönen Taufstein von grauem Marmor. Beim Eingange in die Kirche zur Linken das Grabmal des gefeierten Doctor Lazius; vorn beim Hochaltar aber, auf derselben Seite, jenes des sehr ehrenwerthen Hofraths Herrn Joachim Georg von Schwandtner, welcher eine Stiftung auf einen Dechant und sechs Beneficiaten gründete, und so dadurch diese Kirche zur Collegiatkirche erhob. Den siebenten Beneficiaten stiftete die Familie Peisser von Wertenau. Außer diesen sind noch einige Denkmale vorhanden, und unter der Kirche besteht eine große Gruft, in welcher von einigen hundert Verstorbenen die Gebeine ruhen, mehrere aber noch in Särgen in den Wänden eingesetzt sich befinden. Seit dem Jahre 1783 erhob Kaiser Joseph II. diese Kirche zur Pfarre. Von den Kirchenschätzen bemerken wir, daß sowohl die Paramente als Ornate sehr schön sind, darunter verdienen vorzüglich ein goldener, emaillirter Kelch mit Steinen besetzt und ein Ciborium eine besondere Erwähnung.

Unter den schönen öffentlichen Plätzen Wiens glauben wir auch den Josephsplatz vorzüglich nennen zu müssen, welchen die Statue des Kaisers Joseph II. verherrlicht. Unser glorwürdiger Kaiser Franz ließ solche zu Ehren seines großen kaiserlichen Ohms setzen. Dieses Denkmal stellt auf einem hohen Postamente den Kaiser zu Pferde sitzend im römischen Costüm dar, und ist viel mehr als lebensgroß gehalten. Die Ausführung dieses Kunstwerkes ward dem Professor Zauner überlassen, welcher mit ganz besonderer Vollkommenheit die Statue in Erz, im Jahre 1800, das Pferd aber von gleichem Metall drei Jahre später goß. — Die Höhe des Pferdes von den vordern Füßen bis über die Mähne des Kopfes beträgt 2 Klafter, 15 Zoll, und die ebenfalls kolossale Figur des Kaisers, wäre sie stehend, 13½ Fuß. Wie schon erwähnt, ist das Fußgestell, worauf die Statue, mit dem Angesicht gegen das gräflich Fries'sche Haus gekehrt, steht, von geschliffenem Granitstein und die architektonischen Glieder des Gesimses mit Metallverzierungen geschmückt. Vorn und rückwärts sind an diesem Postamente lateinische Inschriften in Lapidar-Styl, an den Seitentheilen aber zwei große Baßreliefs angebracht. Die vordere Inschrift lautet also: Josepho II. Aug. qui saluti publicae vixit non diu sed totus (Kaiser Joseph dem Zweiten, welcher dem allgemeinen Besten nicht lange aber ganz lebte); die rückwärts: Franciscus Rom. et Aust. Imp. ex fratre nepos alteri parenti posuit, 1806. (ſetzte als ſeinem zweiten Vater (dieſes Denkmal) Franz, römiſcher und öſterreichiſcher Kaiſer 1806). Jedes der Basreliefs iſt 1 Klafter, 4 Schuh, 1 Zoll breit, und 5 Schuh, 4½ Zoll hoch. Sie ſind ebenfalls aus Metall gegoſſen und eins davon ſtellt den Ackerbau und das andere den Handel vor, wie ſie von Joſeph II. neue Belebung und Beförderung erhalten. In geringer Entfernung ſtehen an den vier Ecken Säulenſtühle, ebenfalls von Granitſtein, jeder mit vier Metall=Basreliefs geſchmückt, und das Ganze iſt mit runden Granitſtöcken und Metallketten eingeſchloſſen. Dieſe 16 Basreliefs ſind nach den wirklichen auf den Kaiſer geprägten Münzen gearbeitet; wir wollen unſern geneigten Leſern nicht nur ihre ſymboliſchen Darſtellungen, die uns allerdings ſehr wichtig ſcheinen, indem ſie von der Geburt die Thaten dieſes großen Kaiſers verewigen, mittheilen, ſondern auch zum allgemeinen Gebrauch die lateiniſchen Inſchriften zugleich nach ihrem Wortlaut verdeutſchen. Die erſte auf dem vordern rechten Säulenſtuhle ſtellt jene Münze vor, die auf Joſephs Geburt, die in Thereſiens größter Bedrängniß erfolgte, geſchlagen wurde, — ſie ſtellt den Herkules in der Wiege dar., der die gegen ihn abgeſchickten Schlangen zerdrückt, die Umſchrift lautet: Natus 1741. 13. Martii (geboren am 13. März 1741). Die zweite gehört der erſten Vermählung Joſephs an; die Darſtellung zeigt uns, wie Hymen ſeine Fackel an einem Opferaltar anzündet und in der rechten zwei Kränze hält, mit der Ueberſchrift: Felix Connubium Celebrat Vind. 6. Oct. 1760. (die zu W** gefeierte glückliche Vermählung am 6. Oct. 1760). Die dritte hat auf die Krönung Joſephs zum römiſchen König Bezug; ſie enthält eine weibliche Figur mit einer Thurmkrone auf dem Haupte, die auf dem Thronſtuhle ſitzt und ein Steuerruder und das Horn des Ueberfluſſes hält, mit der Deviſe: Gloria novi seculi. El. et cor. Francf. 1764. (die Zierde der neuern Zeit erwählt und gekrönt zu Frankfurt 1764). — Die vierte enthält diejenige Münze, welche bei eben dieſer

Krönung, ausgeworfen wurde. Ueber den Wolken schwebt darauf eine Weltkugel, auf welcher sich ein Steuerruder und ein Schwert, beide mit Lorber umschlungen, befinden, und ober derselben das Auge Gottes, darüber stehen die Worte: Virtute et Exemplo (durch Tapferkeit und Nachahmung). — Auf dem andern vordern Säulenstuhl links ist die erste die von Kaiser Joseph im Jahre 1787 gestiftete militärische Ehrenmünze, auf der in einem über Trophäen schwebenden Lorberkranze die Worte stehen: Der Tapferkeit. Die zweite wurde auf die Ankunft Josephs und seines Bruders und Nachfolgers Leopold in Rom geprägt. Sie stellt durch eine weibliche sitzende Figur die Stadt Rom vor, welche in einer Hand eine Lanze, in der andern eine Kugel hält, zu ihren Füßen fließt die Tiber; die Umschrift ist: Roma exultans ob fratrum Aug. adventum 1769. (Rom hocherfreut durch die Ankunft der kaiserlichen Brüder im Jahre 1769). — Die dritte ward auf Josephs Reise nach Italien geprägt, und stellt den Kaiser im römischen Costüm zu Pferde dar, wie vor ihm die Minerva einherschreitet; sie führt die Worte: Italia a Caesare perlustrata 1769. (Italien vom Kaiser durchreist im Jahre 1769). — Die vierte gibt uns die Erinnerung an Josephs erste Reise nach Siebenbürgen; von der Freigebigkeit begleitet, reitet der Kaiser zu einem mit dem siebenbürgischen Wappen geschmückten Stadtthor, ober welchem die Umschrift, welche die Römer gewöhnlich nur mit den Anfangsbuchstaben gebrauchten, angebracht ist: S. P. Q. D. optim. Princ. Adventus Aug. 1773. (Die Vorgesetzten und das Volk Daciens (Siebenbürgens) dem besten Fürsten. Ankunft des Kaisers 1773). — Auf dem hintern Säulenstuhle links ist jene Medaille angebracht, welche als die erste ebenfalls zum Andenken von Josephs Ankunft in Siebenbürgen geprägt ward; die symbolische Darstellung zeigt den Kaiser in römischer Kleidung zu Pferde, neben ihm steht die Freigebigkeit, vor ihm kniet eine das Großfürstenthum Siebenbürgen vorstellende Frau, die ihm dankbar die Hand reicht; die Ueberschrift lautet: Felicitas Daciae. Profectio Aug. 1773. (Das Glück Daciens. Abreise des

Kaisers 1773). Die zweite hat Bezug auf die Organisirung Ga-
liziens. Sie stellt eine männliche Figur in antikem Costüm dar,
welche in einer Hand eine Urkunde hält, und die andere einer
weiblichen Figur über einem Kornscheffel reicht, mit den darüber
gesetzten Worten: Conventu Ordin. Perpetuo in Galicia et
Lod. constituto. 1782. (durch eine geregelte und dauernd errichtete Verfassung in Galizien und Lodomerien. 1782). — Die
dritte ist zum Andenken der in Lemberg errichteten Hochschule
geprägt worden. Auf einem Altar steht eine mit Lorbeer umwun-
dene Leier (die schönen Wissenschaften), neben derselben eine Eule
(die Wachsamkeit) und das galizische Wappen mit der Umschrift:
Optimar. art. ludis in Galicia constitut. Academia Leo-
pol. 1784. (Die für die Ausübung der schönen Künste in Galizien gegründete Leopoldin'sche Akademie. 1784). — Die vierte
deutet auf die Errichtung des Armeninstitutes; sie enthält zwei
in Wolken schwebende Gesetztafeln (die zehn Gebote Gottes) mit
den Umschriften: Dilige Deum super omn. prox. ut te
ipsum, und: Pauperum Instituto Vindob. 1784. (Liebe Gott
über Alles und deinen Nächsten wie dich selbst. Armenanstalt zu
Wien 1784). — Auf dem hintern vierten Säulenstuhle rechts ist
jene geprägte Münze angebracht, die auf die Einführung der Re-
ligions=Toleranz hindeutet. Auf derselben sieht man zwei aus
Wolken ragende Arme, welche sich die Hände über dem Erdballe
reichen, worüber die Worte stehen: Concordia Religionum
(Einigkeit in der Gottesverehrung). Die zweite ward auf die Errichtung der Josephinisch=chirurgischen Militär=Akademie geschla-
gen; sie stellt die Haupt=Façade des Akademie=Gebäudes vor,
und trägt die zwei Devisen: Curandis militum morbis et
vulneribus (den kranken und verwundeten Kriegern zur Heilung),
und: Academia Medico-Chirurgica Instituta Viennae 1785.
(Medicinisch=chirurgische Akademie zu Wien gegründet 1785).
Die dritte hat ihre Bedeutung auf die Vereinigung der Akade-
mien der bildenden Künste; die symbolische Darstellung darauf
enthält den Genius der Kunst, welcher die kleine Jugend zum
Tempel der Minerva (als Göttin der Weisheit und Künste) führt,

und über welchen die Aufschriften sind: ingenio et industria
(durch Scharfsinn und Fleiß) und: Academia Vienn. novis in-
stitutis aucta. 1786. (Die mit neuen Anstalten vermehrte Akademie zu Wien. 1786). Die vierte bezieht sich auf die Gründung
des Taubstummen-Institutes. Sie stellt den Lehrer mit zwei
Taubstummen dar, wovon die wirklich sinnreiche Umschrift folgende ist: Surdi mutique sollicitudine, munificentia Princi-
pis societati sibique utiles redditi (die Tauben und Stummen
werden, durch Fürsorge und Freigebigkeit des Herrschers, der menschlichen Gesellschaft als nützliche Mitglieder und sich selbst wieder
gegeben).

Es ist dieß das einzige öffentliche Monument in Wien,
dem Hause Habsburg angehörend, zum unvergänglichen Ruh-
me Kaiser Josephs II. von seinem ruhmgekrönten Nef-
fen, dem Kaiser Franz I. von Oesterreich, der ihn einen
zweiten Vater nannte, gesetzt. Immer wird dieses
Standbild den wahren Oesterreicher an die großen Wohlthaten erinnern, die ihm und seinem
Vaterlande von den beiden Kaisern in so reicher
Fülle zu Theil wurden!

Am Kärnthnerthor befindet sich auch ein schönes Theater,
welches gegenwärtig bloß für Opern und Ballete besteht, und in
Pachtung gegeben ist. Dasselbe existirt seit dem Jahre 1763, und
wenn gleich sein Aeußeres nicht in architektonischer Hinsicht ge-
rühmt werden kann, so ist doch das Innere wunderschön, und
ganz angemessen, ein gewähltes Publikum aufzunehmen. Es hat
fünf Stockwerke mit drei Range Logen und eine prachtvolle Hof-
loge. Im Ganzen dürfte solches bei 3000 Menschen leicht fassen.
Hier werden von guten Sängern die größten Opern und Ballete
mit einer Eleganz in jeder Hinsicht zur Aufführung gebracht.

Wir haben außer den bereits oben beschriebenen einzelnen
Bestandtheilen noch mehrere zu erwähnen, die wir hier zur voll-
ständigen Ergänzung des Merkwürdigen der Stadt in gedrängter
Reihe folgen lassen. Dazu gehört die Capelle des heiligen
Nicolaus, der kaiserlich russischen Botschaft in Wien in der

Wallfischgasse. Sie besteht in einem stuccaturten Gemach, welches reich mit Vergoldungen ausgeschmückt ist. Der Hochaltar hat zwei steinerne vergoldete Basreliefs, mit Postamenten und Säulen versehen, mit vielen Oelgemälden, Heilige darstellend, in vergoldeten Rahmen, wie es überhaupt in griechischen Kirchen üblich ist. Quer durch die Capelle läuft ein erhöhter Sitz mit grauem Geländer, und zwei vergoldete Luster zieren noch das Innere. Außer dieser ist auch noch eine Capelle im Eckhause am Vögelmarkt, zu »unserm Herrn im Elend« genannt, vorhanden, welche aber nun cassirt werden soll. Der Stifter dieser Capelle war der Erzbischof Trautsohn im Jahre 1693. Sie hat einen Hochaltar mit dem Bildnisse Aller Heiligen, und in einem Glasbehältnisse die kleine Statue des Herrn im Elend, welche gedachter Erzbischof von seinen Gütern hieher brachte, dann einen Seitenaltar mit einem schönen Frauenbilde. Obschon von Papst Benedict XIV. mit mehreren Privilegien beschenkt, wird in derselben gegenwärtig doch kein Gottesdienst mehr gehalten. Noch bestehen außer dieser die St. Katharina-Capelle im Zwettelhof, von Ulrich, Domherrn zu Passau, im Jahre 1214 gestiftet, mit einem schönen Altarblatte; die heilige Johann von Nepomuck-Capelle auf der hohen Brücke, eine kleine runde Capelle, aus sechs Marmorsäulen korinthischer Ordnung bestehend, mit der Statue des benannten Heiligen aus Alabaster am Altare, die der Cardinal von Sachsen-Zeiz 1725 errichten ließ; die Mariä Opferungs-Capelle im Landhause neben der Prälatenstube, im Jahre 1659 erbaut, deren Altarblatt, die Opferung Mariä, ist ein allerdings geschätztes Kunstgemälde; die Capelle zu St. Martin im k. k. Militär-Stabs-Stockhause am neuen Thor; die Capelle Mariä Himmelfahrt im Melkerhofe, und jene des heiligen Bernhard im Heiligenkreuzerhofe, dann die Kreuz-Capelle im fürstlich Lichtensteinischen Palais in der Herrngasse.

In der Dorotheergasse bestehen zwei Bethäuser, nämlich jenes der evangelischen Gemeinde, Augsburgi-

fcher Confeffion im Haufe Nr. 1113 und das der refor=
mirten Gemeinde Helvetifcher Confeffion gleich
daneben Nr. 1114. Sie wurden durch Kaifer Jofeph II. ins
Leben gerufen und erfteres 1783 und letzteres 1784 eröffnet. Das
Bethaus der evangelifchen Gemeinde hat einen Altar mit dem
fchönen Bilde des gekreuzigten Heilandes, von Lind=
ner gemalt, und eine vorzüglich gute Orgel, von dem berühm=
ten Deutfchmann verfertigt. In diefem Gebäude find zugleich
die Wohnungen der Prediger und einige Claffen der Schulen für
die proteftantifche Jugend beider Confeffionen. Der Gottesdienft
wird öffentlich an Sonn= und Feiertagen in beiden verrichtet.

Synagogen beftehen zwei; die größere und fehr fchöne
neue Synagoge für hiefige Ifraeliten, wobei zugleich eine Schule
verbunden ift, befindet fich am Kienmarkt Nr. 494, die zweite,
ausfchließend für Ifraeliten aus Pohlen, ift im fogenannten
Lazenhof.

Wir glauben unfern verehrten Lefern etwas Erwünfchtes zu
thun, wenn wir auch einige der vielen Privat=Sammlungen, die
in der Stadt beftehen, aufführen. Die davon bemerkenswerthe=
ften find: die Bibliothek des Grafen Appony auf der ho=
hen Brücke Nr. 143, die aus 20,000 Bänden der koftbarften
Werke befteht; die Sr. Erlaucht des Grafen Franz Philipp
von Schönborn=Buchhaim von 18,000 Bänden, worun=
ter eine Biblia sacra vom Jahre 1342; die des Herrn Grafen
Ignaz Fuchs zu Buchheim von 8000 Bänden aus allen
Fächern der Literatur, nebft Kupferftichwerken und Prachtausga=
ben, alten Manufcripten und einer reichen Sammlung von
den vorzüglichften Mufikwerken; die des Herrn Gra=
fen Johann Harrach auf der Freiung, befonders reich an
Büchern aus der ökonomifchen Literatur; die Fürferzbi=
fchöfliche Bibliothek, eine koftbare theologifche Bücher=
fammlung; die Bibliothek des Staatskanzleirathes Herrn
Freiherrn von Bretfeld=Chlumtzansky auf der Waffer=
kunftbaftei Nr. 1191, in 8000 Bänden verfchiedener Sprachen
und Wiffenfchaften beftehend, vorzüglich im Fache der Gefchichte,

dann 800 Bände der besten und seltensten Werke über die Mün=
zen der Alten, des Mittelalters und der neuesten Zeit, mit einer
sehenswerthen Münzsammlung und einer genealogisch=heraldi=
schen, dann einer Siegelsammlung verbunden; jene des Herrn
Baron von Knorr in der Bäckerstraße Nr. 767, welche einzig
und allein nur das Fach der Literatur der Tonkunst umfaßt, und
an Vollständigkeit und Zahl als die beste gelten kann; die Bi=
bliothek des Staatskanzleirathes Herrn Carl von Kesaer
in der Singerstraße Nr. 900 von 4000 Bänden, mit vielen bi=
bliographischen Seltenheiten und einer vollständigen Sammlung
deutscher Belletristen, geschmückt; die Bibliothek des n. ö.
ständischen Registrators Herrn Ignaz Castelli, mehr als
10,000 deutsche und ins deutsche übersetzte Theaterstücke, die
Portraite von mehr als 400 Schauspielern und von mehr als
300 Theaterdichtern, dann viele alte Comödienzettel vom Jahre
1600 bis 1700, und alle Zettel aller Wiener Theater vom Jahre
1801 angefangen bis gegenwärtig enthaltend; die Bibliothek
des n. ö. ständischen Buchhalters Herrn Johann Baptist
Geißler, welche viele Werke enthält, die über Tonkunst han=
deln; die Bibliothek des Herrn Tobias Haslinger,
k. k. Hof=Musikalien=Händlers, mit vorzüglichen Werken aus
der Literatur der Tonkunst und einer interessanten Sammlung
von Autographien musikalischer Autoren älterer und neuerer Zeit;
die Bibliothek der k. k. Akademie der orientalischen
Sprachen mit den vorzüglichsten Werken der Geschichte und
Länderkunde, morgenländischen Büchern und vielen Manuscrip=
ten in den Sprachen des Orients; die Bibliothek der k. k.
Akademie der vereinigten bildenden Künste, für die
Professoren und Zöglinge bestimmt, die vorzüglichsten Schriften
über alle Zweige der bildenden Künste und ihre Geschichte ent=
haltend; die Bibliothek an der k. k. Sternwarte im
Universitäts=Gebäude, mit den besten Werken der älteren und
neueren Astronomen versehen; die Bibliothek der n. ö. Her=
ren Stände von 2000 Bänden und vielen Manuscripten;
die Bibliothek des k. k. Hofkriegsarchives im Kriegs=

gebäude, mehr denn 4000 Werke und besonders gute die Kriegs= kunst betreffende Schriften; die Bibliothek der k. k. Land= wirthschaft im Heiligenkreuzerhofe; die Bibliothek der Gesellschaft der Musikfreunde im österreichischen Kai= serstaate, mit einer Sammlung verschiedener, selbst ganz alter Instrumente; die Bibliothek der PP. Capuciner am neuen Markte, mehrentheils Werke bloß für Theologen und As= ceten; die Bibliothek der PP. Dominicaner, Fran= ciscaner, Redemtoristen, Augustiner und Schot= ten, welch letzteres Stift wohl mehr als 12,000 Bände, vor= züglich im Bibelfach, aufzuweisen hat.

An der k. k. Universität ist ein für die Naturgeschichte höchst wichtiges naturhistorisches Museum von den beiden berühmten Naturforschern, dem Erjesuiten P. Franz und dem Freiherrn Nicolaus von Jaquin in zwei Sälen angelegt worden. Wir fanden im ersten Saale, dessen Plafond von Pozzo al fresco gemalt ist, Vögel, Amphibien, Fische, Würmer, Insecten und Mineralien; im zweiten viele Säugethiere, Ske= lette von großen Thieren, Conchilien, und in einem Nebenca= binette eine präparirte Skelettensammlung mehrerer Säugethiere, Vögel und Amphibien; dann die Gehörwerkzeuge der Vögel und das Knochengebäude eines Pferdes, auf welchem ein menschliches Gerippe sitzt. Im neuen Universitätsgebäude ist im zwei= ten Stocke in zwei Sälen die Sammlung der anatomi= schen Präparate aufgestellt. Im größern Saale, der mit der Büste Kaiser Josephs II. aus carrarischem Marmor ge= ziert ist, befinden sich die Präparate von Albin, Ruysch und Lieberkühn, welche der berühmte van Swieten an sich gebracht und dem medicinischen Collegium geschenkt hat; ferner eine große Anzahl mikroskopischer Präparate von Fötus (der thie= rische Keim (Embryo), am besten aber Frucht genannt), selte= nen Geburten und merkwürdige Präparate der Augenkrankheiten; im kleinern Saale sind die Sammlungen von Fötus, Knochen, Gehörwerkzeugen ꝛc. des verstorbenen Regierungsrathes von Pro=

haska, und die vorzüglich schönen Präparate des Herrn Pro=
fessors Michael Mayer.

Auch Privat=Mineralien=Sammlungen gibt es
mehrere, wovon eine vorzüglich große Herr Fürst Niclaus von
Esterhaszy; der Herr Fürst Johann von Lichtenstein;
Herr Friedrich Egon, Landgraf zu Fürstenberg, Oberst=
Ceremonienmeister; Herr Fürst Ferdinand von Lobkowiß;
Herr Johann Rudolph von Gersdorf, k. k. Hofsecretär
bei der allgemeinen Hofkammer; Herr Stephan Edler von
Keeß, erster Commissär bei der k. k. Fabriken=Direction; Herr
Joseph vou Lethenyey, k. k. Artillerie=Oberst und Stück=
gießerei=Director; Herr Christoph Mayr, Doctor der Arz=
neikunde; Herr Ignaz Mofer, bürgerlicher Apotheker auf
der Wieden; Herr Joseph Mofer, bürgerlicher Apotheker
in der Josephstadt; Herr Thadeus Peithner Ritter von
Lichtenfeld, k. k. Hofrath bei der allgemeinen Hofkammer;
Herr Franz Reicheßer, k. k. Bergrath; Herr August
Rockert; Herr Ignaz Römer, Cassier bei dem k. k. Haupt=
münzamte; Herr Joseph Rumpler; Herr Ludwig Edler
von Udvarnoky von Kis=Joka, ungrisch=siebenbürgischer
Hofagent; Herr Ferdinand Zimmermann, k. k. Rath,
besißen.

Gleichwie diese gibt es auch bei Privaten viele Con=
chylien=, Insekten= und Schmetterling=, insländi=
scher Perlen, europäischer Vögel, ökonomischer
Pflanzen, mechanischer Maschinen, Instrumen=
ten= und Modell=, technischer und landwirthschaft=
licher Modelle, Alterthümer=, Münzen= und Anti=
quitäten=, Kunst= und Musikalien=Sammlungen.

Wien, als die k. k. Haupt= und Residenzstadt,
bildet den Aufenthaltsort des allerhöchsten kaiserlichen
Hofes, und jedes Glied desselben, von Sr. Majestät
dem Kaiser angefangen, hat eine eigene Kammer, wie wir
bei der Beschreibung der Burg gesehen haben, und eine eigene
Dienerschaft, die aber einem Hofamte unterstehen. Zugleich ist

144

Wien der Sitz für die Ministerien der obersten Hofämter und Hofstellen.

Zum Hofstaate Sr. Majestät des Kaisers gehören eigentlich vier oberste Hofämter, acht Hofdienste, drei Leibgarden, die sämmtlichen Orden, die Civil-Ehrenkreuze, die geheimen Räthe, Kämmerer, Truch-sesse und Edelknaben.

Den ersten Rang bekleidet der Oberst hofmeister (gegenwärtig unbesetzt), welcher zugleich Oberster aller Gar-den ist. Unter ihm steht das sämmtliche Personale, welches zur eigentlichen Haushaltung des allerhöchsten Hofes gehört; nämlich: das Oberst hofmeister=Amt; die Herolde; die k. k. Hofcapelle; die Hofärzte; die Hofstaats-Buchhaltung; die Hofmobilien=Direction; die Hof-gärten=Direction; das Hofzahlamt; dann ferner die acht Hofdienste, als: der Oberstküchenmeister; der Oberstsilberkämmerer; der Oberststabelmeister; der Oberst hof= und Landjägermeister; die General-Hofbau=Direction; die k. k. Hofbibliothek; der Hofmusikgraf; der Ober=Ceremonienmeister und die drei Garden: die k. k. Arciren=Leibgarde, oder die sogenannte deutsche Garde; die königlich ungri-sche adeliche Leibgarde; die k. k. Trabanten=Leib-garde, und die k. k. Hofburgwache.

Den zweiten Rang hat der Oberst=Kämmerer. An diesen müssen sich alle Fremde von Rang persönlich oder durch den am hiesigen Hofe accreditirten Minister ihres Hofes wenden, wenn sie dem Kaiser oder der kaiserlichen Familie vorgestellt zu werden wünschen. Auch sind dem Oberst=Käm-merer das Oberst=Kämmerer=Amt; die Beichtväter; die Leibärzte; die k. k. Schatzkammer; die k. k. verei-nigten Naturalien=Cabinette; das k. k. Münz=, An-tiken= und physikalisch=astronomische Cabinet; die k. k. Gemälde=Gallerie im Belvedere; die Ambras-ser Kunst= und Waffen=Sammlung; alle Kammer=

146

Künstler; Kammerdiener; Kämmer = Fouriere;
Thürhüter; Kammerheitzer; Kammerherren = An=
sager; die k. k. Hofburg = und Schlösser = Inspecto=
ren und die k. k. Hoftheater = Direction mit dem
sämmtlichen Personale untergeordnet.

Oberst = Kämmerer und zugleich Stellvertreter
des Oberst = Hofmeisters ist gegenwärtig Se. Excellenz
Herr Johann Rudolph Graf von Czernin zu Chu=
denitz.

Den dritten Rang besitzt der Oberst = Hofmar=
schall. Er ist der Chef des Hofgerichts, welches die
öffentlichen und rechtlichen Angelegenheiten des
diplomatischen Corps und der dazu gehörigen Personen, auch
die Polizei = Aufsicht und gerichtlichen Abhandlungen über
die unmittelbar zum Hofe gehörige Dienerschaft ausübt.

Den vierten Rang bekleidet der Oberst = Stall=
meister. Demselben sind untergeordnet: das Oberst = Stall=
meisteramt; die Edelknaben; die k. k. Hof = Reit=
schulen; die Hofstallungen; die Hof = Fourage = Ma=
gazine; die sämmtlichen k. k. Hofgestüte; die Hof=
und Kammer = Büchsenspanner; die Hof = und Leib=
schiffmeister; die Hof = und Feldtrompeter; die Hof=
pauker; die Laiblakaien; die Hof = Künstler; Hof=
Lieferanten und Hof = Handwerksleute.

Außer diesen wirklichen höchsten Hofämtern bestehen noch
einige andere aus den alten Hofverfassungen herrührende Char=
gen, welche aber gegenwärtig nur noch bloße Titular = Aemter
sind. Diese werden bezeichnet als der Oberst = Falkenmei=
ster; Erbland = Münzmeister; Erbland = Vorschnei=
der; Erbland = Mundschenk.

Die k. k. Patrimonial=, Avitical= und Familien=
güter = Oberdirection mit ihren unterstehenden Aemtern
steht unter der Leitung eines k. k. Hofrathes.

Der Hofstaat ihrer Majestät der Kaiserin be=
steht aus einem Obersthofmeister; einer Obersthof=

10

meisterin; ben Sternfreuz=Drbensbamen unb Da=
men du Palais.

Auch die übrigen höchsten Familienglieder des kaiserlichen
Hofes haben ein jedes einen Obersthofmeister in ihrem
Hofstaate.

Die Ritter=Orden, Ehrenkreuze und Ehren=
Medaillen sind folgende: 1) der Ritter=Orden des
goldenen Vließes (gestiftet von Philipp dem Guten,
Herzog von Burgund 1430). Er besteht in einer goldenen Or=
benskette um den Hals, woran vorn das goldene Lammsfell
(das Vließ) hängt. Dieser Orden ist der höchste und wird deß=
halb auch nur dem hohen Abel verliehen; Sr. Majestät sind
von diesem und den nachfolgenden vier Orden Großmeister.
2) Der militärische Marien=Theresien=Orden (von
der Kaiserin Maria Theresia nach der Schlacht von Col=
lin 1757 gestiftet) besteht in einem weiß emaillirten Kreuze
mit der Umschrift: fortitudini, mit weiß und rothem Band.
Die Abstufungen sind Großkreuze, Commandeur= und Klein=
kreuze (Ritter). Dieser schöne Orden hat auch den Genuß ei=
ner Pension, die für ein Großkreuz mit jährlichen 1500 Gul=
den, für einen Commandeur 800 Gulden und für die Classe
der Ritter mit 600 und 400 Gulden C. M. bemessen ist. Er
wird bloß an Generäle und Officiere, die sich auf dem Schlacht=
feld ausgezeichnet haben, verliehen. 3) Der königlich un=
grische St. Stephans=Orden (von der Kaiserin Maria
Theresia 1764 gestiftet) hat ebenfalls dieselben Abstufungen
wie der Marien=Theresien=Orden. Das Ordenszeichen besteht
in dem ungrischen Kreuze mit einem grün und roth gestreiften
Bande, in der Mitte des Kreuzes mit einem Eichenblätter=
Kranze mit den Buchstaben: M. T. und der Umschrift: Pub-
licum meritorum premium, und auf der andern Seite im
weißen Felde: Sancto Stephano Regi I. Apostolico. Mit
diesem Orden sind keine Einkünfte verbunden, und er wird an
ausgezeichnete Civil=Beamte der österreichischen Erbländer ver=
liehen. 4) Der Leopolds=Orden (gestiftet im Jahre 1808

bei Gelegenheit der dritten Vermählung des jetzt regierenden Kaisers) hat den Zweck, die um den Staat und das Haus Oesterreich erworbenen Verdienste zu belohnen; darum wird dieser Orden, ohne Rücksicht auf Rang und Geburt, an Jedermann ob Civil oder Militär ertheilt, welcher sich um das Vaterland verdient gemacht hat. Dieser Orden hat die nämlichen Grade wie die zwei vorbenannten, und besteht in einem achteckigen goldenen Kreuze mit rother Emaillirung und weißer derlei Einfassung mit roth und weiß gerändertem Bande. Auf der Vorderseite sind die Anfangsbuchstaben F. I. A. (Franciscus Imperator Austriae), und in der Einfassung die Worte: Integritati et Merito, auf der Rückseite aber der Denkspruch Kaiser Leopolds II. angebracht: Opes Regum Corda Subditorum. 5) Der Ritterorden der eisernen Krone (als die Lombardei und ein großer Theil von Italien wieder an Oesterreich zurück kamen, erklärte Kaiser Franz I. im Jahre 1815 diesen schon von Napoleon gestifteten Orden, als Andenken der eisernen Krone, mit welcher ehemals die longobardischen Könige gekrönt wurden, für einen seiner Hausorden), wovon der Monarch ebenfalls Großmeister ist, besteht in drei Ritter=Classen. Das Ordenszeichen ist ein eisernes Kreuz mit dem österreichischen Adler und einem blauen Schild, auf dessen einer Seite der Buchstabe F und auf der andern die Zahl 1815 steht. 6) Die Elisabeth=Theresianische Militär=Stiftung, welche von der Kaiserin Elisabeth Christina im Jahre 1750 gegründet und von Maria Theresia 1771 erneuert wurde, ist für alte außer Activität stehende Stabs=Officiere bestimmt, die lange und untadelhaft gedient, sich vor dem Feinde ausgezeichnet und eine Pension zu beziehen haben. Das Ordenszeichen besteht in einem mehreckigen schwarzen Kreuze, wovon die Ränder weiß emaillirt sind, mit schwarzem Bande. Dieser Orden hat nur eine Classe von Rittern, deren Zahl auf zwanzig festgestellt ist, und welche jährlich eine mäßige Pension erhalten. 7) Das Civil=Ehren= kreuz, aus Gold und Silber geprägt, haben diejenigen Staats= diener und Civil=Unterthanen für die Verdienste erhalten, welche

10 *

dieselben durch eine außerordentliche und ausgezeichnete persönliche Verwendung für den directen Zweck des Befreiungskrieges in den Jahren 1813 und 1814 erworben haben. Sr. Durchlaucht der Herr Fürst von Metternich erhielt 1815 das Großkreuz. Das Band an diesem Ehrenkreuze ist schwarz und gelb der Länge nach gestreift. 8) Die Civil=Ehren=Medaille (von Sr. Majestät dem jetzigen Kaiser gegründet) ist von Gold und hat drei verschiedene Größen. Die ganz große wird oftmals mit einer goldenen Kette verliehen, so aber wird sie gewöhnlich. mit ganz rothem Bande getragen. Die große hat auf der Vorderseite das Brustbild des kaiserlichen Stifters mit dem Worte: Honori, und mit der Umschrift auf der andern Seite: Austria ad Imperii dignitatem erecta; die mittlere und kleine haben auf der Vorderseite ebenfalls das Bild des Kaisers, auf der Rückseite die Wage der Gerechtigkeit, einen Zepter und Merkurstab, mit der Umschrift: Justitia regnorum fundamentum; Sie wird zur Belohnung an verdiente Personen beiderlei Geschlechtes, deren Stand oder Verdienste nicht zur Ertheilung eines Ordens geeignet sind, verliehen. 9) Die Militär=Tapferkeits=Medaille (vom Kaiser Joseph II. 1788 gestiftet) besteht als eine militäri= sche Ehrenmünze in Gold und Silber, zur Belohnung für Aus= zeichnung vor dem Feinde für gemeine Soldaten und Unter= Officiere. Sie ist größer als ein Guldenstück, auf der Vorder= seite ist das Bildniß des regierenden Monarchen, und auf der Rückseite die Worte: »der Tapferkeit,« von einem Lorber= kranze umfangen. Das Band ist roth mit zwei weißen Streifen. Die goldene Medaille verschafft dem Besitzer die ganze Löhnung als Zulage, in der Charge als er solche erhält, und die silberne die Hälfte der Löhnung; jedoch beide Beiträge können nur in so lange bezogen werden, als der Vertheilte sich im Militärstand befindet, oder von selbem unmittelbar in Staatsdienst übertritt. 10) Die Ehren=Denkmünze der Wiener Freiwil= ligen ließ Kaiser Franz I. im Jahre 1797 prägen, und von den damals zusammen getretenen 15,000 Mann Freiwilligen zur Vertheidigung des Vaterlandes an alle diejenigen vertheilen, welche in das Feld gerückt waren. Sie ist von Silber und hat auf der Vorderseite das Brustbild des Kaisers, und auf der Rückseite den Denkspruch: Den biedern Söhnen Oester= reichs des Landesvaters Dank. Diese Denkmünze wird an einem schwarz und gelbgestreiften Bande getragen, und ist seit den 33 Jahren her schon recht selten geworden. 11) Das k. k. Militär=Armeekreuz. Dasselbe wurde aus dem Metalle der eroberten französischen Kanonen geprägt, und mit schwarz und gelb gestreiftem Bande an alle österreichische Krieger ohne Unterschied des Ranges vertheilt, die an den denkwürdigen französischen Kriegen im Jahre 1813 und 1814 vor dem Feinde gestanden haben. Es hat die Gestalt eines mit einem Lorberkranze eingefaßten Kreuzes, auf welchem die Vorderseite mit der Inschrift: Libertate Europae asserta MDCCCXIII.MDCCCXIV., und die Rückseite mit den Worten: Grati Princeps et Patria, Franciscus Imp. Aug., geschmückt ist. Dieses Ehrenkreuz wurde am 25. September 1814, beim Einzug des Kaisers von Rußland und des Königs von Preußen in Wien, von allen Generalen, Officieren und Soldaten zum erstem Mal getragen. 12) Die Salvator=Denkmünze. Solche läßt der Wiener Magistrat im kaiserlichen Münzhause in verschiedener Größe aus Gold prägen, und betheilt damit Bürger und andere Männer, die sich um die Stadt Wien ausgezeichnete Verdienste erworben haben. Die Hauptseite der Münze enthält das Brustbild des Erlösers, mit der Aufschrift: Salvator mundi. die Rückseite aber die Stadt Wien, von dem göttlichen Auge bestrahlt. Zur Rechten der Stadt zeigt sich der Flußgott der Donau, zur Linken die Nymphe des Wien= flusses. Unten ist folgende Inschrift angebracht: MVNVS. R. (ei) P. (ublicae) VIENNENS. (is). 13) Der Sternkreuz= Orden, (gestiftet von der Gemahlin Kaiser Leopold I. im Jahre 1668 zum Andenken an den Kreuzestod unsers Heilan= des) ist eine weibliche Decoration und besteht in einem kleinen goldenen Kreuz in einem runden Stern, welcher die Umschrift trägt: Salus et Gloria, und wird an einem schwarzen Bande

getragen, an der linken Brust. Dieser Orden wird nur an verhei=
rathete Damen von hohem Range des In= und Auslandes ver=
theilt, wovon jederzeit die Gemahlin des Kaisers Großmei=
sterin ist.

Vorstehende Beschreibung des Hofstaates gehört zum er=
sten Abschnitte des Hofstaates; auf welchen nun der
zweite Abschnitt folgt. Dieser besteht in den nachstehenden
höchsten und hohen Stellen, welche sich sämmtlich in der
Haupt= und Residenzstadt Wien befinden:

Die k. k. Staats= und Conferenz=Minister.

Das geheime Cabinet Sr. Majestät des Kaisers.

Der k. k. Staats= und Conferenz = Rath für die inländischen
Geschäfte.

Die — Staatsminister.

Die — geheime Haus=, Hof= und Staatskanzlei.

Das geheime Haus=, Hof= und Staats = Archiv.

— k. k. Zahlamt der geheimen Hof= und Staatskanzlei.

Die — Hof= und Cabinets = Couriere.

— auswärtigen Botschafter und Gesandten der fremden Mächte
am k. k. österreichischen Hofe.

Die k. k. Hofcommission über die reichshofräthlichen Acten.

— — vereinigte Hofkanzlei.

Das — Rechnungs=Department für die directen Steuern.

Die — Catastral=Vermessung.

— königl. ungrische Hofkanzlei.

— königl. siebenbürgische Hofkanzlei.

— k. k. allgemeine Hofkammer.

— — Direction des allgemeinen Tilgungsfondes.

— — Tabak= und Stempelgefällen=Direction.

— — Lottogefälls = Direction.

— — Oberste Hofpostverwaltung.

Das — General = Hoftar= und Erpedits = Amt.

Die — Hof= und Staatsdruckerei = Direction.

Das — Aerarial = Papier = Depot.

Die — Hof= und n. ö. Kammer = Procuratur.

Das k. k. Haupt = Münzamt.

— — Haupt = Punzirungsamt.

Die — Bergwerks = , Verlags= und Producten = Verschleiß= Direction.

— — Cameral= und Credits = Hauptcassen.

— — Oberste Justizstelle.

— — Hofcommission in Justizsachen.

— — Oberste Polizei= und Censur=Hofstelle.

— — Polizei = Hauptcasse.

— — Bücher = Censur.

Der — Hofkriegsrath.

Das — Universal = Kriegszahlamt.

Die — Direction der milit. Kirchenangelegenheiten.

Das — Haupt = Genie = Amt.

— — Artillerie = Hauptzeugamt.

Der — General = Quartiermeisterstab.

Das — allgemeine Apellationsgericht der Armee.

Die — Militär = Medikamenten = Regie.

Das — Sappeur= und Pionier = Corps.

— — Oberste Schiffamt.

— — Militär = Fuhrwesens = Corps = Commando.

— — General = Rechnungs = Directorium.

Die — Staats= , Haupt= und Hofbuchhaltungen.

— — n. ö. Landesregierung.

— — — Civil = Bau = Direction.

— — — Straßenbau = Direction.

— — — Wasserbau = Direction.

Das — Versaßamt.

— — Kreisamt von B. U. W. W.

Die — n. ö. Provinzial = Cameral = Cassen.

Die — Zollgefällen Administration und Gefällen = Verwaltung.

Das — Zoll= und Verzehrungssteuer = Amt.

Die — Staatsgüter = Administration.

Das — Ober = Postamt.

Die — Postwagen = Direction.

Die k. k. Tarkinter für Niederösterreich.

Das — Appellations=Gericht in Oesterreich ob und unter der Ens.

— — n. ö. Landrecht.

— — — Mercantil= und Wechselgericht.

Die — Polizei = Ober = Direction.

— — Polizeihaus = Direction.

Das — Bücher = Revisions = Amt.

— — General = Commando in Nieder= und Oberösterreich.

— — Iud. del. Milt. Mixtum.

Die — Civil= und Militär gemeinsch. Commission.

Das — Platzcommando.

— — n. ö. Provinzial = Kriegszahlamt.

Die — Fortification = Distrikts = Direction.

Das — Garnison = Art. = Districts = Commando.

Die — Feuergewehr = Fabrik.

— — Invalidenhaus = Direction.

— — Provinzial = Staatsbuchhaltung.

— — n. ö. Landschaft.

— — Erbsteuer = Hofcommission.

— — Steuer = Regul. = Provinzial = Commission.

— — Commission zur Erhebung der Hauszinserträgnisse.

— Landstände des Erzherzogthums Oesterreich unter der Ens.

Der k. k. Magistrat der Haupt= und Residenzstadt Wien mit seinen Aemtern.

Die — Studien = Hofcommission.

— — Universität.

— — Medicinisch = chirurgische Josephs = Akademie.

— — höhere Bildungsanstalt für Weltpriester.

— — Akademie der bildenden Künste.

Die — Ingenieur = Akademie.

Das — Thierarzenei = Institut.

Die — Theresianische Ritter = Akademie.

— — Akademie der morgenländischen Sprachen.

Das Pazmannische geistliche Collegium.

— k. k. Stadt = Convict und gräflich Löwenburgische Convict.

Das k. k. Polytechnische Institut und die Real = Schule.

Die Normal = Hauptschulen.

Das k. k. protestantische theologische Studium.

Die Schulanstalt der beiden protestantischen Gemeinden.

Das k. k. Mädchen = Pensionat.

— — Militär = Offizierstöchter = Institut.

Die — Landwirthschafts = Gesellschaft.

— Gesellschaft der Musikfreunde des österr. Kaiserstaates.

Das k. k. Krankenhaus — die Spitäler und Kranken = Institute, das Findelhaus; die Säugammen= und Gebäranstalt und Schutzpocken = Hauptinstitut.

— — Provinzial = Strafhaus.

Die — Arbeits= und Besserungsanstalt.

Das — Versorgungshaus am Alserbach und in der Währinger= gasse.

— — Lazareth und Irrenanstalt.

— — Waisenhaus, Taubstummen= und Blindeninstitut.

Der Privat = Verein zur Unterstützung verschämter Armen.

Die n. ö. Sparcasse mit der damit verbundenen allgemeinen Ver= sorgungsanstalt.

Der Verein zur Unterstützung armer Studenten.

Die Brandversicherungs = Assekuranz und viele andere geistliche und weltliche Privat = Aemter.

Wenn man diese große Zahl von Behörden annimmt, die in Wien bestehen, so wird Jedermann selbst leicht urtheilen kön= nen, daß der Stand der Beamten mehr denn 8000 betragen müsse.

Was übrigens die ganze Bevölkerung von Wien, die Zahl der Bürger, den Handel und Gewerbsstand der Gewerbsleute, der Häuser in der Stadt und in den Vorstädten, so wie die Con= sumtion betrifft, so werden wir eine allgemeine und richtige Uebersicht am Schlusse dieser Abtheilung unsern verehrten Lesern vorlegen.

In der II. Abtheilung unserer Darstellung haben wir die Lage der überaus schönen Vorstädte von Wien bezeichnet, näm= lich, daß solche einen halben Mond um die Stadt bilden, von der

Nußdorfer-Linie der Donau angefangen abwärts bis wieder zur Donau, der St. Marrer-Linie entlang. Im Rücken der Stadt nördlich liegt ganz isolirt, durch den Donau-Canal eine Insel bildend, die Leopoldstadt. Da nach dieser Zeichnung die Darstellung der Vorstädte am deutlichsten wird, so wollen wir auch bei der Leopoldstadt die Beschreibung beginnen und so der Lage nach, wie die Vorstadtsgründe sich an einander reihen, damit fortfahren, vorher aber alle solche namentlich aufführen mit ihrer Häuserzahl.

1) Die Vorstadt	Leopoldstadt	zählt	625	Häuser.
2) —	—	Jägerzeile	—	66 —
3) —	—	Weißgärber	—	108 —
4) —	—	Erdberg	—	408 —
5) —	—	Landstraße	—	622 —
6) —	—	Wieden	—	716 —
7) —	—	Schaumburgerhof	—	90 —
8) —	—	Hungelbrunn	—	11 —
9) —	—	Lorenzergrund	—	17 —
10) —	—	Mäßleinstorf	—	131 —
11) —	—	Nikolsdorf	—	48 —
12) —	—	Margarethen	—	173 —
13) —	—	Reinprechtsdorf	—	24 —
14) —	—	Hundsthurm	—	153 —
15) —	—	Gumpendorf	—	351 —
16) —	—	Magdalenengrund	—	39 —
17) —	—	Laimgrube an der Wien	—	192 —
18) —	—	Windmühle	—	107 —
19) —	—	Mariahilf	—	164 —
20) —	—	Spitelberg	—	146 —
21) —	—	St. Ulrich	—	148 —
22) —	—	Neubau	—	324 —
23) —	—	Schottenfeld	—	486 —
24) —	—	Altlerchenfeld	—	238 —
25) —	—	Strozzischer Grund	—	57 —
26) —	—	Josephstadt	—	208 —

27) Die Vorstadt Alfergrund   zählt 306 Häuser.

28) —   Breitenfeld   — 93 —

29) —   Michaelbairischer Grund   — 34 —

30) —   Himmelpfortgrund   — 86 —

31) —   Thury   — 117 —

32) —   Lichtenthal·   — 112 —

33) —   Althann   — 37 —

34) —   Roßau   — 168 —

Nimmt man zu dieser Summe die 1214 Gebäude der Stadt, so zählt Wien sammt seinen Vorstädten 9133 Häuser, wozu noch 100 gerechnet werden dürfen, die neu im Bau begriffen sind.

Die Leopoldstadt.

Von Alters, besonders aber von den Zeiten Kaiser Rudolphs I. von Habsburg her, finden wir urkundliche Nachrichten, daß der Theil der heutigen Leopoldstadt damals der »untere Werd« genannt wurde. Richten wir unsere Blicke in die Römerzeiten, so finden wir Marc=Aurel, welcher Vindobona als ein Municipium gründete und den Uebergang über die Donau durch diese Halbinsel (germanisch Werder) im Markomanen=Kriege bewerkstelligte. Auch in den Tagen der Babenberger (also früher schon als in der Habsburger Zeiten) hießen die Auen und sumpfigen Wiesen jenseits des an Wien zunächst vorüberströmenden Donauarms (damals floß solcher am heutigen Salzgries) allgemein der Werd (Eiland). So war auch das Werderthor gegen den Kienmarkt zu gestanden, wovon der Thorbogen erst vor einigen Jahren abgebrochen wurde. Daß dieser Werd (Insel), wenn gleich wegen des damals noch verändert gewesenen Donaulaufes auch anders gruppirt, wovon in der Folge manche Theile von dem wüthenden und höchst gefahrvollen Elemente abgerissen und wieder mehrere Theile durch stetes Sandantragen neu gebildet wurden, im XIII. Jahrhundert schon mit Häusern und Gründen gebaut war, beweisen sogar aus dieser Zeit dort begütert gewesene rittermäßige Bürger von Wien, von denen wir einen Hadmar von Werd und mehrere andere aus Urkunden kennen. Und so wie diese war auch das berühmte Geschlecht der von Neuburg, Otto Haimo von Maria= stiegen, die Ritter von Tierna und sogar die Lichtensteine im Werd angesessen und begütert. Späterhin kamen viele der Gründe und Gebäude an die Kammer Herzog Albrechts IV. — Einen Theil des Werdes, gegenüber von Erdpurch (dieser Theil ist nächst des heutigen Lusthauses im Prater mit seiner Umgegend), vergabte Herzog Rudolph am 28. September 1305 an sein neugestiftetes Nonnenkloster bei St. Clara. Wir finden deßhalb in den alten Kauf= und Verkaufsurkunden in dieser Zeitepoche immer den Ausdruck: »enthalb Tunäw vor Werderthor;« später aber schon die veränderte Benennung: »enthalb Tunaw vor roten Turn« (turris rubra). Im XIV. Jahrhundert wuchs die Ansiedlung schnell und mächtig im Werd, welche der häufige Verkehr mit Regensburg und bis in das tiefe Rußland und Asien verursachte. Eine hauptgeschichtliche Erinnerung bieten uns die Hussitenkriege, welche unerhörte Schrecken und Gräuel über das ganze Oesterreich, ganz besonders aber am linken Do= nauufer (Werd) brachten; von ihnen haben wir den Namen Ta= bor (Schanzen) kennen gelernt, der noch heutiges Tags bei den großen Donaubrücken, wo sie aufgeworfen wurden, genannt wird. Eine Schlagbrücke am Rothen Thurm bestand schon un= ter Albrecht dem Lahmen, und es wurde auch späterhin eine bleibende Jochbrücke von einem Ufer zum andern auf Kosten des Landesfürsten und der Bürger zu Wien erbaut; auf dieser wurde die Mauth eingeführt, jene zunächst der Stadt aber blieb frei, somit ist sehr natürlich die Donaubrücke die älteste. Deß= gleichen finden wir unter Albrecht dem Lahmen im Werd schon eine Hauptstraße, die «Kremsstraßze» genannt, die die Communication mit Krems und den andern Orten unterhielt. Es ist unläugbar, daß schon damals sehr viele schöne Gärten und Auen mit wechselnden Landhäusern und andern anmuthigen Par= thien allhier bestanden haben, da die Insel schönes Obst, Blu= men, Geflügel von den Meierhöfen und Fische in Menge für den lüsternen Sinn der Wiener lieferte, die ihre wohlbesetzten

Tafeln damit besorgten. Nicht minder war der **Werd** ein leb=
hafter Ort durch das Landen der Schiffer und ein Unterhaltungs=
ort der Wiener, die alles Schöne dort hatten, was sie wünschten;
und ein weit größerer Vergnügungsort mag die Insel damals ge=
wesen seyn, als heut zu Tage die **Leopoldstadt** sammt dem
Prater ist; denn es gab in den Landhäusern viele Schmausereien,
in den vielen künstlich angelegten Teichen Wasserfahrten, Fi=
schereien, und die lieblichsten Tänze. Daß die Gemeinde im Werd
sehr ansehnlich war, beweist schon dieß, daß sie einen eigenen
Amtmann und vier Genannte (Räthe) hatte, die dem **Huebmei=
ster in Wien** unterstanden. So schön diese Insel war, so stark
mußte sie oft die herben Schläge des Schicksals erfahren, schon
durch die oftmaligen Feindseligkeiten in den trüben Tagen Kaiser
Friedrichs IV., in der Belagerung vom König **Matthias**,
und bei der ersten türkischen Belagerung 1529.

So wie Vieles in der Welt sich ändert, war auch im **Werd**
Alles anders geworden. Die Juden, welche schon in der frühesten
Zeitperiode sich aller Orten hinzudrängen mußten, und in viele
nachtheilige Unternehmungen gegen die Regierung mit verflochten
waren, hatten dadurch den Ausspruch ihrer wiederholten Vertrei=
bung herbeigeführt, und sie wurden vom Kaiser **Ferdinand II.**
auf den **untern Werd** verwiesen. Die Christen, die dort
Häuser hatten, mußten sie den Juden um ein Billiges verkau=
fen und so entstand die **neue Judenstadt**, worüber das
Bürgerspital die Grundherrlichkeit besaß. Viele Feuersbrünste
und höchst gefahrvolle Ueberschwemmungen fanden auch hier im
Laufe der Zeiten statt, wie wir in der Geschichte bereits bemerkt
haben, und welch' menschliches Auge möchte in die Zukunft
schauen, um zu erfahren, in wie fern das oft seine Fesseln
zerreißende Element des Wassers noch die heutige **Leopold=
stadt** schwer heimsuchen wird oder nicht, da wir die bangsten
Erwartungen leider in der Ueberzeugung der furchtbaren Ueberflu=
thung vom Jahre 1830 her in unserm Gemüth verwahren.

Da aber neben der neuen Judenstadt auch dennoch viele
Christen im untern Werd wohnten, so wurde der Orden der

barmherzigen Brüder (1614 — 1624) daselbst eingeführt, auch
die unbeschuhten Carmeliter aufgenommen und ein Juden=Lazareth
auf der sogenannten Taborwiese hergestellt. Nicht lange aber
währte die Ruhe und Freude der jüdischen Familien. Sie wurden
beschuldigt, in der Schwedenzeit und bei der herannahenden Tür=
kengefahr mit dem Feinde im Einverständniß zu seyn, dazu kam
ein fürchterlicher Auflauf auf der Schlagbrücke am 2. Juni 1649
mit den Studenten, wobei ebenfalls die Juden büßen mußten,
endlich aber beschuldigte man sie des Burgbrandes in jenem Theil,
welchen Kaiser Leopold I. aufführen ließ, wodurch sogar das
Leben der kaiserlichen Familie in Gefahr kam, obschon solcher
durch die Unvorsichtigkeit eines schlaftrunkenen Tischlergesellen
entstand; Alles dieses zusammen brachte endlich am 30. Juli 1669
ihre gänzliche Vertreibung ohne alle Ausnahme bei Leib= und
Lebensstrafe zuwege, mit dem unabänderlichen kaiserlichen Befehl:
daß sich keiner von ihnen am künftigen Frohnleichnamsabend mehr
blicken lassen dürfe. Die einzige Ausnahme von diesem so harten
Gebote erstreckte sich allein auf den Judenrichter Schlesinger,
der als Hof=Factor wichtige Dienste geleistet hat.

Der Magistrat erbot sich nun, die Judenstadt an sich zu
lösen, welche Kaiser Leopold I. ihm auch am 24. July 1670
für 100,000 Gulden zur Tilgung der Judenschulden zuerkannte,
und zugleich befahl, daß anstatt der Juden=Synagoge eine Kirche
hergestellt werde, welche von Weltpriestern besorgt werden solle;
er legte dazu den 18. August desselben Jahres selbst den Grundstein
mit großer Feierlichkeit, und sie wurde 1671 zur Ehre des
heiligen Leopold geweiht. Die vormalige Judenstadt erhielt
nun den Namen »Leopoldstadt,« und der Kaiser ertheilte
ihr am 15. October 1671 ein Markt = Privilegium, nämlich einen
Jahrmarkt auf Margarethen, einen Häfenmarkt um
Martini, dann das ganze Jahr hindurch jeden Mit=
woch einen ordentlichen Wochenmarkt für Getreide,
Pferde und alles andere groß und kleine Vieh,
ferner die Uebersetzung des Tröbel= oder Tandelmarktes
vor dem Kärnthnerthore nach dieser neuen Vorstadt herüber,

in die ganze erste Zeile der vorigen Judenstadt, die daher die Tandelmarktgasse heißt. Der Tröbelmarkt wurde jedoch in der Folge wieder vor das Kärnthnerthor (gegenwärtig ist dieser Markt am Plaße des sogenannten Heumarktes), der Häsen= markt aber in die Roßau verlegt.

Nach Abschaffung der Juden hatte der Magistrat auch gleich drei gegen die Haide gelegene Häuser zu einem Zucht=, Besserungs= und Arbeitshaus (gegenwärtig das Provinzial=Strafhaus) ver= wendet. — Noch haben in der nachfolgenden Zeit zwei schwere Plagen die Leopoldstadt heimgesucht; diese waren im Jahre 1683 der Türkenkrieg, wobei die Leopoldstadt ungemein hart bedrängt wurde, und die schon erwähnte furchtbare Ueber= schwemmung im Jahre 1830, dergleichen sich kein Mensch zu erinnern weiß. — Doch herrlicher als jemals gestaltete sich die Leopoldstadt seit der Josephinischen Periode her, und pracht= volle Gebäude schmücken diese Inselstadt mit großem Vorzuge gegen alle übrigen Vorstädte, besonders durch jene Pallästen ähn= liche Häuser in der Jägerzeile.

Die ganze Strecke unter der Benennung Leopoldstadt umfaßt, im Angesichte des Kahlenberges,. an ihrem äußersten Ende die Brigittenau, den nahegelegenen Augarten, die Leopoldstadt, die Jägerzeile (ein eigener für sich bestehender Grund) und den Prater. Sie ist von der Stadt der Länge nach nur durch den nicht gar breiten Donau=Canal (ein Arm der großen Donau, welcher bei Nußdorf beginnt und unter dem Lusthause des Praters wieder sich mit dem Hauptarme vereinigt) getrennt, und nördlich in ihrem Rücken, ebenfalls der Länge nach, strömt der große Arm der majestätischen Donau, worüber zur Erhaltung der Communication mit den jenseits gelegenen Vierteln des Unter= und Ober=Manhardtsberges, mit Mäh= ren, Böhmen und Galizien, die sogenannten Taborbrücken (Jochbrücken) bestehen.

Sehr belebt ist diese Vorstadt wegen der Nähe der Stadt und des immerwährend regsamen Fuhrwerkes der erstbenannten Pro= vinzen, daher die vielen Einkehr=Gasthäuser und Fuhrleute, beson=

ders für schweres Fuhrwerk. Die schöne Ferdinandsbrücke führt vom Rothen Thurmthor von der Stadt aus, die neue Thor-Jochbrücke von den obern Vorstädten, und die prachtvolle Franzensbrücke von der Vorstadt Weißgärber weiter unten beim Prater zur Leopoldstadt. Zunächst der erstern Brücke befinden sich renomirte Kaffeehäuser, die an Eleganz nichts zu wünschen übrig lassen, unfern diesen die berühmten Gasthäuser zum Sperl, goldenen Lamm, zur Kettenbrücke, zum Adler, Roß u. a. m. Von mehreren Badhäusern sind das Diana-Bad und jenes am Scharfeneck, zunächst der Kettenbrücke, die schönsten. An der neuen Thorbrücke auf der Stadtseite befindet sich das Kaiserbad, und weiter unten auf derselben Seite beim Kettensteg die sehr schöne 1744 erbaute St. Johannes-Capelle. An besondern öffentlichen Gebäuden oder Denkmalen besitzt die Leopoldstadt die herrliche Pfarrkirche zum heiligen Leopold, die Kirche der Carmeliten, jene der barmherzigen Brüder, sammt dem Klostergebäude, dem Spitale und einer wohl eingerichteten Apotheke, die Sparcasse (die erste in Oesterreich), die Pfarrkirche in der Jägerzeile und das k. k. Provinzial-Strafhaus (im allgemeinen Sprachgebrauche das Zuchthaus), dann die k. k. Reiterkaserne und das k. k. Oberste Schiffamt. Als Erlustigungsorte sind uns auf dieser Insel die Brigittenau, der Augarten und der Prater mit der Schwimm-Anstalt bekannt.

Die Lage der Leopoldstadt ist durchaus flach und gleichsam mit der Jägerzeile verbunden. Die Ortsobrigkeit ist der Wiener Stadtmagistrat. Hier befindet sich ein Grundgericht, und eine k. k. Polizei-Bezirks-Direction, die sich über die Leopoldstadt und Jägerzeile erstreckt. In Allem sind zwei Apotheken, ein Armenhaus, worin bei 60 Pfründner von Grund aus versorgt werden, eine Mädchenschule, die Schreiische Stiftungsschule, eine Haupt- und zwei Trivial-Schulen, im ganzen 10 Kaffeehäuser, 70 Wein- und Bierhäuser, ein

Branhaus, mehrere Gasthausgärten, wovon jene vom Sperl und goldenen Widder rücksichtlich ihrer Solidität die schönsten sind, vorhanden. Es gibt hier viele Küchengärt=ner, viele Sattler, deren Arbeiten von prachtvollen Wägen in alle Länder Europa's, ja in andere Welttheile versendet wer=den, Fischer= und Schiffmeister, und auch eine bedeu=tende Commercialgüter=Spedition. Auch sechs Woll=Sortirungs=Anstalten bestehen allhier, worunter die vorzüglichste die des Herrn von Liebenberg und Söhne ist, welche täglich 150 bis 200 Personen männlichen und weib=lichen Geschlechts von 12 kr. bis 1 Gulden Conv. Münze be=schäftigt. Die Leopoldstadt, wenn gleich nicht mit einer vollkommen gesunden Luft und ganz gutem Wasser versehen, — hat in jeder Hinsicht gute Anstalten, sie hat mehrere gepflasterte Straßen, wovon die Hauptstraße die längste, breiteste und beleb=teste ist, auch gute Haupt= und Hauscanäle und ist mit 627 La=ternen zur Nachtszeit beleuchtet.

Wir haben den verehrten Lesern die Gründung der Leo=polds=Pfarrkirche, welche am nördlichen Theile der Vor=stadt steht, bereits gemeldet, und bemerken nur noch über ihr Ansehen folgendes. Sie ist ein schönes, ziemlich großes Gebäude mit einem massiven schönen Thurme mit einer zierlichen ganz von Kupfer überdeckten Kuppel, und einem mit großen Stein=statuen des heiligen Leopold und Florian gezierten Haupteingange. Ihr Inneres mit einer Kuppel im Plafond ist einem Gotteshause ganz angemessen und sehr reich mit Vergol=dungen geschmückt. Außer dem Hochaltar mit gewundenen Säulen und mehreren lebensgroßen Statuen, sind noch sieben Seitenaltäre vorhanden, zum heiligen Camillus, ge=stiftet von einer Bruderschaft im Jahre 1828; zum heiligen Johann Bapt.; Anton; heiligen Kreuz; zu Mariä Himmelfahrt; zum heiligen Florian und heiligen Johann von Nep. An den Seitenwänden sind vier große sehenswerthe Gemälde in vergoldeten Rahmen angebracht. Nebst einer Tauf=Capelle in der Kirche ist dem Haupteingange ge=

11

genüber die freistehende Capelle aller Seelen mit einem großen Kreuze. Die Kirchen-Paramente und Ornate sind reich, eben so sind noch Kelche vom Jahre 1670 vorhanden.

Mit dieser Pfarrkirche versieht auch die Regular-Pfarr-kirche zum heiligen Joseph den pfarrlichen Gottesdienst in der Leopoldstadt. Diese steht zunächst der Hauptstraße mehr gegen die Stadt zu, unfern den Barmherzigen. Es ist das von Ferdinand II. gestiftete Kloster — wie wir schon vorn bemerkt haben — der unbeschuhten Carmeliter, wovon die Kirche zu Ehren der seligen Jungfrau vom Berg Carmel und der heiligen Theresia am 15. October 1639 von Bischof Philipp Friedrich geweiht wurde. Als der fromme Capuciner-Laienbruder Stephan von Werona im Kloster zu St. Ulrich auf dem Platzel in derselben Stunde den Sieg am weißen Berg bei Prag, als solcher erfochten wurde, dem Kaiser wissen ließ (dieß ist durchaus keine Fabel, da hierüber noch die Acten bestehen, die unsere Angabe bestätigen), ward von Ferdinand II. die Stiftung der Capuciner am neuen Markt und diese der Carmeliten in der Leopoldstadt bestimmt. Das Kirchengebäude ist groß und im italienischen Bau-style aufgeführt, aber nur mit einem gar nicht ansehnlichen Thurme versehen; der Plafond ist halbrund, und die innere Ausschmü-ckung an dem Hochaltar und den sechs Seitenaltären, in vielen Verzierungen, schönen Altarblättern und Vergoldungen bestehend, kann reich genannt werden. Besondere Erwähnung verdient der erste Seitenaltar an der Evangelienseite des Hoch-altars zu Ehren der seligsten Jungfrau. Es befindet sich daselbst das Wunderbild, welches der ehrwürdige P. Do-minicus a Jesu, Carmeliter-General und Freund des Kai-sers, besaß, und als derselbe in Gegenwart des Kaisers und der kaiserlichen Familie den 16. Februar 1630 in der Burg verstarb und im feierlichen Trauerzug hieher auf die Epistelseite unfern des Hochaltars übersetzt wurde, der kaiserlichen Familie hinterließ. Dieses Bild hatte die fromme Kaiserin Eleonora, Gemah-lin Ferdinands II., so lange sie lebte in ihrem Zimmer, schmückte es, und befahl bei ihrem Hinscheiden, daß es in diese Kirche gebracht werde. — In der türkischen Belagerung von 1683 sank das Kloster in Schutt und Asche und die Kirche selbst wurde von den Barbaren als Pferdestall gebraucht, aber die Herstellung geschah über alle Erwartung schnell, wobei dieser Altar durch die Freigebigkeit der Fürsten Hartmann und Maximilian von Lichtenstein wieder ganz neu hergestellt wurde. Merkwürdig ist ferner ein großes, besonders schönes, kunstvoll aus einem einzigen Stück Elfenbein gearbeitetes Crucifix, welches sich auf dem Gnadenaltar der Mutter Gottes befindet. — Noch sind neben der Kirche zwei Capellen, nämlich die sogenannte Tauf= und die Kreuz=Capelle. Die Kirche hat mehrere schöne Gemälde, und einen so großen Vorrath an prachtvollen und kostbaren Paramenten, daß sich nur wenig Kirchen in Wien dergleichen werden rühmen können. Sie war immer eine Klosterkirche der unbeschuhten Carmeliter, woran auch das Klostergebäude sich befindet, sie wurde aber im Jahre 1782 eine Regular=Pfarrkirche unter dem Titel: »zum heiligen Joseph,« in welcher vier Priester des Carmeliter = Ordens als Cooperatoren unter der Leitung eines weltpriesterlichen Pfarrers den Gottesdienst versehen.

Die barmherzigen Brüder in der Leopoldstadt, aus dem um die leidende Menschheit so hochverdienten Orden des Johann von Gott, wurden von Kaiser Matthias im im Jahre 1614 nach Wien berufen, wo sie im untern Werd ein Haus erhielten, aus welchem ihr Kloster und die Kirche entstand. Ferdinand II. fertigte den Stiftsbrief am 31. September 1624 aus und erwies ihnen mehrere Wohlthaten. Eine nächtliche arge Feuersbrunst verzehrte am 21. Mai 1655 Kirche und Kloster mit allem Geräthe und Urkunden; doch sehr bald wurde es durch die so warme und freudige Wohlthätigkeit der edlen Wiener wieder hergestellt. Als späterhin das alte Hospital viel zu klein wurde, so ward zu dem heutigen 1676 der Grundstein gelegt. Was die die Leiden der Menschheit mildernden Brüder zur Zeit der großen Pest 1679, in der von dem

11 *

Zorn des Himmels unſer Wien ſo ſchwer heimgeſucht ward, thaten, überſteigt jeden Begriff, und ihr darin errungenes Verdienſt bleibt unſterblich. In der zweiten Türkenbelagerung wurde leider auch ihr Kloſter und Kirche eine Brandſtätte, doch die Brüder waren in die Stadt geflohen, und die erſten, die unter den Segenswirkungen des hochverehrten Kirchenfürſten Kollonitſch die Kranken und Verwundeten tröſteten und heilten, und mit wahrer Hingebung zu lindern ſuchten, wo immer zu helfen war. Alsbald ſahen ſie ihr Kloſter und Kirche wieder neu erbaut und ſchon 1691 feierten ſie in derſelben die Heiligſprechung ihres Ordensſtifters Johann von Gott. — Doch die letzte Peſt in Wien 1713 war auch für ſie, die Alles aufopferten um zu retten, eine ſchreckliche Geißel, denn alle, wie ſie waren, wurden ein Opfer ihrer Pflicht! — Seit dem Jahre 1758 beſteht durch die großmüthige und unvergeßliche Herzogin von Savoyen, geborne Fürſtin von Lichtenſtein, und andere fromme Gaben auch ein eigenes Reconvalescenten-Haus auf der Landſtraße mit einem Prior und 6 Brüdern, in welchem die Geneſenden eine zarte Pflege und gute Koſt empfangen. In der neueren Zeit beſonders hat ſich der Orden und die Brüder in der Leopoldſtadt eines vorzüglichen Wohlwollens der Menſchheit zu erfreuen, welche ihnen gern Spenden reicht, die ſie wohlthuend an Kranke verwenden. Nebſt der Kirche haben ſie das daranſtoßende Kloſtergebäude, in welchem die öffentliche Apotheke und zu ebener Erde ein ſehr langes Zimmer mit 130 Betten, dann an dieſes anſtoßend ein kleineres mit 20 Betten ſich befinden. Auf mehreren dieſer Krankenbetten beſtehen Stiftungen edler Wohlthäter, auf wieder anderen ſolche von verſchiedenen Handwerks-Innungen, die ihre Erkrankten zur Pflege hieher geben. Alle Verrichtungen werden von den Brüdern unentgeltlich und mit einer höchſt preiswürdigen Nächſtenliebe und thätigen Sorge geleiſtet. Sie verdienen daher auch, da ſie nicht nur Krankenhilfe leiſten, ſondern auch ſtets für das Seelenheil der Menſchheit beten, unſern innigſten Dank und Achtung. Die Spitalseinrichtungen ſind ſehr reinlich und in allen Zweigen lobenswerth; was nur ein Kranker bedarf, erhält er hier von den Brüdern, die keine Mühe und keine Plage scheuen, und ist ein solcher von dem Schöpfer bestimmt, hier von der Welt abgerufen zu werden, so kann er an diesem Orte in Ruhe und Frieden, versöhnt mit seinem Erlöser, sein Haupt legen, denn allen Trost, welchen ihm seine Religion spendet, erhält er gewiß, und mit einer Erbaulichkeit, die ihm seine letzte Stunde erleichtert, und tröstenden Balsam in die bange Seele gießt. Schwer sind die Pflichten der barmherzigen Brüder, die immerfort, durch ihre ganze Lebenszeit, den Kranken beistehen müssen, ungescheut bei den schwersten und abschreckendsten Krankheiten, und die nichts von der Welt kennen, als die vielen Leiden ihrer Mitmenschen, aber sie sind auch schön diese Pflichten, die den Dank der Welt in so hohem Grade verdienen. Das Krankenzimmer ist mit einer offenen schönen Capelle versehen, in welcher alltäglich das Meßopfer verrichtet und auch sonst gebetet wird.

Die Kirche ist ein schönes Gebäude in Halbkuppel, zu Ehren des heiligen Johann des Täufers, geweiht, und hat einen mit Kupfer gedeckten prächtigen Thurm, dessen Zimmerarbeit für ein Meisterwerk gilt. Das Innere der Kirche ist vorzüglich zierlich; den Hochaltar schmückt ein Gemälde, den heiligen Johann, den Täufer, vorstellend, die schöne Capelle aber die Statue des heiligen Johann von Gott, in welcher auch Fresco-Gemälde sich befinden. Die übrigen sieben Seitenaltäre sind geweiht: der heiligsten Dreieinigkeit, Christus am Kreuze, Carolus Borromäus, St. Sebastian, der Abnahme des Heilandes vom Kreuze, St. Johann von Nepomuck und St. Anna. Der Gottesdienst wird solenn abgehalten, jedoch werden keine pfarrherrlichen Dienste verrichtet. In diesem Kloster befinden sich gegenwärtig 3 Priester, 57 Professen (oder Brüder).

Bei der Darstellung der Geschichte haben wir die Entstehung des Namens der Brigittenau und der dortigen Capelle angemerkt; wir beschränken uns also gegenwärtig nur darauf, daß solche in Form eines Zeltes erbaut ist, und eine

Stiftung besteht, nach welcher noch gegenwärtig an Sonn=
und Feiertagen Messe darin gelesen wird.

Der an die Brigittenau zunächst anstoßende Augar=
ten, welcher durch eine mächtige Terrasse wider den Donaustrom
geschützt wird, wurde schon 1655 angelegt, und es bestand un=
ter der Benennung »die alte Favorite« (deßhalb so genannt,
weil das Lustgebäude des heutigen Theresianums auf der Wie=
den einst auch die Favorite hieß) ein kaiserliches Lustschloß. In
neuerer Zeit wurde solches verändert und ein Theil desselben
dem Hof=Traiteur überlassen, in welchem das Publikum alle
Arten von Erfrischungen und Speisen erhielt. In dem daselbst
befindlichen Saale werden gewöhnlich im Frühjahre gewählte
Musiken gegeben. Das übrige rechts stehende Gebäude, wel=
ches Kaiser Joseph II. oftmals den Sommer über bewohnte,
ist gegenwärtig ganz unbewohnt.

Zugleich mit dem Prater wurde auch der Augarten
am 30. April 1775 von Kaiser Joseph II. eröffnet, und
der Eingang mit folgender, die hohe Tugend reiner Nächstenliebe
beurkundenden Aufschrift geziert: »Allen Menschen gewid=
meter Erlustigungort von ihrem Schätzer.« — Der
Garten — obschon nicht gar groß, ein ziemliches Viereck bil=
dend, und weder mit Statuen, Grotten oder Wasserkünsten
geschmückt — ist jedoch mit schönen dicht bewachsenen Alleen
am Hauptplatze geziert, und von vielen Durchgängen zwischen
kleinen Auen durchschnitten. Zunächst dem Eingange links, wo
auch die Wohnung des Traiteurs in einem stockhohen Gebäude
besteht, ist ein schöner Obst= und Ziergarten (bloß für den kaiser=
lichen Hof bestimmt) angelegt, in welchem vorzüglich schöne
Zwergobstbäume in Fülle den Reichthum der Früchte tragen.
In früheren Zeiten war dieser Ort überaus zahlreich besucht,
welches jetzt aber nicht der Fall ist.

Die Bevölkerung der Leopoldstadt beläuft sich gegen=
wärtig auf 20,800 Einwohner *).

―――――

*) Wir bemerken hier dem geneigten Leser, daß, obschon wir die
Seelenzahl neu erhoben haben, doch diese ganz genau nicht an=

Die Jägerzeile.

Dieser kleine Grund, mit einer Bevölkerung von 1830 Einwohnern, ist mit der Leopoldstadt rücksichtlich seiner gleichen Lage und seiner Bauart gleichsam verbunden, und nimmt den Theil von der Ferdinandsbrücke, stromabwärts, die Haupt-Praterstraße und einige Seitengässen gegen den Donau-Canal zu ein, und reicht bis zum Anfang des Praters.

Nebst vielen andern Plätzen und Auen schenkte Leopold IV. (der Heilige), Markgraf von Oesterreich, seiner neuen Stiftung in Nirvenburg (Klosterneuburg) auch diese Strecke der heutigen Jägerzeile, welche später die Benennung »Venebigerau« bekam, keineswegs als wäre es etwa ein Landungsplatz solcher Kaufleute von dort her gewesen, sondern bloß als eine Witzbenennung jener Zeiten, den Namen der berühmten Lagunenstadt hieher zu übertragen. So blieb selbe bis in die Tage Maximilians II., der die Venebigerau vom besagten Stifte erhielt, und bei seiner bekannten Jagdlust solche mit Häuschen und Hütten seiner Jäger, Thier- und Plankenknechte besetzen ließ, wovon der Name »Jägerzeile« entstand. Sie wurde vom Vicebom-Amte verwaltet, 1750 mit mehreren Realitäten dieser ehemaligen Stelle den Niederösterreichischen Ständen verkauft, welche dieselbe 1764 an Joseph Edlen von Zorn käuflich überließen, der die Jägerzeile im Jahre 1797 an Joseph von Segenthal und dessen Erben abtrat, welche noch gegenwärtig die Grundherrschaft sind, mit Ausnahme der Häuser von Nro. 5 — 11, zum Gebiete des Magistrats der Stadt Wien gehörend; von Nro. 1 — 4, die kaiserlich sind, und von Nro. 20 — 24, welche der Grundherrschaft Schaumburger-

---

gegeben werden kann, da eine vergrößerte Sterblichkeit eine Vermehrung oder Verminderung von hundert oder zweihundert Personen gar bald herbeiführet, welches aber doch im Ganzen keinen wesentlichen Unterschied macht.

hof zustehen. Die Praterstraße (oder Jägerzeile) ist sehr lang und breit, und es führt eine schön angelegte Chaussee durch, an deren beiden Seiten prachtvolle Häuser, im neuen Style auf= geführt, stehen, gleich den schönsten Palästen. Es ist ganz na= türlich, daß hier nicht nur vorzugsweise meist reiche Familien, sondern auch Herrschaften logiren, da den Sommer über bei der außerordentlichen Passage (an einem Sonntage vielleicht oft mehr als tausend Equipagen) nach dem Prater und der großen Reg= samkeit des denselben besuchenden Wiener Publikums kaum ein angenehmerer Ort als die Jägerzeile gedacht werden kann.

Dieselbe hat eine eigene Pfarrkirche, zum heiligen Jo= hann von Nepomuck, welche aus der 1734 in der Mitte der Jägerzeile frei gebauten, und nur für das k. k. Jagdperso= nale bestimmten Capelle durch Kaiser Joseph II. im Jahre 1780 entstand. Sie ist neueren Baustyls, mit einem sich ober dem Haupteingange erhebenden, nieblichen gemauerten Thürm= chen, mit einer weißen Blechkuppel geziert, versehen, leider aber nur nach der damals bestandenen kleinen, und nicht nach der der= malen ungemein vermehrten Seelenanzahl berechnet. Das In= nere der Kirche ist schön ausgeschmückt mit einem Hoch= und zwei Seitenaltären, von denen letzteren einer das Kreuzbild, der andere das heilige Abendmal zum Altarblatt hat.

Wenn gleich nicht so groß wie andere Pfarrkirchen, so be= sitzt sie doch schöne Paramente. Der Gottesdienst wird durch ei= nen Pfarrer und zwei Cooperatoren aus dem weltpriesterlichen Stande versehen. Der Leichenhof von derselben so wie überhaupt von der ganzen Leopoldstadt ist jener außer St. Marr.

Der Grund hat, wie schon erwähnt, ganz vorzüglich schöne Gebäude, gute Beleuchtung und Canäle. Bemerkenswerth sind ein Lustschloß des Fürsten Johann von Lichtenstein, das Badhaus, sieben Gasthäuser, ein Kaffehhaus, die sehenswerthe k. k. privilegirte Zuckerfabrik des Herrn Vincenz Mack, mehrere große Wagenfabriken, be= sonders jene Nro. 51 des Johann Engel, und das k. k. pri= vilegirte Theater, in welchem meist Lustspiele und Volks=

mährchen, dann Pantomien gegeben werden; dasselbe hat sich auch eines steten zahlreichen Besuches zu erfreuen, welches wohl die Ursache der sehr nahe gelegenen Stadt seyn mag.

An diesen Grund (die Jägerzeile) reiht sich der Prater. Den Namen dürfte dieser Unterhaltungsort zu Zeiten des aus Spanien gekommenen Kaisers Ferdinands I. erhalten haben, da auch in Madrid der 3 Viertelstunden lange, berühmte Spaziergang, aus mehreren schönen Alleen bestehend, Prado heißt, welcher dieser früher bestandenen Au mit der wohl etwas verfälschten und verhärteten Benennung Prater gegeben worden seyn kann. Er ist einer der größten und nächsten Unterhaltungsörter von Wien, da solcher kaum 200 Schritte von der Jägerzeile entfernt ist, und reicht bis zum Zusammenflusse des großen Donauarmes und des Leopoldstädter-Donaucanals. Der Prater ist, so zu sagen, ein großer Lustwald, in vielen Abwechselungen bestehend. Die darin befindlichen Bäume sind Roßkastanien, Buchen, Eichen, Erlen, Linden und Pappeln. Vormals wurden hier außerordentlich viele Hirsche, ja sogar Wildschweine gehegt, wovon die erstere Gattung in noch ziemlicher Anzahl besteht, letztere jedoch ganz ausgerottet wurde. Früher durften nur Kutschen in den Prater, doch Kaiser Joseph II. wollte das Vergnügen seiner Unterthanen befördern, indem er solchen im Jahre 1766 schon für das ganze Publikum eröffnen ließ. Seit dieser, und besonders in neuerer Zeit, ist der Prater sehr verschönert worden. Besonders prachtvoll ist die große Roßkastanien-Allee, die bis zum Rondeau reicht, und einen erquickenden Schatten spendet. Durch dieselbe geschieht immer die Lustfahrt in Equipagen von der eleganten Wiener Welt und dem hohen Adel sowohl unter der Woche, wie auch vorzüglich an Sonntagen. Die Auswahl der vielen hundert Kutschen, ihre Schönheit und Bespannung, die an Eleganz um die Wette eifern, und die vielen Reiter aus allen Ständen geben ein lebendiges Bild seltsamer Art, und schwerlich dürfte eine andere Stadt in Europa hierinfalls gleichkommen.

Zu Anfang des Praters links befinden sich viele Wirthshäuser mit eigenen Benennungen und Schildern, wovon jene

zum Thurm von Gothenburg, wilden Mann, Papagei ꝛc. ꝛc.
die bessern sind, nebst Ringelspielen, Vogelschießen, Scheiben=
schießen, Marionetten= und Hanswurst=Theatern, Taschenspielern,
alle in hölzernen netten Häusern, zwischen Baumparthien zer=
streut gelegen und in freien Kegelbahnen mit Tischen, Schaukeln
und Haspeln für Kinder. Es gibt hier also große Abwechselung
zum Vergnügen, und häufige Scenen zur Lachlust, wozu die
bunten Formen der Volksmassen, das immerwährende Hin= und
Herwogen und die vielen verschiedenen Musiken ein ganz eigen=
thümliches Volksspiel der bürgerlichen Welt und der untern Volks=
classe darstellen. Von hier weiter abwärts öffnet sich ein großer
Wiesenplatz, auf welchem die Gerüste zum Feuerwerk stehen,
welches in künstlerischer Hinsicht stets großartig viermal im Jahre
von dem jungen Kunstfeuerwerker Stuwer gegeben wird, an
welchen Tagen der Prater an den zugänglichen Wegen einge=
garnt und der Eintritt nur gegen Bezahlung gestattet ist. Noch
weiter von hier links befindet sich an dem kleinen Arme des soge=
nannten Fahnenstangenwassers die gut eingerichtete Schwimm=
schule, vom Militär aus versehen, und unfern davon das Frei=
bad, welches für die männliche Classe ohne Unterschied von der
Regierung bestimmt ist. Hier ist für Alles gesorgt, was auf Si=
cherheit, Anständigkeit und Bequemlichkeit Bezug hat.

Wenden wir uns von dem vorn beschriebenen Haupt=Tum=
melplatze mehr rechts hinweg, so finden wir zu Anfang des Pra=
ters einige Parterre=Gebäude mit schönen Gärten, dem kaiserli=
chen Hofe zuständig, unfern davon einige Häuschen, worin op=
tische Vorstellungen gegeben werden, und ein eigenes gebautes
Panorama, in welchem verschiedene Hauptstädte und interessante
Gegenden der Welt zu schauen sind, nebst einer Camera obscura
(im Gegensatz mit der Camera clara (helle Kammer) eine fin=
stere Kammer, nach den Regeln der Lichtlehre eingerichtet, um
Gegenstände verkleinert im Dunkeln darzustellen). Zunächst diesen
führt die schöne, große Hauptallee, die wir schon oben besprochen
haben, die lange Strecke bis zum Rondeau; an beiden Seiten
derselben sind schattenreiche Alleegänge für Fußgeher, und weiter

unten zur Linken befinden sich mehrere schöne, wohl eingerichtete Kaffeehäuser; zur Rechten aber steht auf einem ebenfalls offenen Wiesengrunde das vor mehreren Jahren gebaute geschmackvolle Gebäude, der Circus Gymnasticus des Kunstbereiters Carl de Bach. Im Innern hat es eine runde Reitbahn, ringsherum Sitze in Gestalt eines Amphitheaters, im ersten Stockwerke Logen, und einige Seiten-Cabinette zu Erfrischungen. Die Decorirung ist jetzt noch schön und solid, und gewährt durch die lichte Kuppel einen angenehmen Eindruck. Beinahe jeden Sommer sind hier Kunstreiter-Gesellschaften, die von Zeit zu Zeit gymnastische Vorstellungen geben. An der Seite hier befindet sich auch die Kettenbrücke (Sophienbrücke) über die Donau, vom fürstlich Rasumoffskyschen Palais aus in den Prater, welche die Comunication zwischen dem Prater und der Landstraße herstellt.

Gegen Ende (am südlichen Theil) des Praters, der hier von mehreren dichteren Baumparthien waldmäßig bewachsen ist, steht das Lusthaus; es führt von der Hauptallee eine jedoch nicht geregelte Straße hieher, die einige Krümmungen enthält, obschon das Lusthaus mit der Hauptallee in gleicher und gerader Linie liegt. Es formirt einen freistehenden Pavillon mit zwei hübschen Sälen zu ebener Erde und im ersten Stocke, um welchen drei Gallerien von außen herum laufen, von denen man eine herrliche Aussicht genießt. Auch hier erhält man Erfrischungen und es sind von allen Seiten angenehme Spaziergänge und Alleen angebracht, daher dasselbe auch, besonders im Frühling oft besucht wird.

Seit mehreren Jahren her besteht auch am ersten Mai das Wettrennen der hiesigen herrschaftlichen Läufer, durch die Hauptallee des Praters bis zum Lusthause.

Die übrigen um die Kaiserstadt sich ziehenden Vorstädte sind als solche kaum anderthalb Jahrhundert alt, denn sie waren in der alten Zeit theils einzelne, nur zufällig der Hauptstadt so nahe liegende Dörfer, oder einzelne Meierhöfe verschiedener Herrschaften, zum Theile Gewerbshütten und sogenannte Lucken (Gäßen, oder Parthien von mehreren Häusern), welche hie und da bis an den Stadtgraben oder an das Stadt= thor reichten. So entstanden z. B. die Kleberlucken vor dem Stubenthor; die Neulucken an der heutigen Wieden; die Reſel=, die Schebenzerlucken, vor dem Kärnthnerthor; die Kothlucken an der Stelle der heutigen Kothgaſſe vom Getreidemarkte hinein; die Rater=, Brunn=, Kumpf= und Fundlucken gegen das Burgthor und die Roſenlucken ge= gen das Schottenthor; an ſie reihten ſich dann wieder andere Orte in geringer Entfernung, als: Erdpurck (Erdberg); der Hirſchpeunt (heutiger Rennweg); Nikelsdorf; St. Mar= garethen; Hundsthurm (Wiedenbezirk); Windmühle; Schöff (heutiges Mariahilf) und Kroatendörfl (Spitel= berg); Neubeck; Zaißmannsbrunn (St. Ulrich) und der obere Werd (Roßau). Alle dieſe Orte gehörten ihrer beſte= henden Lage nach zu den vier Vierteln Wiens, wurden ſchon bei dem erſten Türkenkriege mehrentheils zerſtört, erhoben ſich wieder mit vielen Landhäuſern in den prachtvollen Gärten und vielen Rebenpflanzungen, die eigentlich den ganzen Raum unſerer heutigen Vorſtädte und noch mehr einnahmen, mußten aber bei der zweiten Türkenbelagerung (1683) vom Grunde aus abgebrannt werden, wie wir unſern verehrten Leſern in der Geſchichte ſchon mitgetheilt haben. Als aber dieſe Schreckenszeit abgewichen war, blühten von neuem die Vorſtädte regelmäßiger und größer als je auf, und Kaiſer Joſeph I. umſchloß ſolche (1704 — 1706) mit der ſogenannten Linie. Seitdem nun wurde fortan gebaut, gemehrt, gebeſſert und verſchönert, wodurch die 34 Vorſtädte entſtanden, die ihrer Pracht und Ausdehnung wegen die größte Zierde der Stadt Wien ſind. Alle die vorhandenen Anſtalten, öffentlichen Gebäude und ſonſtigen Merkwürdigkeiten werden wir jetzt bei einer jeden Vorſtadt einzeln beſchreiben, nach dieſem kann ſich dann der geneigte Leſer weit beſſer als aus jedem noch ſo großen Plan, aus den ſechs am Ende dieſer Beſchreibung folgenden Abbildungen aller 34 Vorſtädte, eine richtige Ueber= ſicht von der genauen Lage der einzelnen Gründe nehmen, bei

welchen Ansichten noch einer jeden ein kurzer aber deutlicher Pro=
spektus angebogen ist.

Die Vorstadt Erdberg.

Im Angesichte des untern Theils des Praters, dießseits der
Donau, von dem Linienwall bis zur Landstraße zieht sich der
Grund Erdberg an der Seite der Donau hin und ist an der rech=
ten Seite gegen die Landstraße zu höher gelegen. — Der älte=
sten und gegründesten Ueberlieferung zu Folge haben die Ba=
benberger zu Erdpurch ihre Gärten und ihren Meierhof
und auch die Herzoginnen ihren Sitz alldort gehabt. Auch ist die=
ses Erdberg durch die Gefangennehmung des ritterlichen Brit=
tenkönigs Richard Löwenherz, durch Leopold den Tugend=
haften, geschichtlich berühmt. Wir finden mehrere Urkunden
aus dem XIII. Jahrhundert, woraus ersichtlich wird, daß sich
in Erdberg damals schon viele Gründe, Mühlen und andere
Gebäude befunden haben. Aria della Scala, Gemahlin des
Grafen von Pretta, welche sich von Venedig hieher flüchtete,
legte sich in Erdberg Palläste und Gärten an, und schenkte
1445 den Augustinermönchen Baum=, Wein= und Safrangärten
und einen Stadel niederhalb neben dem St. Pauluskirchlein ne=
ben dem Rundhaws (Rübenhaus). Die Bürger von Erdberg
hatten das Recht, an der alten Donau die Ueberfahrt zu leisten.
Im Jahre 1421 wurden in Wien zu Erdberg während der
großen Judenverfolgung 110 Juden beiderlei Geschlechts (nach
andern über 1300) verbrannt. Es war überhaupt hier der Ort
des Scheiterhaufens für die wegen Mordbrennerei, Ke=
zerei, Hexerei und andere bösen Zauberkünste zum Feuertode
Verurtheilten, welcher schreckliche Gebrauch aber seit Ferdi=
nands I. Zeiten unterblieb. — Noch ein Jahr vor der türki=
schen Belagerung (1529) stand in Erdberg das alte Herzo=
genhaus, in welchem die kaiserlichen Jäger waren. Nicht min=
der alt war das dort gestandene Pauluskirchlein, zu wel=
chem Herzog Leopold der Glorreiche, zur Stiftung eines
Jahrtags, Haus, Hofstätten und Weingarten vergabte. So wie

alle alten Vorstädte und Orte durch die vielen Kriege harte Leiden empfinden mußten, traf auch Erbberg das Unglück zwei
Mal durch die Türken ganz verwüstet zu werden. Im Jahre 1646
wurde Erbberg und Landstraße der Schottenkirche einverleibt,
der Grund oder vielmehr der Ort blieb aber stets ein fürstliches Eigenthum. Den 21. Mai 1704 wurde Erbberg, mit
dem Vorbehalte der Wiedereinlösung, dem Magistrate überlassen.
Die Kaiserin Maria Theresia löste es auch wirklich wieder
ein, demungeachtet ward es 1782 von dem eben damals aufgehobenen Vicedom-Amte an die n. ö. Stände, von diesem an Franz
Joseph Freiherrn von Haggenmüller, und von demselben
1809 an den Fürsten Joseph von Lobkowitz verkauft, der
dann 1810 Erbberg dem Wiener Stadtmagistrat ebenfalls
käuflich überließ, welcher noch gegenwärtig Ortsobrigkeit daselbst
ist. — Außer diesem gehören daselbst mehrere Häuser der Wiener Dom-Custodie und dem Bürgerspitale in Wien.

Zu alten Zeiten schon war Erbberg bei seiner niedrigen
Lage den Sturmfluthen des Donaustromes ausgesetzt, welche dem
Orte (als die größten denkbaren Ueberschwemmungen) 1644, 1803
und 1830 gänzliches Verderben drohten.

Die Ueberreste des alten kaiserlichen Jagd- oder Rüben-
hauses bestehen noch in dem Hause Nr. 364 in der Gärt-
nergasse.

Zunächst Erbberg stand auch in den Tagen der Babenberger Herzoge ein Nonnenkloster zu St. Nicola,
von grauen Schwestern oder Cisterzienserinnen bewohnt, wovon Urkunden uns die Gewißheit ihres Daseyns geben, welches aber in der ersten türkischen Belagerung für immer
verschwand.

Daß übrigens schon vor 600 Jahren hier ein Kirchlein zu Ehren des heiligen Paulus gestanden, haben wir oben erwiesen;
solches soll 1394 eine Pfarre gewesen seyn, welches wir aber aus
guten Gründen bezweifeln. Das alte Gebäude war endlich so
schadhaft geworden, daß es abgebrochen werden mußte, wofür
der Bau einer neuen Kirche zu den Apostelfürsten Peter und

Paul im Jahre 1726 vollendet wurde; im Jahre 1782 erhielt sie durch die allgemeine Josephinische Pfarr-Regulirung die Bestimmung als selbstständige Pfarre von Erdberg. Die Kirche, welche auf der rechten Seite auf einer Anhöhe steht, ist neueren Baustyls, einfach, und in Hinsicht des Raumes der großen Menschenzahl zu klein. Ihre innere Ausschmückung darf schön genannt werden, wobei das Hochaltarblatt die Beurlaubung der Apostel Petrus und Paulus, von dem geschickten Schilling gemalt, und ein Marienbild, von der zarten Kunsthand des Fräuleins von Benko gemalt, eine besondere Erwähnung verdienen.

Die Seelenzahl von Erdberg beläuft sich auf 7200 Personen, wovon der Grund zur k. k. Polizei-Bezirks-Direction auf die Landstraße gehört. — Die Einwohner hier sind meist geringer Classe, als: Fuhrleute, Lehnkutscher (Fiakres) und Küchengärtner, welche die besten Gattungen von Gemüsen erzeugen und in die Stadt zu Markte bringen. Noch besteht hier die Knopffabrik des Gottfried Leber und eine Wachsleinwands-Fabrik der Gebrüder Groll. Besondere Anstalten von Grundspitälern und Versorgungshäusern bestehen auf diesem Grunde noch nicht; so ist z. B. auch keine Beleuchtung zur Nachtzeit eingeführt; es bestehen noch keine gepflasterten Straßen und nur ein Haupt-Unrathscanal führt von der Landstraße durch Erdberg in die nahe Donau. — Nur ein von Ihrer Majestät der Kaiserin errichtetes Stift und Erziehunghaus für arme Soldatenmädchen und zwei Pfarrschulen existiren. An öffentlichen Gewerben zählt Erdberg eine Apotheke, ein Kaffeehaus, neun Gasthäuser, sechs Bierhäuser und vier Brantweinschenken.

Der Grund Erdberg liegt eine halbe Stunde von der Stadt entfernt, und es führt keine Hauptstraße hindurch. Das Grundsiegel enthält eine gestürzte Erdbeere im Schilde, welches ganz sinnlos ist, indem eine Erdbeere auf Erdberg (Erdpurch), wie wir aus der Geschichte ersehen haben, nicht im mindesten Bezug hat.

Die Vorstadt »unter den Weißgärbern.«

Ein nicht großer Grund, im Rücken an Erdberg, rechts an die Landstraße und links hart an die Donau grenzend, ganz flach in einer Niederung, nahe an der Stadt gegen den Theil der Hauptmauth zu gelegen.

Geschichtlich wissen wir, daß der Theil der heutigen Weißgärber=Vorstadt vor Alters auch zur Landstraße gehört habe, welche Gegend Wirrchperge (Wiroheperge, Waihrochperge) genannt wurde, und welche Benennung auch im Schottenstiftsbriefe vorkömmt, da Herzog Heinrich dem Stifte einen Meierhof zu Weihrauchperg schenkte. Seit den ersten Zeiten, als sich Wien zu gestalten anfing, waren die Fleischhauer hier hart an der Donau seßhaft, theils wegen der Reinhaltung der Luft, und theils wegen der Reinlichkeit der Plätze und Gässen der innern Stadt. So kam es denn auch, daß die Fleckfieder, die Gärber und Lederer sich in ihrer Nähe ansiedelten, und so blieben sie bis zur ersten Türkenbelagerung 1529, in der aber besonders die Lederer, Gärber und Weißgärber entflohen. Als das Unwetter von Wiens Horizonte hinweggebraust war, kamen viele Flüchtige wieder, und siedelten sich an ihren alten Stellen, auf vicedomischen, schottischen und zur Dom=Custodie gehörigen Gründen an; von dieser Zeit an hieß ihre Ansiedelung: »die alt Tunaw Gemainde der Weißgärber,« da es besonders die Weißgärber waren, die sich am ersten und schnellsten zu wohlhabenden Bürgern aufschwangen. — Auch erhob sich bald an der Stelle des Glacis, wo einst die Dreifaltigkeitssäule stand, eine Capelle auf dem Grunde der Weißgärber, zu Ehren der heiligen Margaretha, zum Gedächtniß ihrer hohen Wohlthäterin, der ersten Gemahlin Kaiser Leopolds I., der spanischen Infantin Margaretha Theresia. Bisher vicedomisch, überließ nun Kaiser Leopold I. am 25. September 1693 den damals 60 Häuser und gegen 2000 Einwohner zählenden Grund der Weißgärber für 10,000 Gulden an die Stadt, mit Vorbehalt des

Sandwerfens an der Donau, den kaiferlichen Holzlegstadel und
des Jagd= oder Rüdenhaufes, welches die Gemeinde erst unter
Kaifer Jofeph II. erkaufte. Der Weißgärbergrund ward hier=
durch zu einer Vorstadt erhoben. Noch jetzt führt das Grundge=
richt wie im Jahre 1685 in feinem Siegel, neben dem in der
Mitte emporragenden Fruchtbaum, an beiden Seiten die Zie=
gen der Weißgärber.

Was also die inmitten der Vorstadt Weißgärber stehen=
de Kirche betrifft, fo ist sie gegenwärtig noch ein Filiale von der
Landstraßer=Pfarrkirche; sie ist der heiligen Margaretha
geweiht, ganz klein, mit einem ebenfalls kleinen hölzernen Thürm=
chen versehen. Ein Hochaltar und zwei Seitenaltäre ohne
reiche Verzierungen schmücken das Innere derselben. Der Leichen=
hof, zu welchem diese Filial=Pfarre gehört, ist der zu St. Marx. —
Grundherrschaft ist der Wiener Stadtmagistrat, und in polizei=
licher Hinsicht gehört die Vorstadt Weißgärber zu der k. k.
Bezirks=Direction auf der Landstraße. Es befinden sich hier ein
Kaffeehaus, acht Gasthäufer und ein Branntwein=
schank; ein Palais mit einem herrlichen Lustgarten, der Frau
Baronin von Bechard gehörig, ein schönes Badhaus Nr. 91
nächst der Sophien=Kettenbrücke mit einem angenehmen Lust=
garten, zum Karpfen genannt, und eine Normal=Trivial=
schule. — Der Grund besitzt fehr gutes Wasser. Der stärkste
Erwerb der hiesigen Einwohner, unter welchen fehr wohlhabende
gezählt werden, ist die Küchengärtnerei, dann die Fleischhauerei;
Fabriken oder Gärbereien, wie vor Zeiten fo viele waren, gibt
es keine. — Der Grund ist größtentheils mit einer guten Stra=
ßenbeleuchtung versehen, hat aber keine gepflasterten Straßen.
Uebrigens geht die Commerzial=Hauptstraße vom Tabor aus
über die Franzensbrücke zum k. k. Hauptzollamte hier durch.

Die Vorstadt Landstraße.

Dieser Grund erhebt sich vom Glacis im Angesichte der Stadt,
wo er auch am breitesten ist, von den Weißgärbern aus den Renn=
weg entlang zur Rechten bis auf die Wieden, und grenzt der

12

ganzen Länge nach mit dieser Vorstadt bis an den Linienwall, und
von der linken Seite an die Weißgärber und an Erdberg bis zur
St. Marrer-Linie. Seine Gestalt formirt, im eigentlichen Sinne genommen, ein länglichtes Dreieck, und erhebt sich vom Glacis
sanft bergan, wonach aber der übrige Theil der Vorstadt bis zu
den Linienwällen ganz flach ist. Die schon bei der Vorstadt »unter den Weißgärbern« gebrauchte alte Benennung der Wirrchperge (Weihrochperge) ist in den letzten Sylben der natürlichen
Lage ganz entsprechend, denn ganz richtig ist die Gegend der
Landstraße ein großer sanfter Hügel, der früher hier und da stei-
ler gewesen seyn mag. Wollten wir uns zur Entzifferung der ersteren Sylben Wirrch — Weihroch — Weihrauch einlas-
sen, so finden wir keinen andern Grund zu dieser Benennung,
als daß zur Römerzeit ein Tempel hier gestanden haben müsse,
welches aber ganz unglaublich ist; etwas gründlicher scheint es,
wenn wir auf das Nonnenkloster St. Nicolai, welches
auf der Stelle der heutigen Rauchfangkehrergasse und des fürstlich
Rasumoffskyschen Palais stand, hinweisen, daß von diesem
Tempel des Herrn, im welchem der Weihrauch besonders in
den alten Tagen häufiger als gegenwärtig in unsern Kirchen gegen Himmel stieg, etwa diese sonderbare Benennung genommen
wurde (?). —

Die Grundbücher des Stadtmagistrats und des Schotten-
stifts zeigen uns noch diese Benennung vom Ende des XII. Jahrhunderts bis zur ersten türkischen Belagerung, und die ganze
Gegend hieß »vor dem Stubenthor.« An diesem und auf
dem Wirrchperge gab es auch verschiedene Lucken (Abtheilungen
von Häuserparthien und Gehöften, Meiereien); so gab es
eine, welche die Kieberlucken, und eine, die Sterzer-
lucken hier hieß; der Hirschpeunt war der heutige Rennweg, und die Lant- oder Schiffstrazze die jetzige wirkliche
Landstraße. Alle Höhen dieses Berges waren mit Rebenpflanzungen bedeckt, die einen großen Theil von dem Einkommen manches Wiener Bürgers ausmachten, und wovon die Rieden, wie
noch heut zu Tage in andern Weingebirgen, verschiedene Namen

trugen. Die niedere Gegend bestand in Wiesflecken, Aeckern, Gemüse=, Baum= oder Safrangärten, der damals gut gedieh und auch emsig gepflanzt wurde. — Hieher gerichtet stand auch das alte Stubenthor etwas mehr rechts als das jetzige, und über den damals größern Wienfluß bestand eine hölzerne Jochbrücke, denn der Bau einer steinernen Brücke geschah erst durch Herzog Albrecht IV. (1400—1402). Noch zur Zeit des Krieges (1484) mit dem Ungernkönig Matthias Corvinus war Alles auf der Landstraße wie in früheren Jahrhunderten, die Geschichte lehrt uns, daß Matthias sich bei dem Kloster St. Nicolai am Wirrchperge festgesetzt, und auch von St. Nicolai herein durch das Stubenthor in das ihm übergebene Wien eingezogen sei.

Der äußerst lebendige Verkehr zwischen Wien, Preßburg, Wissegrad, Ofen und Constantinopel begehrte besonders in Wien viele Herbergen, deren es auch auf der Landstraße häufig geben mußte, und überhaupt scheint uns dieser Platz schon damals wichtig gewesen zu seyn, da wir in Urkunden einen Amptmann in der Schiffstrazze finden. Durch die lange Reihe von Herbergen blos für Ungern entstand die Ungergasse, im Rücken der gleichlaufenden Landstraße, die den Namen noch jetzt bewahrt. Aber die zweite Belagerung Wiens durch Matthias Corvinus, die vorzüglich der Landstraße sehr verderblich war, und dann die erste Türkenbelagerung 1529 zerstörte diese bedeutenden Anlagen und schönen Gärten vollends; hundert Jahre vergingen seit den Kriegsnöthen, und noch war die Landstraße nicht blühender geworden; erst als Kaiser Ferdinand III. die Augustiner 1642 aus der Stadt auf diesen Grund verlegte, gewann die eigentliche Landstraße wieder neues Leben, und bald (1646) wurden bei 300 Lust= und Gartenhäuser wieder gezählt, die mehr als tausend Bewohner faßten. 1656 traf leider einen Theil der Landstraße und das Augustinerkloster eine schreckbare Feuersbrunst, und 1679 wüthete die große Pest. Selbst auf der Landstraße wurden große Gruben gegraben, in die bei 9000 Leichen gelegt wurden, sammt zwei Dritteln der hingerafften Bevölkerung von

12 *

der Landstraße, Erdberg und den Weißgärbern. Kaum aber erhob sich die Landstraße aus ihrer Verödung, so erschien 1683 der Großvezier Kara Mustapha mit seinem Heere, welches Unheil und Verderben anrichtete. Nicht nur daß Starhemberg die Vorstädte abbrennen ließ, so zerstörten die unmenschlichen Türkenhorden auch noch alle jene Landhäuser und Gründe, die von den Flammen verschont geblieben waren, kein Wunder also, daß Hütten und Gärten anf der Landstraße in der allertraurigsten Verwüstung lagen. Nach Beendigung dieses schweren Türkenkrieges wurden vielen Bürgern, die ihre allzu nahe an der Stadt gestandenen Häuser dabei eingebüßt hatten, auf der Landstraße Bauplätze und Gründe angewiesen, wozu noch kam, daß sich die alte Vorliebe für die Leopoldstadt nun auf einmal auf die Landstraße gewendet zu haben schien. Alsobald erhoben sich die Gärtner= und Bockgasse mit hübschen Häusern, an den Höhen glänzte wieder das Gold der herrlichen Reben, und viele prächtige Gärten mit Pallösten schmückten diese schöne Gegend in reizender Anmuth. Der große Kriegsheld Prinz Eugen hatte bereits den Grundstein seines Belvebers gelegt, Fürst von Manns= feld=Fondi einen Semmerpallast und große Gartenanlagen geschaffen, die seine Erben dem Fürsten Schwarzenberg verkauften. So entstanden auch die berühmten Gartengebäude der Grafen Traun (am Glacis 445 zur Taube) und Kollowrath (jetzt das Palais des Erzherzogs Maximilian), des Herrn von Tepser und des Prinzen Mar von Hannover (jetzt das große k. k. Invalidenhaus). Während den ersten Regierungszeiten der Kaiserin Maria Theresia aber wollte es mit dem übrigen Anbau auf der Landstraße doch keinen ganz guten Fortgang haben, da manche den Ochsenstand bei der Marrer=Linie, und das immerwährende Hetzen derselben, andere den sehr großen Kirchhof der Augustiner zum Grund nahmen, andere wieder ihre schöne Aussicht nicht verbauen lassen wollten und vorgaben, daß es äußerst Schade wäre um die herrlichen Gründe; jedoch der Scharfblick des Kaisers Joseph II. und seine Erklärung wirkte wie ein Zauberschlag, als er den neuen Ansiedlern 20jäh=

rige Steuerfreiheit zusagte, und die Aufhebung der Kirchhöfe und die Vertheilung der Klostergärten zu neuen Baustellen befahl. Urplötzlich entstanden ganze Gassen und reißend schnell gestaltete sich die Landstraße, den ersten Rang unter den Vorstädten einnehmend, nur an der Volkszahl der Wieden nachstehend. Was auf diesem Grunde in unsern Tagen bis heute geschehen ist zur Vervollkommnung und Verbesserung, davon waren wir Zeuge und müssen gestehen, daß die Landstraße wirklich die meisten öffentlichen Gebäude und großen Palläste enthält. Die zahlreichen Bestandtheile derselben sind folgende: Die Pfarrkirche zu St. Rochus und Sebastian auf der Landstraße; die Pfarrkirche zu Maria Geburt auf dem Rennwege (in der Artillerie-Caserne); das k. k. Belvedere am Rennweg; das k. k. große Invalidenhaus; das prachtvolle k. k. Thierarzenei-Institut; die k. k. Stückbohrerei; das k. k. Lustschloß mit großem Garten in der Ungergasse; die zwei k. k. Casernen des Militär-Fuhrwesens-Corps am Heumarkt mit dem Beschäl-Commando; der k. k. botanische Universitäts-Garten und die k. k. Medicamenten-Regie mit dem Laboratorium; das Gebäude der ersten k. k. Arciren-Leibgarde am Rennweg; das Gebäude der k. k. Militär-Polizeiwache und die große Caserne des k. k. zweiten Feldartillerie-Regiments, auf der Landstraße; das große Bürgerspital an der St. Marrer-Linie; die schöne Kirche der Salesianer-Nonnen sammt Kloster am Rennwege; die Kirche sammt Spital und Kloster der Elisabethiner-Nonnen auf der Landstraße; das Priester-Deficienten und Krankeninstitut und das Reconvalescenten-Spital der barmherzigen Brüder auf der Landstraße; die zwei Palläste des E. H. Franz und Maximilian von Este in der Rebengasse, mit prachtvollen Gärten; die außerordentlich schönen Palais des Fürsten von Metternich am Rennweg, des Fürsten Schwarzenberg gegen das Glacis, mit einem dem Publikum geöffneten herrlichen Garten, des Fürsten Lichtenstein und Grafen von Dietrichstein; das Gemeinde-Grundspital; die Kinderwartanstalt in der Steingasse; eine Haupt- und vier Trivialschulen, dann vier Mädchenschulen für weibliche Arbeiten; vier Kaffee-, 13 Einkehr-Gasthäuser, 41 andere Wein- und Gasthäuser; eine Apotheke; zwei Brauhäuser; zwei Zucker-Raffinerien; eine Woll-sortier-Fabrik, in welcher täglich bei 400 Menschen arbeiten; eine chemische Producten-Fabrik; eine Steindruckerei; zwei Cichorienkaffee-Fabriken; eine Spiegelfabrik; eine Blumenfabrik; zwei Appreturs-Anstalten; sechs Clavier-Instrumentenmacher; sechs Knopf- und Metallwaaren-Fabriken; zwei Fournier-Schneid-und Färbhölzermühlen; dann die sehens-werthen Blumengärten und Baumschulen der Herren Rosenthal, Held, Angelotti und Baumann, nebst vielen andern und verschiedenen bedeutenden Gewerbsbetrieben, endlich der von Wiener-Neustadt hieher geleitete, von der St. Marrer Linie der Länge nach die ganze Landstraße durchschneidende Schiffahrts-Canal mit den Schleusen und seinem großen Bassin vor dem Invalidenhause, zunächst dem Stubenthor, zum Einlaufen und Ausladen der Schiffe, welche ein bedeutendes Quantum Brennholz, Ziegeln und Steinkohlen liefern, und dadurch einen namhaften Industriezweig ausmachen, bestimmt.

Wenn man eine solche große Menge von öffentlichen Anstalten, Gebäuden, Pallästen und feenartigen Gartenanlagen, die große Anzahl der Gewerbe und Fabriken betrachtet mit den im öffentlichen und Handelsleben damit in Verbindung stehenden Wirthshäusern, mit Zuziehung der jetzigen Bevölkerung von 21,000 Personen, worunter gegen andere Vorstädte meist wohlhabende Familien und sehr viele Staatsbeamte gezählt werden, so muß man billig staunen über die Größe und Schönheit dieser ausgezeichneten Vorstadt; man findet daher hier auch eine besondere Regsamkeit gegen andere Gründe, und über alles dieses kann die Vorstadt Landstraße in Hinsicht ihrer Lage, der schönen Häuser, der guten Ordnung, der breiten und langen Hauptstraße, die Tag und Nacht aus Ungern und allen übrigen untern Ländern her von Reisenden und Waarensendungen lebhaft befahren wird, besonders lobenswerth erwähnt werden, da alle Straßen zur Nachtszeit gut beleuchtet werden, die meisten gepflastert und mit Trottoirs und Haupt= Unrathscanälen versehen sind, und solche den Sommer über sogar besprißt werden. — Das Grundgericht führt noch jetzt im Siegel den heiligen Bischof Nicolaus, von der ersten Ansiedelung auf diesem Grund und Boden der Nicolaier = Nonnen. — Nicht nur allein die zwei obgenannten Pfarrkirchen, sondern auch jene zum St. Carl Borromäus auf der Wieden versieht einen Theil der Rennwegstraße, die zum Grund Landstraße gehört, mit dem pfarr= herrlichen Gottesdienste und der Seelsorge. Auf der Landstra= ße besteht auch eine k. k. Polizei=Bezirks=Direction.

Die größte Grundherrschaft hier ist der Stadtma= gistrat, außer diesem gibt es aber noch mehrere andere Grund= obrigkeiten, als: das Domcapitel, Schottenstift, von Seegenthal, die PP. Dominicaner, Dom = Cu= stodie, Ritterordens = Commende St. Johann, Schaumburgerhof, Nußdorfer Stiftung, Pillot= sche und Hofmannische Stiftung und ständische Frei= gründe.

Die Pfarrkirche zum heiligen Rochus und Sebastian auf der Landstraße, welche auf der rechten Seite inmitten der Hauptstraße steht, ließ Kaiser Ferdinand III. 1642 er= bauen, aber nach 18 Jahren schon wurde sie fast gänzlich wie= der durch eine wilde Feuersbrunst eingeäschert; sie erhob sich neu aus den Trümmern, jedoch 1683 erlitt sie durch Türkenwuth ein gleiches Schicksal, ward dann aber schöner als zuvor erbaut. Die Haupt=Façade gegen die Straße ist mit mehreren Steinstatuen, darunter jene des heiligen Augustinus, geziert, und hat zwei hübsche Thürme mit etwas niederen mit Kupfer gedeckten Kuppeln. Das Aeußere des Gebäudes ist einfach mit Strebepfei= lern. Im Innern bildet sie eine Halbkuppel, ist ziemlich hoch und sehr geräumig; die Seitenaltäre sind wie in mehreren andern Kirchen hallenartig gebaut und ober denselben Oratorien mit Gallerien angebracht. Die ganze Ausschmückung der Kirche ist überaus reiche Holzvergoldung der vielen Verzierungen und mehr als lebensgroßen Statuen am Hochaltare, und daher beinahe jetzt die einzige, in welcher alle die vielen Ausschmückungen, wie ursprünglich, bei der erst vor einigen Jahren vorgenommenen Restauration wieder neu vergoldet wurden, während andere Kirchen meist die Goldpracht wegen zu großen Kosten entbehren müssen. Noch viel schöner wäre dieser Tempel, wenn nicht grelle und schlechte Mahlerei am Plafond und die schlechte unnatürliche Marmorirung an den Seitenaltären auf den soliden Glanz des Ganzen störend einwirkend wären. (Daß man in unserm auch für Kunst so aufgeklärtem Zeitalter bei solchen beachtenswerthen Reparaturen nicht Männer von Kunstkenntnissen zu Rathe zieht, und oft Stümpern das blinde Vertrauen schenkt, ist wirklich beklagenswerth!) Das Hochaltarblatt ist von der Meisterhand des Baron Strudel gemalt, die Meister der andern schönen Gemälde aber an den sieben Seitenaltären kennt man nicht, bloß jenes Bild des gekreuzigten Heilandes, welches von Lucas Kranach auf Holz gemalt ist. Es befindet sich auch an einem Seitenaltar der Leib des heiligen Donatus als Reliquie in einem schönen vergoldeten und verzierten Kasten, welchen ein Augustinerpriester sammt dem am Hochaltare befindlichen Marienbilde von Rom mitbrachte. Bis zum Jahre 1812 bestanden hier die Augustiner, welche aber aufgelöst, und statt ihnen Weltpriester zur Verrichtung des Gottesdienstes gesetzt wurden.

Die zweite Pfarrkirche ist jene am Rennweg stehende Kirche in der Feldartillerie = Caserne, zu Maria Geburt genannt. Als noch hier das Waisenhaus unter dem bekannten Exjesuiten, Director P. Parhammer, bestand, ließ Kaiser Joseph II. diese Kirche im Jahre 1786 durch den Baumeister Leopold Grosman erbauen. Sie hat einen Hochaltar, wovon das Altarblatt, die Geburt Mariä vorstellend, von Maulbertsch gemalt ist, und vier Seitenaltäre, zu Ehren des heiligen Kreuzes, der Schmerzen Mariä, der heiligen Theresia und Mariä Heimsuchung. Die Kirche hier ist in Halbbogen erbaut, ganz weiß und mit Vergoldungen geziert, welches einen angenehmen Eindruck macht; auch ist ein schöner Chor darin, mit einer guten Orgel versehen. Nebst dem, daß diese Kirche als Pfarre über die derselben zunächst liegenden Häuser gesetzt ist, dient sie auch zugleich für die Artillerie als Garnisonskirche. — Sie ist von zwei Seiten von der Artillerie-Caserne umbaut.

Was die Caserne selbst betrifft, so ist dieß ein sehr großes, zum Theil neu aufgeführtes Gebäude mit einem Stockwerk, und gegen die Rennweg- und Landstraße mit drei Stockwerken, gegen die Landstraße mit zwei, im Ganzen aber mit drei großen Höfen, in welchen mit Kanonen exercirt werden kann. Im dritten Hofe befindet sich eine ganze Festung mit Werken und Bastionen, als Modell angelegt.

Zunächst der Caserne und sehr nahe an der St. Märrer-Linie befindet sich das Bürgerspital in einer stillen Abgeschiedenheit, gleichsam wie der Vorhof der Ruhe und des Friedens.

Nur selten richtet der vorübereilende Reisende einen flüchtigen Blick auf das gothische Thürmchen, welches die im nämlichen Style erbaute Kirche so niedlich ziert. Noch seltner aber bemerkt er die Gebäude selbst, die ihm als Ueberreste eines alten Schlosses zu einem Fabrikgebrauch verwendet scheinen müssen, nicht ahnend, daß in diesen Mauern mehr denn dreihundert vom Schicksal und der Zeit gebeugte, und nicht selten auch von Menschen verfolgte unglückliche Bürger eine Zufluchtsstätte gefunden, Ruhe ihres gekränkten Herzens und Fröhlichkeit des Gemüths wieder erlangt haben. Nur zuweilen verweilt der müde Fußwanderer vor dem grün und weiß gestreiften Thore, und liest aufmerksam die Trostworte: »Versorgungshaus der verarmten Bürger und Bürgerinnen Wiens.« Wohl manchem mochten die Worte entschlüpfen: Ach lieber Himmel! Wäre ich auch so glücklich wie diese Versorgten hier, die nun keine Armen mehr sind! —

Daß vor 500 Jahren ein Bürgerspital in Wien bestanden habe, unterliegt keinem Zweifel, denn die älteste noch vorhandene Urkunde ist vom 16. April 1257, welche von dem Meister Reinboth und dem Convent des Bürgerspitals in Wien, mit Vorwissen und Erlaubniß des Herrn Otto und seiner Brüder Chuno und Cunrad, als Vorsteher dieses Spitals, ausgefertigt worden ist. Dieses erste Bürgerspital stand vor dem Kärnthnerthor, nahe an der steinernen Säule, die noch jetzt vorhanden ist. Außer diesem mögen aber auch noch andere wohlthätige Anstalten für verarmte Bürger in Wien bestanden haben, weil mehrere Urkunden aus dieser Zeit davon vorhanden sind, woraus das Spital zum Klagbaum auf der Wieden, und das Spital in Sichenals für Pestkranke gehörte; auch entstand ein Spital zu St. Marx (ganz wahrscheinlich im XIV. Jahrhundert), welches verschiedene Kranke enthielt, aber kein Bürgerspital war. Als daher in Wiens erster Belagerung durch Soleymann, 1529, die Nonnen des Clarenklosters am Schweinmarkt (heutiges Bürgerspitals = Gebäude am Lobkowitz= platz) nach Villach flohen, so gab Ferdinand I. dieses Klo= ster dem Bürgerspital, da das ihrige vor dem Kärnthnerthor im gemeinsamen Untergang der Vorstädte zerstört ward. Von dieser Zeit an blieben die verarmten Bürger von Wien in die= sem Spitale, und zu St. Marx wurden andere Kranke ver= pflegt. Dieses uralte Gebäude erlitt auch viele Zerstörungen im Jahre 1529, und viele Unglückliche, die nicht fortgeschafft wer= den konnten, mußten den Tod erleiden, ungeachtet dessen noch mehrere Zurückgebliebene von den Türken selbst hingewürgt wur= den. In der zweiten Türkenbelagerung erlitt dieses Spital weni= ger, und unter der Regierung Kaiser Josephs I., 1706, wurde solches durch neue Gebäude wesentlich vergrößert. Darin wurden Abtheilungen für Schwangere, für Venerische, für Wahnsinnige, und eine vierte Abtheilung für äußere und innere Kranke ange= legt, wozu in der Folge auch verwaiste Knaben und Mädchen ka= men. Nachdem aber Kaiser Joseph II. die hiesigen Kranken in sein neu errichtetes Universal = Spital und in die übrigen damit

verbundenen Anstalten überbringen ließ, auch die verwaisten Kinder dem P. Parhamer übergab, so bestimmte er dieses Gebäude
für das Versorgungshaus der verarmten Wiener
Bürger, wohin im Jahre 1785 sieben und achtzig Männer
und Weiber wanderten, ihr Spital in der Stadt aber wurde
niedergerissen und dafür das heutige große Zinsgebäude aufgeführt. Da aber diese vorhin hier gewesenen Kranken von dem eigends gestifteten Fond des Bürgerspitals verpflegt wurden,
so muß noch jetzt das Bürgerspital jährlich 118,615 Gulden dem allgemeinen Kranken-, Waisen- und Findelhause zusammen bezahlen.

St. Marx hat nun die Bestimmung: verarmte, kränk-
liche und abgelebte Bürger und Bürgerinnen,
Bürgerssöhne und Bürgerstöchter, welche auf keine
Unterstützung durch Verwandte oder Freunde rechnen können, zu
verpflegen. Hier sind dreihundert sechs und neunzig Personen in
43 Zimmern untergebracht und erhalten täglich 18 Kreuzer, womit sich jeder Pfründner mit warmen, wohlzubereiteten Speisen sattsam nähren kann. Wer noch arbeiten kann, wodurch sehr
natürlich sein Loos merklich gebessert wird, darf dieß im Hause
thun, wozu zwei Säle bestehen, einer für stille, der andere für
geräuschvolle Arbeiten. Die Weiber verrichten ihre Arbeiten, Nä-
hen, Sticken, Stricken ꝛc., auf ihren Zimmern. Im Uebrigen
haben sie alle Pflege und Wartung in einem Erkrankungsfalle,
und die Medicamente und ärztliche Hilfe vom Hause. Es herrscht
hier gute Sitte, lobenswerthe Ordnung und Reinlichkeit; auch
ist dabei eine vortreffliche Badanstalt errichtet. Außer diesen hier
Versorgten gibt es gegenwärtig auch bei 900 andere zur Bürger-
classe gehörige verarmte Personen, die außer dem Hause betheilt
werden. Die Verheiratheten erhalten täglich 11, und die Ledi-
gen 10 Kreuzer auf die Hand.

Die Geschäfte des Bürgerspitales und Versorgungshaufes
werden von einer eigends hiezu ernannten Wirthschafts-Commis-
sion, deren Kanzlei im Bürgerspitals-Gebäude in der Stadt besteht, geführt.

Die Einkünfte, von welchen die Ausgaben für Beamte, Baulichkeiten und die Bedürfnisse der Pfründner bestritten werden, bestehen in den Zinserträgnissen des großen Gebäudes in der Kärntnerstraße, Bürgerspital genannt, und des sogenannten Spitelhaufes am neuen Markt, dann in den Pachtzinsen der Bürgerspitals=Apotheke, des Wirthshaufes zum goldenen Adler und des Brauhaufes in der Leopoldstadt, des Brauhaufes, Wirths= haufes, Bäckers ꝛc. in St. Marx selbst. Außerdem noch besitzt das Bürgerspital mehrere Walbungen, Wiesen, Felder, Weingärten, Zehende und Viertargefälle.

Eine vorzügliche Auszeichnung verdient auf diesem Grunde das große Invalidenhaus. Es ist hart am Canal gelegen und bildet den Anfang der Landstraße. Nebst dem Erdgeschoffe hat es noch zwei Stockwerke, einen sehr geräumigen, mit Alleen besetzten Hof und eine schöne Haus=Capelle, deren Marmor= Altar, die Abnehmung Christi vom Kreuz, von Donners Künstlerhand verfertigt wurde. Ursprünglich war dieses Gebäude das Garten=Palais des Prinzen Mar von Hannover, von welchem es 1724 der Cardinal Collonitsch um 42,000 Gulden erkaufte und zu einem Versorgungshaus einrichten ließ. Davon hieß es insgemein das Johannes= oder Nepomuceni=Spital, wurde aber 1784 gleich anderen Collonitschischen Stiftungen aufgelöst, und die milden Gaben außer dem Haufe auf die Hand vertheilt. In das leerstehende Gebäude wurden die Invaliden aus ihrem ehemaligen Versorgungshaufe in der Alservorstadt übersetzt, solches ansehnlich vergrößert, so daß es in seiner gegenwärtigen Gestalt ein wahrhaft prachtvolles großes Haus darstellt. Im ersten Stock befindet sich ein großer Saal, in welchem, außer einer Reihe von Büsten berühmter österreichischer Helden, von Klieber verfertigt, auch die beiden großen Gemälde von dem berühmten Kunstmaler Peter Kraft, die denkwürdigen Schlachten von Aspern und Leipzig darstellend, sich befinden. Auf beiden Bildern sind die Fürsten, Feldherren und die übrige Generalität vollkommen porträtähnlich nach der Natur gemalt.

Das Corps der hier befindlichen Invaliden beläuft sich ge=
gen 800 Mann; sie sind in hechtgraue Ueberröcke gekleidet, und
haben rothe Aufschläge. Ihr Dienst besteht bloß in Besetzung
einiger kleinen Posten beim Hofkriegsrath, im Belvedere ic.

Es existirt der allgemeine Militär=Invalidenfond seit dem
Jahre 1750; die errichtete Privat=Aushilfscasse seit 1812;
ein Verein edler Patrioten (Vereins=Fond) seit
1814; die Provinzial=Invaliden = Versorgungsan=
stalt seit 1815; dann der sogenannte Landwehr=Fond
seit 1809.

Eine nicht mindere Erwähnung verdient das k. k. Thier=
arzenei=Institut, welches auf der Landstraße am Ca=
nal sich befindet. Unter der Regierung der Kaiserin Maria
Theresia wurde 1769 von Scotti die erste Grundlage zu
einem solchen Institute gelegt, welches sich dazumal auf der
Wieden in der Nähe des Gußhauses befand, und im Jahre
1777 durch Kaiser Joseph II. auf die Landstraße hieher
übertragen wurde. Der für dieses Institut von Veit und
Libl zusammen gesetzte vortreffliche Organisations=Plan ward
von Sr. jetzt regierenden Majestät im Jahre 1819 genehmigt,
und der großartige Bau rasch vollbracht, und so prangt denn
dieses prachtvolle Institut, welches wahrhaft kaiserlich in allen
seinen Theilen und besonders zweckmäßig eingerichtet ist, un=
streitig als das Erste dieser Art in Europa.

Zunächst diesem befindet sich am Canal die sogenannte
k. k. Stück= (Kanonen) Bohrerei. Sobald die Kanonen in
der Gießerei auf der Wieden gegossen sind, werden sie hieher
gebracht und in der erst seit 1822 neu erbauten Bohrmaschine
gebohrt. Diese Maschine wurde anstatt der zu Ebergassing durch
den Fürsten Wenzel Lichtenstein angelegten verticalen
Stückbohrmaschine dergestalt errichtet, daß bei derselben die
Bohrer horizontal liegen und an die sich umdrehende Kanone
mittelst eines eigenen Mechanismus angedrückt werden. Nach
vollendeter Bohrung werden die neuen Kanonen in das Zeug=

haus geliefert, von wo sie an ihre weiteren Bestimmungsplätze abgeführt werden.

So wie das Invalidenhaus auf der linken Seite den Anfang der Landstraße bildet, steht zur Rechten nach dem ersten Hause das Kloster, das Spital und die Kirche der Elisabethiner-Nonnen. Sie stammen von Düren aus dem Jülichischen und wurden 1690 durch die Gräfin Therese von Leslie, geborne Fürstin von Lichtenstein, nach Grätz, im Jahre 1709 aber von derselben Fürstin nach Wien gebracht, allwo sie in der Ungergasse die erste, doch sehr elende Unterkunft fanden. Die Witwe Kaiser Leopolds I. machte eine Stiftung auf zwanzig Krankenbetten, das Lichtensteinische Haus schenkte ihnen ein bedeutendes Capital und die Fürstin Montecuculi erkaufte den Bartollotischen Garten auf der Landstraße zur Kirche, zum Kloster und Hospital; sehr schnell gedieh der Bau und schon im April 1710 begannen sie ihren edlen Krankendienst für die leidende Menschheit weiblichen Geschlechtes, und haben seitdem nach Ungern, nach Ofen und Pesth, nach Teschen, Brünn, Linz, Klagenfurt, Breslau, Straubing und München Colonien entsendet. Ihr Spital ist auf 50 kranke Weibspersonen angelegt, welche nicht vermögend sind, die Heilungskosten zu bestreiten. Hier erhalten sie von den Nonnen eine ganz unentgeldliche zarte Pflege, da ein eigener Doctor und Wundarzt angestellt sind, außer welchen aber die Nonnen alle übrigen Verrichtungen bei den Kranken mit einer wahrhaften Hingebung versehen. Eine zweckmäßige Einrichtung und außerordentliche Reinlichkeit und Ordnung macht diese Anstalt besonders lobenswerth, daher sie auch ihres Nutzens wegen bei Abstiftung so vieler Nonnenklöster nicht aufgelöst wurden. Unmittelbar an das Kloster- und Spitalgebäude stößt das schöne Kirchlein mit einer Seitenfronte und dem Portale gegen die Hauptstraße, welches einen Hochaltar, der heiligen Elisabetha geweiht, und zwei Seitenaltäre, nämlich den Kreuz- und Francisci-Altar, enthält, und überhaupt mit Vergoldungen und Verzierungen reichlich ausgeschmückt ist, wozu der schöne Kirch-

thurm noch zu bemerken kömmt. Das Hochaltarblatt ist von
Cimbal, die andern zwei aber von Baumgartner gemalt.
Besondere bemerkenswerthe Gegenstände gibt es sonst keine, als
eine in dieser Kirche befindliche Grabschrift einer Elisabethiner-
Nonne, Namens Maria Josepha, welche nach der origi-
nellen Grabschrift drei Klöster erbaut, zwei Mal Profeß abgelegt und 53 Jahre im Orden verlebt hatte.

Das kaiserliche Lustschloß auf der Landstraße war der vormalige gräflich Harrachische Garten sammt Gebäude, welches gegen die Ungergasse zu steht, dessen großer und schöner
Garten aber bis auf die Hauptstraße reicht. Es sind schöne Zimmer vorhanden, die jedoch außer einem kurzen Besuch des allerhöchsten Hofes sonst niemals bewohnt werden. Der Garten enthält alle nur denkbaren Obstgattungen von meist seltenen Zwergbäumen und große Treibhäuser, wovon Blumen und Obst nach
Hofe gesendet werden.

Die Kirche und das Klostergebäude der Salesianerinnen befindet sich am Rennwege, rechter Hand an das k. k. Belvedere anstoßend.

Diese von ihrem Ordensstifter, dem Genfer Bischofe Franz
von Sales, benannten Salesianerinnen oder Nonnen
von der Heimsuchung Mariä, nach St. Augustins Regel,
wurden von der Kaiserin Amalie, Witwe Kaiser Josephs I.,
aus den Niederlanden berufen, um dem österreichischen und besonders dem böhmischen und ungrischen Adel die Gelegenheit zu
verschaffen, ihren Töchtern eine für Geist und Sitte angemessene
höhere Bildung zu geben.

Zu diesem Zwecke hatte die Kaiserin das Haus und Gartengebäude des Freiherrn Quarient von Rall am Rennwege
erkauft, und ihnen Kirche und Kloster erbauen lassen, welcher
Bau 1719 vollendet ward. Sie wurden in selbes durch die Kaiserin Witwe feierlich eingeführt, die dann selbst während ihres
Witwenstandes (durch 32 Jahre) bei ihnen wohnte und in ihrem
Kloster auch am 10. April 1742 verstarb. Diese Nonnen widmen

sich Kraft ihrer Gelübde der Erziehung des höhern weiblichen Adels, und stehen in vorzüglichem Ansehen.

Die Kirche ist ganz in Form der Peterskirche in der Stadt erbaut, nur noch kleiner und mit Hinweglassung der zwei Thürme. Sie ist zu Ehren Mariä Heimsuchung geweiht, hat nebst dem Hochaltar noch vier Seitenaltäre, die alle herrlich geschmückt sind. Die Seitenwände von innen sind durchaus Gipsmarmor und die prachtvolle, von außen ganz mit Kupfer gedeckte Kuppel ist al fresco von Pellegrini sammt den Seitenaltären der heiligen Magdalena und des heiligen Petrus gemalt. Jenes am Hochaltar ist von dem niederländischen Meister van Schuppen, und die Abnahme des Heilandes von Kreuze von Janfen.

Der Stand der Chorfrauen beläuft sich über vierzig mit 12 Laienschwestern und mehreren Novizen.

Auch befindet sich hier am Rennwege der botanische Garten der k. k. Universität außer dem Belvedere. Diesen ließ die Kaiserin Maria Theresia auf Anrathen ihres Leibarztes van Swieten 1756 anlegen, und er enthält jetzt die höchst mögliche Vollständigkeit des Pflanzenreiches. Für die an der Universität studierenden Jünglinge werden die Vorlesungen über Botanik in diesem Garten selbst gehalten, und dieses Studium auf solche Art sogleich in praktische Ausübung gebracht.

Im obern Belvedere besteht der k. k. botanische Garten für die österreichische Flora, welcher auf Befehl Sr. jetzt regierenden Majestät des Kaisers Franz I. durch den kenntnißreichen Doctor Host angelegt wurde. Der tief Eingeweihte des unermeßlichen Pflanzenreiches findet hier alles lebend beisammen, was die Natur in den gesammten kaiserlich österreichischen Provinzen und in den Küstenlanden, sowohl an den Höhen der Berge, wie auch in den duftenden Thälern und in den Felsenrissen, an Baumstämmen, in den Ebenen, unter und ober dem Wasser und an den reizenden Ufern des adriatischen Meeres, emporsprießen läßt. Die Vollkommenheit dieser Anlage behauptet den einzigen Rang in und außer Deutschland.—

Der freie Eintritt in alle diese botanischen Gärten ist Jeder=
mann gestattet.

Das k. k. Lustschloß Belvedere am Rennwege wurde
bekanntlich von dem großen Feldherrn Prinz Eugen von Sa=
voyen im Jahre 1693 angelegt, und solches nach dem Entwurfe
des Hofarchitekten Johann Lucas von Hildebrand 1724 voll=
endet. Während der Lebenszeit Eugens diente dieses überaus
prachtvolle Gebäude ihm zum Sommeraufenthaltsorte, nach
dessen Tode es der allerhöchste kaiserliche Hof überkam, und in
welches im Jahre 1776 die große Gemäldegallerie ver=
legt wurde. Dieses großartige Gebäude wird in das obere
und untere Belvedere eingetheilt; das obere ist das Haupt=
gebäude, auf einer beträchtlichen Anhöhe dicht an der Linien=
mauer gelegen, und das untere besteht blos in hohen Erdge=
schossen (Flügelgebäuden), mit seiner Fronte gegen die Renn=
wegstraße. Das Hauptgebäude, ein länglichtes Viereck, steht
ganz frei und hat eine prächtige Fronte, man gelangt daselbst
auf doppelten steinernen Treppen zu einer Säulen = Colonnade
(das Mittelgebäude), und von da in den großen runden Marmor=
saal, von welchem aus sich der Eingang zu den beiden Seiten=
flügeln öffnet, deren ein jeder sieben Zimmer und zwei runde
Cabinette, der linke Flügel aber auch noch eine schöne Haus=Ca=
pelle enthält. Im obern Stockwerke sind dagegen auf jeder Seite
nur vier Zimmer. Nicht nur von den Zimmern des obern Sto=
ckes, sondern selbst von der Terrasse aus, genießt man eine
höchst überraschende Aussicht über ganz Wien.

Im ersten Tracte bilden die Seiten=Cabinette, ein jedes für
sich, ein Rundgebäude mit einer schönen ganz mit Kupfer gedeck=
ten hohen Kuppel, und von diesen gegen den obern Tract bildet
ein Theil zu beiden Seiten herrliche Terrassen, daher das soge=
nannte zweite Geschoß nicht so groß ist wie das untere und sich
auch ganz frei von den Kuppeln empor hebt. — In architektoni=
scher Hinsicht ist dieses Schloß ein wahres Meisterwerk, wobei
vorzüglich die doppelten Lesenen zwischen jedem Fenster durch alle
drei Abtheilungen eine überaus reiche Façade im großartigsten

13

Style darstellen. Das Dach des Mitteltheiles umläuft eine steinerne Gallerie mit Figuren.

Will man das Ganze nach seiner eigentlichen Lage beschauen, so muß man beim Haupteingange eintreten, in den geräumigen Hof, der auf beiden Seiten mit Gebäuden und schönen Baumalleen besetzt ist, und in dessen Mitte sich ein großer Teich befindet.

Rechts neben dem Hauptgebäude ist die ehemalige Menagerie, jetzt ein bloßer Platz mit sehr schönen Blumengängen und angenehmen Ruheplätzen.

Rückwärts des Schloßes gegen die Stadt zu, liegt der sehr geräumige Garten, einen sanften Abhang bildend. Oben beim Pallaste enthält er der Aussicht wegen keine Bäume, unten hingegen ist er mit Alleen, Blumenbeeten und mehreren Bassins geziert. Der Zutritt ist allen Menschen gestattet. Zunächst diesem erhebt sich das untere Belvedere, als das Vorgebäude dieses majestätischen Palais, in welchem die Ambraser=Sammlung befindlich ist.

Alle die schönen Gemächer des erst beschriebenen obern Belvedere enthalten die schon erwähnte k. k. Gemäldegallerie. Diese bildete sich schon, wie in unserer Geschichte vorkömmt, unter dem Kaiser Maximilian I. und wurde besonders durch Rudolph II. und Carl VI. ansehnlich vermehrt. Die Gallerie befand sich damals in der k. k. Stallburg (wo heut zu Tage die Hofapotheke ist) und wurde durch Kaiser Joseph II. im Jahre 1777 hieher versetzt. Bei Aufhebung der Klöster wurden in den Niederlanden und Italien, so wie in andern Provinzen, die Kunstgemälde nach Wien in die Gallerie gebracht und nebst denen auch noch viele angekauft, welches so fort auch noch jetzt von unserm Kunst und Wissenschaft liebenden Kaiser Franz bei jeder Gelegenheit geschieht. Die ungeheuere Anzahl der Gemäldestücke nimmt alle Gemächer dieses Schloßes ein. Der große Mittelsaal, dessen Wände von geschliffenen Marmor glänzen, und welcher viele und reiche Vergoldungen hat, enthält am Plafond ein herrliches Gemälde von Carlo Carlone. Auch sind hier die meisterhaften lebensgroße Portraite von Kaiser Carl VI., der Kaiserin Maria Theresia, von Kaiser Joseph II. und von Erzherzog Leopold Wilhelm.

In den sieben Zimmern rechts vom großen Saale sind die Gemälde der italienischen Schule, in den andern sieben Zimmern links jene der niederländischen.

Im obern Stockwerke, im ersten Zimmer rechts, prangen die Gemälde aus der altdeutschen Schule, im zweiten, Stücke aus der alten Niederländer= und alten italienischen Schule; im dritten, aus der flammändischen Schule und im vierten, Gemälde aus dem Mittelalter. Links im ersten Zimmer befinden sich Ge= mälde italienischer Meister aus der alten, mittleren und neuern Zeit; im zweiten sind Stücke von flammändischen Künstlern aus dem Mittelalter, und von einigen deutschen Meistern aus der neuern Zeit; im dritten gibt es wieder Gemälde von einigen deutschen, vorzüglich aber von österreichischen Malern; im vierten vermischte Stücke von flammändischen und deutschen Künstlern. Drei Cabinette enthalten Bilder von niederländischen und deut= schen Meistern; in dem vierten Eckcabinet ist die Auferste= hung=Christi=Capelle, und im Goldcabinette das aus car= rarischem Marmor gearbeitete Brustbild des Ministers Wen= zel Fürsten von Kaunitz=Rittberg, und Fügers alle= gorisches Bild auf die glorreiche Rückkehr des Kaisers Franz I. im Jahre 1814.

Im Erdgeschoße, in den sechs Zimmern nebst Cabinetten, befinden sich ebenfalls viele Gemälde vorzüglicher Meister aus allen Schulen, Thierstücke, Allegorien und andere Gegenstände enthaltend; Basreliefs von Donner, eine Gruppe, Mars, Venus und Amor, aus carrarischem Marmor, und nebst mehreren andern auch ein Gipsmodell vom Professor Käßmann, Per= seus und Phineus vorstellend.

Es ist in jedem Zimmer ein geschriebener Catalog vorhan= den, der die Namen der Maler der daselbst befindlichen Stücke enthält.

Der gegenwärtige Gallerie=Director und Schloßhauptmann

13 *

ist der rühmlichst bekannte Professor Herr Peter Kraft und
zwei Custoden, die Herren Carl Ruß und Sigmund von
Perger.

Der Eintritt ist Jedermann am Dinstag und Freitag ge=
stattet.

Die sogenannte k. k. Ambraser = Sammlung im
Gebäude des untern Belvedere, wozu der Eingang auch von
der Rennwegstraße ist, enthält die merkwürdige Rüst=,
Kunst= und Wunderkammer, welche im XVI. Jahrhun=
derte vom Erzherzog Ferdinand von Oesterreich und
Tirol gegründet und im Schlosse Ambras bis zum Jahre 1806,
in welchem nämlich Tirol an Baiern abgetreten ward, befind=
lich war, dann aber nach Wien kam und hier aufgestellt wur=
de. Diese außerordentliche, sehenswerthe Sammlung enthält
sehr viele und mitunter kostbare Leibrüstungen berühmter regie=
render Fürsten und Feldherren mit ihren Waffen und Bildnissen;
Körper, Geweihe und Gebeine seltener Thiere; antike Thonge=
fäße, Bildwerke und Geräthschaften von Holz, Stein und Me=
tall aus allen Zeiten, worunter besonders das berühmte Salz=
faß von Benvenuto Cellini und Albrecht Dürers
Schnitzwerke zu bemerken kommen; verschiedene Kunstwerke aus
Perlenmutter, Elfenbein, Horn, Holz und Wachs mit werth=
vollen Einfassungen und Besetzungen; uralte Glasgemälde und
Glasarbeiten; antike Gefäße von Stein und Thon, künstliche
Kunstgebilde, mathematische Instrumente; viele und verschiedene
Hausgeräthe, als außereuropäische Seltenheiten zu betrachten;
Kostbarkeiten und Kleinodien; alte musikalische Instrumente;
und endlich Handschriften, Bücher=, Kupfer= und Holzstiche,
darunter sich mehrere alte Gebetbücher mit herrlichen Gemäl=
den auf Pergament, auch Turnier= und Kriegsbücher befinden.

Noch erwähnen wir das sehr große Mosaikbild von
Rafaelli, das Abendmal des Herrn nach Leonardo
da Vinci's Gemälde vorstellend, welches sich hier befindet.
Nicht nur die correcte Zeichnung, sondern auch das lebhafte
Colorit der Figuren und der Schmelz, so daß man glaubt ein

Gemälde zu sehen (es stellt Christus den Herrn vor, wie er mit seinen Jüngern das Abendmal hält), wird Jeden zu Staunen und Verwunderung hinreißen.

Alle diese Gegenstände als Seltenheiten betrachtet, die überdieß einen hohen historischen Werth haben, sind unschätzbar.

An einem jeden Montag und Donnerstag ist der freie Eintritt dem Publikum gestattet.

Nachdem wir das Gebäude der deutschen Arcieren=Garde am Rennwege und der dazu gehörigen gegenüber liegenden, frei stehenden, rund gebauten Capelle, welche zum Gottesdienste für dieselbe gehört, schon früher erwähnt haben, wollen wir den geneigten Lesern nur noch bemerken, daß das zunächst stehende fürstlich Schwarzenbergische Sommer=Palais, dessen Hauptfronte gegen das Glacis gestellt ist, von dem Hof= architekten Joseph Emanuel Fischer von Erlach im Jahre 1725 erbaut wurde. Es ist an und für sich ein sehr schönes Gebäude soliden italienischen Styls, mit vorzüglichen zu beiden Seiten zum Haupteingange führenden geschmackvollen Treppen von außen und zwei hervorstehenden Flügelgebäuden. Gleich dem Aeußern ist dieses Palais im Innern, da in den schönen Gemächern und dem Saale eine vorzüglich geschmackvolle Ausschmückung existirt; auch die darin befindliche Haus=Capelle, welche hallenartig gebaut und zu Ehren der unbefleckten Mariä Empfäng= niß geweiht ist, hat Fresco=Gemälde und am Altare hübsche Goldverzierungen.

An der rechten Seite des Gebäudes ist der Eingang in den Garten, der den Sommer über für das Publikum offen gehal= ten ist, und unter die schönsten Wiens gehört. Er ist von be= deutender Größe, wird mit großen Kosten sorgsam gepflegt und enthält nicht nur einen reichen Blumenflor, schöne Alleen und höchst anmuthige englische Parthien mit vielen Gängen, sondern auch besonders im obern, höher liegenden, an das Belvedere an= stoßenden Theile große Teiche und Springbrunnen, in der Mitte des Gartens aber bedeutende Orangerie= und Treibhäuser. In ei=

nem derſelben wird auch alle Jahre im Frühling die Blumen=
ausſtellung abgehalten.

Bevor wir uns von dieſem ſo ausgezeichneten Grunde hin=
weg wenden, wollen wir beim Rennwege nur noch die Bemer=
kung anfügen, daß in den allerfrüheſten Zeiten ein Theil desſel=
ben der Hirſchpeunt (Hirſchberg) hieß, welcher in Hinſicht
der erſten Anſiedelung mit Gärten und Landhäuſern, Rebenpflan=
zungen und andern Gründen ganz mit der Landſtraße gleich zu
ſtellen iſt. Der Name Rennweg aber wird von daher abgelei=
tet, weil hier zu Zeiten Albrechts III. das Wettlaufen
(es hieß im damaligen Sprachgebruche das Scharlachrennen),
welches beſonders die italieniſchen Kaufleute zur Sitte und beſon=
derer Beliebtheit brachten, abgehalten wurde, worüber ſogar Ur=
kunden beſtehen, worin deſſen Erwähnung geſchieht, wie z. B.
in der von Albrecht III. am 29. September 1382 ertheilten
Marktfreiheit ausdrücklich das Scharlachrennen benannt wird..

An dem Theile dieſes Rennweges zur Linken bis zur Favori=
ten=Linie, auf der Wiedner=Hauptſtraße bis zum Schaumbur=
gerhof, bis Mätzleinsdorf und Hundsthurm, dann zur Rechten
dießſeits des Wienfluſſes entlang, zieht ſich die Vorſtadt Wie=
den in einer großen, jedoch ganz unregulären Ausdehnung. Der
rechte Theil dieſer Vorſtadt iſt ganz flach gelegen, jedoch gegen
die Favoriten=Linie hin bildet ſich eine ganz ſanfte Anhöhe. Der
Häuſer= und Einwohnerzahl nach iſt dieſer Grund der allergrößte,
denn er zählt bei 24,000 Seelen; an Terrain hingegen iſt die
Landſtraße die erſte Vorſtadt. Die Lage deſſelben iſt geſund,
jedoch bei weitem nicht ſo wie die der Landſtraße, die auch
noch beſſeres Trinkwaſſer beſitzt.

Der Grund Wi-den,

damals ſo wie viele andere Vorſtädte mit Lucken verſchiede=
ner Benennungen verſehen, iſt uralt; er erhob ſich gleich vor
dem Kärthnerthor und zog ſich bis zur Kugel auf der Hauptſtraße
hin, daher noch jetzt das Sprichwort: »die heutige Wieden fange
an, wo die alte aufgehört habe,« und daher auch noch die alte

und neue Wieden. Urkundlich finden wir am allererſten
St. Stephan, ſeit der urſprünglichen Stiftung von Herzog
Heinrich Jaſomirgott an, auf der Wieden mit Grün-
den beſtiftet, worüber etwas ſpäter ſogar mehrere freie Bürger
Wiens als Amtleute vorgeſeßt erſcheinen; daher iſt das nun-
mehrige Erzbisthum auch noch Grundherrſchaft über einen kleinen
Theil der Wieden. Doch war dieſer Grund außerdem ein Eigenthum Herzog Leopolds des Glorreichen und ſeines
Arztes und Capellans, Gerhards, Pfarrers zu Felling im
Jahre 1211. Aus Schenkungsurkunden dieſes glorreichen Herzogs entnehmen wir klar, daß der damals viel ſtärkere Wienfluß
einen Hauptſtrom und Arme gehabt haben müſſe, daher auch die
ganz richtige Benennung des fürſtlich Starhembergiſchen Freihau-
ſes auf der Wieden, als einſtmalige Inſel, »Conradswörth«
(Wörth, Werd, bedeutet für ſich eine Inſel, ein Eiland). Man
hat den Namen Wieden auch ableiten wollen von der Wied-
mung nach St. Stephan, welche Idee aber höchſt ſeltſam er-
ſcheint; weit richtiger ſcheint uns dieſe Benennung der ſlaviſchen
Sprache — Wjden — anzugehören, als der etwas veränderte
Name der Stadt.

Dieſer Grund hat in der frühern Periode mehrere Spitäler gehabt, die geſchichtlich merkwürdig ſind und deren Ent-
ſtehung und Erlöſchen wir aber ohnedem in der Geſchichte getreu
aufgezeichnet haben, deßhalb nicht mehr nöthig finden, ſolche hier
zu wiederholen.

Die Wieden hat zwei Hauptſtraßen, nämlich jene der
alten und der neuen Wieden; erſtere iſt viel länger und breiter als leßtere, und wird äußerſt lebhaft befahren, da über ſolche
die Haupt-Poſtſtraße nach Italien und Steiermark, nach Wie-
ner-Neuſtadt und Baden führt. Beide laufen aber nicht gerade,
ſondern haben einige Krümmungen. Dieſe Vorſtadt gehört allerdings zu den beſſeren Gründen und iſt eine bürgerliche Vorſtadt.
Sie hat viele Gäſſen, wo unter die älteſten wohl die Panigl-
gaſſe gehört; auch ſchöne Häuſer findet man hier und reiche
Einwohner. Die Claſſe iſt jedoch ſehr verſchieden und an Fabri-

ken oder eigenen Gewerben nicht ausgezeichnet, vielmehr findet man hier ein reges Handels= und Fuhrwerkswesen vorherrschend. An öffentlichen Gebäuden und Anstalten ist der Grund gleich der Landstraße. Nicht minder sind die bestehenden Einrichtungen hier lobenswerth; man findet gute Beleuchtung, mehrentheils gepflasterte Straßen und Gässen, Canäle, ein Grundspital als ein Versorgungshaus für Arme vom Grunde und andere auf Humanität Bezug habende wohlthätige Einrichtungen.

Die bedeutendste Grundherrschaft ist der Wiener Stadtmagistrat; außerdem finden wir auch das Bürgerspital, die Commende St. Johann, die Pfarre Hütteldorf, die von Seegenthalischen Erben als mindere Grundobrigkeiten. Hier befindet sich auch die k. k. Polizei=Bezirks=Direction. Die Wieden besitzt zwei Pfarrkirchen, zum heiligen Carolus Borromäus und zum heiligen Erzengel Michael (vormals Paulaner). An öffentlichen Gebäuden existiren das Haus Nr. 1., als die Herrschaft Conradswörth (Starhembergisches Freihaus); das Taubstummen=Institut; die k. k. polytechnische Schule; die k. k. Theresianische Ritter=Akademie; das k. k. Gußhaus; das k. k. Militär=Fuhrwesens=Corps=Commando (der Holzhof genannt); die Kirche der PP. Piaristen nebst Schule; zwei Pfarrschulen; das protestantische Privat=Erziehungshaus sammt Schule; die Musikschule der Pfarre Wieden; eine Badanstalt mit schönem Garten, zur »Flora« genannt; zwei Buchdruckereien (die des Mausberger und Ullrich); eine Zucker=Raffinerie; eine lithographische Druckerei; eine k. k. priv. Actien=Gesellschaft des Phorus (Holz=Verkleinerungs=Anstalt); ein k. k. Waaren=Stempelamt; ein Linien=Amtsgebäude (Favoriten=Linie); vier Kaffeehäuser; zwei Apotheken; sehr viele Gasthäuser wegen der nach Italien führenden Haupt=Poststraße, darunter sind drei mit Tanzsälen und Gärten versehen, zum Mondschein, König von Ungern und blauen Wolfe; dann als Einkehr=Wirths=

häufer: das goldene Lamm, die goldene Ente, das goldene Kreuz, die blaue und goldene Kugel und Weintraube. Unter den großen Gebäuden ist auch das abgebrannte Haus zu bemerken, in welchem sich das k. k. Kreisamt vom V. U. W. W. befindet.

Im dritten Blatte der bildlichen Darstellung der 34 Vorstädte wird der verehrte Leser sogleich das Prachtgebäude der Carlskirche erblicken, welch' ein außerordentlich schöner und majestätischer Tempel dieselbe ist, und welche wohl ob ihrer großen Pracht und Regelmäßigkeit mit allem Rechte die schönste Kirche Wiens genannt werden darf.

Kaiser Carl VI. that, wie in den damaligen Zeiten noch üblich, wegen Abwendung der 1713 in Wien ausgebrochenen Pest das feierliche Gelübde, eine Kirche zu bauen, woburch dieselbe entstand. Hierzu wurde am 4. Februar 1716 der Grundstein gelegt und zu Ende Octobers 1737 stand sie nach dem Plan Fischers von Erlach, durch den Baumeister Philipp Martinolli, im erhabensten Style der Architektur vollendet da, auf einem schönen Platze gegen das Glacis, von allen Seiten freistehend. Sie formirt ein rundes großes Hauptgebäude mit hoher, mit Kupfer gedeckter Kuppel, vorn an beiden Seiten mit niedereren und zwei hervorstehenden hohen Thürmen in Gestalt zweier Säulen, in welchen ersteren sich ein großartiges, harmonisch gestimmtes Geläute (es sind 8 Glocken, die eine Octave bilden, nur Schade, daß eine davon gesprungen und unbrauchbar geworden ist) befindet, welches den Gläubigen höchst feierlich in den Tempel des Herrn zum Gottesdienste einladet.

Auf eilf großen steinernen Stufen steigt man zum prächtigen Portal hinauf mit einer Colonnade von sechs korinthischen Säulen. Im Frontispicium sind in halb erhabener Arbeit die Wirkungen der Pest sinnvoll dargestellt, und unter diesem Gebilde steht mit vergoldeten Buchstaben das höchst feierliche Gelübde des Kaisers: Vota mea reddam in conspectu timentium Deum (ich will mein Gelübde erfüllen im Angesicht derer, die Gott fürchten).

Die beiden Thurmſäulen ſind doriſcher Ordnung, anſtatt der Capitäler mit vergoldeten Adlern, aus Erz gegoſſen, die ihre Flügel ausbreiten, verſehen; ſie haben 30 Klafter Höhe und 13 Fuß im Durchmeſſer. Sie ſind ganz von Stein, inwendig hohl und mit Wendeltreppen bis zu den Capitälern verſehen. Von Außen in gewundenen Reihen und halb erhabener Arbeit von unten bis oben iſt das Leben, die Thaten und der Tod des heiligen Ca‍rolus abgebildet. Nebſt dieſen zieren das Portal auf Poſta‍menten vor den beiden Thürmen ſtehende, lebensgroße Steinſta‍tuen. Weiter zurück, an beiden Seiten der Kirche, wozu auch Eingänge führen, ſind die niedern Thürme, in Form von Triumphbögen geſtaltet. Wie ſchon geſagt, gewährt die ganze Fa‍çade einen überraſchenden Anblick, und es würde ſich der Mühe lohnen, die architektoniſchen Verhältniſſe und artiſtiſchen Merk‍würdigkeiten dieſer Kirche genau auseinander zu ſetzen und der Oeffentlichkeit zu übergeben, werthhältig als Gegenſtand einer ganzen Abhandlung, welche ſich auch in der hieſigen Akademie der bildenden Künſte vorfindet, mit allen dazu gehörigen Plänen und Zeichnungen.

Wenn wir von dem Aeußeren ſchon ob ſolcher Pracht in Staunen verſetzt werden, in welche Bewunderung verſinkt nicht der ſorgſame Beſchauer beim Anblicke der innern Größe und Majeſtät?! — da er von der außerordentlichen Schönheit der Ausſchmückung des Ganzen einen mächtigen Eindruck empfängt. Er findet die merkwürdige Kuppel in Fresco = Malerei von Roth‍maier, die Glorie und himmliſche Herrlichkeit mit den ſchönſten Bildern dargeſtellt, die feierliche Aufnahme des heiligen Carl Borromäus, Cardinals des Titels der heiligen Pranedis (geb. 1. Nov. 1538, † 4. Nov. 1584), Erzbiſchofs von Mailand, deſſen heiliger Seeleneifer in der ſchreckbaren Peſt zu Mai‍land 1576 ſo ſtrahlend leuchtete; die Seitenwände aber mit glänzend geſchliffenen Marmor. Der Hauptaltar, zur Glorie des heiligen Carolus, iſt mit Standbildern aus Gips ver‍ziert und weiß mit Gold; der Tabernakel iſt von weißen Tiro‍ler = Marmor. Nebſt demſelben ſind noch ſechs Seitenaltäre mit kunſtreichen Oelgemälden als Altarblätter, und zwar: 1) der heilige Lucas, gemalt van Skippen; 2) die heilige Eliſabeth, gemalt von Daniel le Gran; 3) die Witwe von Nain, gemalt von Altamonte; 4) der römiſche Hauptmann, gemalt von Daniel le Gran; 5) Mariä Himmelfahrt, gemalt von dem Venetianer Ricci; 6) der Waſſerſüchtige, der vom Heilande geheilt wird, gemalt von Pellegrini. Neben dem Marien-Altar ſteht das marmorne Denkmal des ausgezeichneten Dichters Collin. An Koſtbarkeiten beſitzt die Kirche ſehr wenig. Beſondere Erwähnung verdient aber das große, kunſtreiche und koſtbare Crucifix von Elfenbein, welches gewöhnlich auf dem Hochaltar zu ſtehen pflegt, und aus der kaiſerlichen Schatzkammer hieher gekommen iſt. An Reliquien ſind vorhanden: ein Partikel aus Silber in Geſtalt eines Adlers, der ſeine Flügel ausbreitet mit der Kaiſerkrone, beſetzt mit Diamanten, Perlen und einigen andern Edelſteinen, mit Reliquien vom heiligen Carl; ferner von demſelben Heiligen der Talar, die Pontifical-Schuhe, das Pluviale, die Mitra, der Cardinals-Hut, Alles ebenfalls aus der kaiſerlichen Schatzkammer; ferner ein Kreuz-Partikel mit Ueberreſten vom heiligen Johann von Nepomuck. Die Kirche iſt übrigens mit hinlänglichen und ſchönen Paramenten verſehen, die alle in ältern Zeiten angeſchafft wurden.

Dieſe Kirche iſt nach der Vollendung [zur Beſorgung des öffentlichen Gottesdienſtes dem ritterlichen Kreuzherren-Orden mit dem rothen Sterne übergeben worden, wobei das Patronatsrecht dem Allerhöchſten Landesfürſten zuſteht, der auch den Commandeur und Pfarrer ernennt. Die Kaiſerin Maria Thereſia dotirte die Commende, und Kaiſer Joſeph II. erhob dieſe Kirche im Jahre 1783 zu einer Pfarrkirche. Gegenwärtig ſind bei derſelben ein Pfarrer, der immer Commandeur des ritterlichen Kreuzherren-Ordens mit dem rothen Sterne iſt, und vier Cooperatoren, welche Prieſter deſſelben Ordens ſind, angeſtellt. Mit der Commende iſt nach den Ordensſtatuten auch ein Spital verbunden, in welches arme gebrechliche Leute aufgenommen werden.

Der Pfarrbezirk St. Carl ist dem Mäßleinsdorfer Gottes= acker zugewiesen, er umfaßt auch zur Verrichtung der Seelsor= ge einen Antheil der Vorstadt Wieden und einen Antheil der Vorstadt Landstraße, zusammen 234 Häuser.

Die zweite und landesfürstliche **Pfarrkirche** auf der neuen Wieden befindet sich auf der Hauptstraße, ist dem **heiligen Schutzengel Michael** geweiht, und wird auch die **Paulanerkirche** genannt.

Auf die Empfehlung der Herzoge von Baiern und Lothrin= gen wurden die **Paulaner** im Jahre 1627 vom Kaiser **Fer= dinand II.** in **Wien** aufgenommen, ihnen auf der Wieden zwischen Weingärten ein bequemer Platz ausgesucht, selber von den Bügern angekauft und daselbst der Grundstein ihrer Kirche »zu dem **Schutzengel**« vom jungen König **Ferdinand** gelegt, die Kirche selbst 1651 vom Bischof Breuner geweiht. Unter allen ihren Einrichtungen erwuchs die Bibliothek schnell zu seltener Trefflichkeit, welches aber Alles im Türkenkriege 1683 ein Raub der Flammen wurde. Viele milde Beiträge, darunter vorzüglich die reichliche Unterstützung des Paulanerklo= sters zu Thalheim ob der Ens, stellten unglaublich schnell Alles wieder in den vorigen blühenden Zustand, in welchem das Kloster auch verblieb, bis dasselbe 1784 seine Auflösung erlitt. Im Jahre 1796 traten 13 Priester und 3 Laienbrüder in Pen= sionsstand, nachdem ihre Güter verkauft und dem Religionsfond einverleibt worden waren. Während des Bestandes des Klosters wurden die pfarrlichen Rechte von St. Stephan aus ver= richtet.

Die Kirche, welche in jeder Hinsicht schön ausgeschmückt ist, ist 20 Klafter lang, 7 Klafter hoch und eben so breit. Der Styl der Bauart ist nach neuerer Zeit in der gewöhnlichen Form eines Schiffes, wobei der schöne und starke Thurm, in welchem 6 Glo= cken hängen, über dem Haupteingange sich emporhebt und eine Höhe von 25 Klaftern mißt. Bis zum Jahre 1718 hatte diese

Kirche nicht einmal einen Hochaltar, und bekam solchen erst durch die Bruderschaft der Hoflakaien und Bedienten. Solcher ist im Blondelischen Style von Gipsmarmor, zum Altartische führen vier ovale Stufen von Salzburger Marmor; der obere Theil aber ruht auf vier Säulen römischer Ordnung, zwischen denen auf einer Seite der heilige Bonifazius, auf der andern der heilige Vitalis, als Patrone der obenerwähnten Brüderschaft, stehen. Das Altarblatt stellt die drei göttlichen Tugenden und den heiligen Schutzengel vor. Der Hochaltar ist durch ein eisernes Gitter von dem übrigen Theile der Kirche getrennt. Außerdem sind noch sechs Seitenaltäre vorhanden, diese heißen: zu Ehren des heiligen Franz von Sales; heiligen Anton von Padua; der Speisealtar (ist ganz von Marmor erbaut), zu Ehren des heiligen Florian; heiligen Franz de Paula; die Kreuzigung Christi; zu Ehren der heiligen Anna. An der linken Seite zwischen dem ersten und zweiten Seitenaltar befindet sich auch noch eine geschnitzte Mater dolorosa.

Als ein Kunststück wird das am Hochaltar ausgesetzte, auf Holz gemalte Mariahilfer-Bild, die Kreuzigung Christi, von Rothmaier, und der in der Nische des Tabernakels befindliche Christus aus Elfenbein erkannt.

Unter den Paramenten befindet sich ein auf Silberstoff mit Gold gestickter Ornat, ein Geschenk bei Gelegenheit des zweihundertjährigen Jubiläums, im Werthe von 2500 Gulden, eine große Monstranz von Silber und vergoldet, 9 Mark in Gewicht, dann eine silberne Lampe von 74 Mark 1$\frac{7}{16}$ Loth, im Werthe von 2072 Gulden C. M.

Gegenwärtig besteht hier aus dem Weltpriesterstande ein Pfarrer mit drei Cooperatoren, welche den Gottesdienst versehen. Der Leichenhof dieses Grundbezirks ist jener zu Mätzleinsdorf. An der Stelle der schönen Gärten, welche einst das Paulanerkloster umfangen hatten, stehen nun Pällästen ähnliche Zinsgebäude.

Das auf diesem Grunde befindliche, oben erwähnte fürst=

lich Starhembergische Freihaus, auch Conrads=
wörth aus alten Zeiten her genannt, erscheint unter letzterer
Benennung schon während der Regierungszeit Kaiser Frie=
drichs IV., und schon damals war diese Gegend Starhem=
bergisches Eigenthum; als ein Freigut erscheint dasselbe
bei der Ferdinandischen Epoche. Daß aber, wie in vie=
len Chroniken und Beschreibungen von Wien vorkömmt, sol=
ches Rüdiger Graf von Starhemberg, Wiens hel=
denmüthiger Vertheidiger 1683, von Kaiser Leopold I. zum
Geschenke erhalten haben soll, und solches für ewige Zeiten frei
erklärt wurde, ist ein großer Irrthum, da dessen Haus nicht
hier, sondern in der Stadt, in der Krugerstraße lag und noch
gegenwärtig zur weißen Lilie heißt.

Ersteres ist eines der allergrößten Privathäuser inner den
Linien; es hat 6 Höfe, 31 Stiegen, über 300 Wohnungen
und trägt mehr als 100,000 Gulden Zins. In den letzteren
Jahren enthielt es über 1100 Einwohner. Im Jahre 1788
ließ der Eigenthümer desselben, Fürst von Starhemberg, ein
zweites Stockwerk erbauen. Darin ist eine Capelle vorhanden,
zur heiligen Rosalia, welche 1660 erbaut und in der täg=
lich Gottesdienst abgehalten wird. Sie zeichnet sich durch be=
sondere Zierlichkeit und schöne Ausschmückung aus. — Die herr=
schaftliche Kanzlei befindet sich ebenfalls in diesem Freihause.

Das k. k. Taubstummen=Institut verdankt sein Da=
seyn der Gnade des Kaisers Joseph II., welcher, als er je=
nes des Abbé de l'Epée in Paris gesehen hatte, ein solches
in Wien errichten ließ, um die unglücklichen Taubstummen
zu brauchbaren Gliedern der menschlichen Gesellschaft zu machen.
Dieses wohlthätige Institut ist gegenwärtig auf diesem Grunde
Nr. 162. Es werden sowohl arme Knaben als auch Mädchen
darin aufgenommen, wo sie erzogen werden und den Unterricht
in der deutschen Sprache, im Schreiben und Rechnen erhal=
ten. Die größeren Knaben werden bei der im Institute errich=
teten Bandweberei verwendet, und die Mädchen zu weiblichen
Handarbeiten angehalten.

Das Gebäude trägt die Aufschrift: Surdorum Mutorumque Institutioni et Victui Josephus II. Aug. 1784.

Eines der wichtigsten Institute, welches diesem Grunde zur Zierde gereicht, ist unbestritten das k. k. polytechnische Institut und die Real-Schule.

Es ist dieß ein Gebäude, welches von Oesterreichs Fabrikswesen und seiner täglich vermehrten Vervollkommnung in allen auf Gewerbfleiß Bezug habenden Fächern ein glänzendes Zeugniß gibt; Sr. Majestät unser ruhmgekrönter Kaiser Franz I. haben solches bei seinem unermüdeten Streben zur Verbreitung wissenschaftlicher Aufklärung und gemeinnütziger Ausbildung für den mit Liebe umfaßten Bürgerstand seiner großen Reiche ins Leben gerufen.

Dasselbe wurde im Jahre 1815 erbaut und am 14. October 1816 von dem Kaiser mit großer Feierlichkeit der Grundstein gelegt.

Die Hauptfronte dieses prachtvollen Gebäudes ist gegen das Glacis, zunächst der Carlskirche, gewendet, und beträgt in der Länge 66 Klafter. Es hat zwei Stockwerke, vor dessen Fenstern des ersten Stockes in der Mitte sich ein Peristil von sechs jonischen Säulen und an jeder Ecke mit drei derlei Säulen-Colonaden eigentlich erhebt. Der Mitteltheil trägt eine Figurengruppe, nämlich den Genius Oesterreichs, die Minerva an dessen Seite, einen Greis, welcher dem Genius zwei Zöglinge vorstellt, zwei weibliche Figuren mit Attributen der Industrie, einen Flußgott und eine weibliche Figur als die personificirte Geschichte, eine Tafel vorhaltend, auf welcher die Jahreszahl 1815 steht. Dabei sind noch äußerst sinnvoll mehrere Attribute der Naturlehre, Geometrie und des Handels angebracht. Diese Gruppe wurde von dem Professor und akademischen Rathe Herrn Joseph Klieber meisterhaft aus Stein verfertigt. Am Friese befindet sich folgende Inschrift mit vergoldeten Buchstaben:

Der Pflege, Erweiterung, Veredlung
des
Gewerbfleißes, der Bürgerkünste, des Handels,
Franz der Erste.

Die Fronte dieses Institutes ist überdieß noch zwischen den Säulen mit mehreren Basreliefs, die ebenfalls als Sinnbilder der Baukunst, Mechanik, Physik, Chemie, Technologie, der Geschichte, Geographie und der Handlungswissenschaften gelten und von Klieber geschaffen wurden, geziert.

Die innere Localität besteht aus einem gewölbten Erdge= schosse von 17 Schuh Höhe, und aus zwei Stockwerken, in deren Mitte ein großer Saal besteht, der die ganze Höhe beider Stockwerke einnimmt. Das Bohlendach des Gebäudes, welches ein von oben einfallendes Licht hat, besteht in großen Räumen, welche zu Sälen benutzt werden. Dieses Institut ist als die Central=Bildungsanstalt für den Handel und die Ge= werbe anzusehen, als welches es auch von dem huldvollen Lan= desfürsten ins Leben gerufen wurde; es bildet wohlunterrichtete Zöglinge und Männer, die im Stande sind, durch ihre wissen= schaftlichen Kenntnisse Verbesserungen und neue Erfindungen in die Werkstätten überzutragen, wodurch auf solche Weise die National=Industrie empor gehoben wird.

Diese ausgezeichnete, für alle Fächer gut geleitete Lehr= anstalt zerfällt in zwei Abtheilungen, nämlich in die commer= cielle und in die technische, wobei mit dem Institute höchst klüglich die Real=Schule in Verbindung gesetzt worden ist. Es ist überhaupt mit wahrer kaiserlicher Munificenz bedacht, und fleißige Schüler genießen auch die Gnade des Monarchen, da sie von der Militär=Pflichtigkeit befreit sind.

Nebst einer vortrefflichen, für die Wissenschaften der Poly= technik erforderlichen Bibliothek sind auch noch folgende Sammlungen und Cabinette hier vorhanden.

I. An der commerciellen Abtheilung eine umfas= sende Sammlung aller existirenden Fabrikate für die Waa= renkunde.

II. An die technische Abtheilung sind die reichhaltigsten Sammlungen angereiht, welche in folgenden bestehen:

a) die chemische Präparaten= und Fabrikaten=Sammlung.

b) das mathematische Cabinet;

c) das physikalische Cabinet;

d) die Modellen=Sammlung;

e) die mathematische und mechanische Werkstätte;

f) das National=Fabriksproducten=Cabinet.

III. An der Real=Schule eine sehenswerthe Sammlung für Mineralogie und Zoologie.

Mit diesem Institut darf Oesterreich kühn mit anderen Staaten in Rücksicht des commerciellen Wissens und des Fabriks= und Gewerbstandes in die Schranken treten, da die österreichischen Erzeugnisse nicht nur den ausländischen nicht nachstehen, sondern sie in vielen Zweigen übertreffen.

Ein anderes Institut, ebenfalls von Wichtigkeit, ist das k. k. Theresianum auf der Wieden in der Favoriten=Linienstraße, in welchem die adeliche Jugend eine ihrem Stande angemessene Erziehung und höhere Ausbildung erhält.

Vor Jahren war an dieser Stelle die sogenannte neue Favorite (Lustschloß) Kaiser Leopolds I. gelegen. Nach dem uns vorliegenden Plan, bestand es aus einem, ein Stockwerk hohen Flügelgebäude mit drei Höfen, in dessen mittlerem Theil eine niedliche Capelle mit einem Thürmchen angebracht war. Zur Linken lag der sogenannte Margarethen = Garten, zur Rechten der Blumengarten des damaligen Erzherzogs Leopold; im Rücken des ganzen Gebäudes zog sich aber ein schöner, großer Garten hin, an dessen rechter Seite ein Teich und eine Schieß=stätte, rückwärts des großen Gartens aber ein Turnierplatz gelegen war. Dieses Lustschloß enthielt eine Gallerie (mehrere Zimmer der Reihe nach), einen langen Saal, mehrere Damenzimmer und einen Comedien=Saal. Um das Lustschloß lagen rings herrliche Rebenpflanzungen, die diesem Aufenthaltsorte viele Annehmlichkeit verliehen haben mögen. Späterhin wurde dieses Gebäude

14

umgestaltet, und die Kaiserin Maria Theresia errichtete hier im Jahre 1745 eine Akademie für junge Edelleute. Die Fürstin Emanuella von Savoyen, geborne Fürstin Lichtenstein, und die u. ö. Stände machten ebenfalls solche Stiftungen, die dann in der Folge zusammen gezogen, und die Theresianische Ritter-Akademie oder das Theresianum genannt wurden. Im Jahre 1784 hob Kaiser Joseph II. diese Akademie auf, theilte die Einkünfte als jährliche Stipendien unter die vorzüglichsten Jünglinge und befahl, daß sie die allgemeinen öffentlichen Collegien der Universität besuchen sollten. Unter dem jetzigen Kaiser wurde diese Akademie im Jahre 1797 wieder neu hergestellt und eröffnet. Das Gebäude, gegenwärtig bloß eine Haupt-Fronte bildend, mit zwei Stockwerken, ist groß und schön und enthält die Aufschrift: Institutioni Nobilis Juventutis D. M. Theresia primum condidit 1746. Imper. Caesar Franciscus II. Aug. restituit 1797. — Die Ueberschrift belehrt uns schon, daß dieses Institut bloß dem Adel gewidmet ist, und zwar aus allen kaiserlichen Erblanden. Auch andere Jünglinge des Adels aus allen katholischen Landen werden hier gegen Bezahlung der Kosten aufgenommen. Diese Stiftung ist überhaupt von allen die ausgezeichnetste und die Zöglinge tragen alle lichtblaue Uniform mit rothen Aufschlägen, goldenen Epauletten, gelben Beinkleidern und Westen, und einen Stahldegen; die Zöglinge aus Ungarn gehen dagegen in blaue National-Tracht gekleidet und tragen Säbel.

Es bedarf hier wohl kaum der Erwähnung, daß diese Ritter-Akademie eine großartige Anlage enthält, indem die Studien mit Einschluß der juristischen Wissenschaften gelehrt, und überhaupt alle Zweige höheren menschlichen Wissens und die französische, italienische, englische, böhmische Literatur und Sprache von ausgezeichneten Professoren (meist Piaristen aus der böhmisch-mährischen Provinz) vorgetragen werden, die als geschickte und berühmte Männer dem Staate bekannt sind.

Als Curator ist dieser Akademie der Herr Feldmarschall-Lieutenant August Freiherr von Herzogenberg vorgesetzt.

Unter mehreren Plätzen, welche die Piaristen in Wien er=
hielten, war jener auf der alten Wiedner=Hauptstraße, unfern
von Mätzleinsdorf, wo sie eine Kirche und ein Collegium bekamen,
welche im Jahre 1754 erbaut wurden. Die Kirche ist zu Ehren
der heiligen Thekla geweiht und nieblich verziert, in welcher
auch alle Tage öffentlicher Gottesbienst verrichtet wird, doch ist
dieselbe keine Pfarrkirche.

In den Josephinischen Reformen (1788) durfte diese Kirche
sammt den niedern Schulen daselbst verbleiben, jedoch mußten die
Piaristen den in der Seitengasse hinter der Kirche befindlichen
Tract beziehen. Den Vordertheil gegen die Hauptstraße kaufte
sogleich das Aerarium und verlegte das Militär=Transport=Haus
dahin. In der Folge kam es wieder weg nach dem Altlerchenfelde,
wogegen einige Schulen der Akademie der bildenden Künste hin=
ein kamen.

Noch führen wir an, daß zwischen dem fürstlich Starhem=
bergischen Freihause und der steinernen, über die Wien führen=
den Brücke sich ein großer, gut gepflasterter Platz befindet, auf
welchem täglich eine außerordentliche Menge des nach Wien
geführten Obstes feil gehalten wird, welcher Platz daher stets
von einer Menge Volkes wimmelt, die daselbst mit wenigem
Gelde ihren Appetit befriedigt, weßhalb auch dieser Platz den
Namen »Naschmarkt« führt.

Der Grund Wieden führt in seinem Siegel im Vorder=
grunde einen Weidenbaum mit der Ansicht der Stadt Wien.

Die Vorstadt Schaumburgerhof.

Von der Wiedner=Hauptstraße weg, zunächst dem sogenann=
ten abgebrannten Hause, beginnt die kleine Vorstadt Schaum=
burgerhof, gleichsam mit der Wieden in Verbindung, und
liegt ein wenig bergan. Es waren einst Gründe der Familie
Schaumburg angehörig, und vielleicht seit 10 Jahren wur=
den solche mit Häusern verbaut und zur Vorstadt erklärt. Die
Einwohnerzahl beträgt 2000 Seelen, welche zur Pfarre zum hei=

14 *

ligen Schutzengel und zur k. k. Polizei=Bezirks=Direction auf
die Wieden gehören.

Die Grundobrigkeit ist Graf Gundacker von Starhemberg. —
Besondere bemerkenswerthe Gegenstände gibt es hier keine,
bloß das Palais des Herrn Heinrich Baron von Geymül=
ler verdient ob seiner prachtvollen, wahrhaft feenartigen Einrich=
tung, deren sich nur fürstliche Häuser zu erfreuen haben, das
gräflich Reglowitschische Palais und die ausgezeichnete
Fabrik des Anton Burg und Sohn, von allen Acker=
werkzeugen, ökonomischen und andern Maschinen,
die den englischen gleichgestellt werden können, eine ganz beson=
dere Erwähnung. — Das Grundsiegel besteht aus einem Theil
des gräflich Gundacker=Starhembergischen Familien=Wappens,
nämlich dem obern Theil des Stephansthurmes. — An öffentlichen
Gebäuden werden zwei Kaffeehäuser, fünf Gasthäuser,
ein Branntweinschank, eine wohlbestellte Trivial=Schule
und eine seit zwei Jahren bestehende, mit gutem Erfolge gekrönte
Kinderwartanstalt gezählt.

Vorstadt Hungelbrunn.

Dieser nur aus 11 Häusern bestehende Grund schließt sich
ebenfalls links der Wieden an den Schaumburgerhof, hat 1200
Einwohner und besteht nur in einer Gasse. Der Pfarrbezirk
ist Mätzleinsdorf, die k. k. Polizei=Bezirks=Di=
rection jene auf der Wieden, die Grundherrschaft der
Magistrat, und zwei Häuser gehören den von Seegentha=
lischen Erben.

Es besteht hier ein schönes Kaffeehaus, eine Apo=
theke und vier Wirthshäuser. — Die Einwohner schaf=
fen sich den Erwerb in Seidenzeug=Fabriken, in Ziegelöfen und
mit Taglohn.

Dieser kleine Grund hat seinen Namen nach einer alten und
seltsamen Volkssage erhalten, daß der dortige Brunnen sich nur
in Miß= oder Hungerjahren wasserreich gezeigt habe, welches
wunderbare Volksmährchen von gar vielen Brunnen erzählt wird.

Der Grund gehörte, so weit urkundliche Spuren führen, zur Dotation der St. Johann= und Thomas=Capelle im Gunbelhof. Von dieser Capelle kam Hungelbrunn oder Hungerbrunn an die Freiherrn von Tinti, die solchen am 28. April 1705 dem Magistrate verkauften. Noch führt die Ge= meinde im Siegel einen Schöpfbrunnen mit den Heiligen Peter und Florian.

Vorstadt Laurenzergrund.

Derselbe gränzt an Hungelbrunn, gegen den Linienwall, an einer Anhöhe gelegen, und zählt nur 530 Personen, weß= halb er in Hinsicht der Bevölkerung die kleinste Vorstadt bildet. Vor Zeiten gehörten die Gründe, die nun mit Häusern verbaut sind zu dem Laurenzer=Nonnenkloster auf dem alten Fleischmarkt, nach dessen Aufhebung durch Kaiser Joseph II. solche an das Realitäten=Grundbuchsamt kamen. Im Jahre 1806 kaufte der Magistrat, welcher nun Grundherrschaft ist, diesen Theil. Zur Kirche gehört solcher nach Mätzleinsdorf, zur Polizei=Bezirks=Direction auf die Wieden.

Das Grund=Insiegel enthält bloß den Rost des heiligen Laurenz abgebildet, mit der Umschrift: Sigillum Bo. J. Sancti Laurentii.

Die Vorstadt Mätzleinsdorf.

Mätzleinsdorf grenzt an die vorbeschriebenen kleinen Vorstädte, liegt am nördlichen Abhange des Wiener Berges uneben und senkt sich sanft gegen den Wienfluß, wo es sich vorerst an den Linienwall, dann an Hundsthurm, Reimprechts= dorf und Nikolsdorf anschließt. Von der Wieden aus führt hier die Hauptstraße durch zu der nahe gelegenen Mätzleinsdor= fer=Linie, welche aber noch nicht gepflastert ist, obschon Haupt= canäle vorhanden sind. Die Beleuchtung ist aber, wie auch so= gar auf den kleinen Gründen, in erwünschtem Zustande und die Grundgerichte verdienen hierinfalls alles Lob.

Die Bevölkerung von Mätzleinsdorf beträgt 2600 Seelen.

Auch von diesem Grund ist der Magistrat, mit Ausnahme von drei Häusern, die schottisch sind, die Grundobrigkeit, und er gehört nach der Wieden zum Polizei-Bezirke. In pfarrlicher Beziehung besitzt Mätzleinsdorf eine eigene Pfarrkirche und viele Gasthäuser (davon ist das schönste zum Einsiedler auf der Siebenbrunnerwiese, wo öfter glänzende Bälle zu wohlthätigen Zwecken abgehalten werden), welche, meist auf der Hauptstraße gelegen, eine bedeutende Erwerbsquelle bieten, dagegen in den andern Theilen dieser Vorstadt ganz vorzüglich die Gärtnerei die Beschäftigung der hiesigen Einwohner ist. In der Brunngasse ist ein Badhaus mit einem hübschen Garten; von den Fabriken verdient die des Joseph Amon mit Seidenzeugen, welche in der größten Ausdehnung betrieben wird, die Berlinerblau-Fabrik des Johann Adam und die k. k. privilegirte Fabrik silberplattirter Waaren des Franz Machts eine Erwähnung. Auf diesem Grunde werden wenig schöne Häuser getroffen, mehrentheils haben sie nur ein Stockwerk und viele bestehen bloß aus den Erdgeschossen; das schönste und wohleingerichtetste Haus ist jenes auf der Hauptstraße, dem bekannten Herrn Freiherrn von Dietrich gehörig, den unsere geneigten Leser schon als Besitzer von der schönen Herrschaft Feistritz und Thomasberg kennen gelernt haben, und der auf dem Grunde Mätzleinsdorf als der erste Wohlthäter für Kirche und Arme im strahlendsten Lichte glänzt.

Auch fanden wir hier, wo die Göttin Flora ihr Füllhorn reichlich ausgießt, im Hause des Herrn Johann Adam die allerschönsten Tulpen, die selbst die Aufmerksamkeit des allerhöchsten Hofes auf sich gezogen haben, und in jenem des Herrn Hofraths von Kernhofer eine noch nie so gesteigerte Pracht von Pelargonien, die wirklich die höchste Cultur an sich tragen.

Sonderbar ist es, daß in dieser Vorstadt außer den Brunnstuben auf der Siebenbrunnerwiese nur wenig gutes Wasser vorhanden ist, welches in heißen Jahren ganz austrocknet. Da der

Grund nicht gar groß ist, so existiren auch keine Versorgungsan= stalten, wohl aber eine Pfarrschule.

Die Pfarrkirche steht etwas erhoben in der Mitte der Hauptstraße und theilt dieselbe dadurch in zwei Theile. Sie ist ein ganz einfaches Gebäude mit einem Thurme, von nicht gro= ßem Umfange, und erhält gegenwärtig in ihrem Innern eine gänzliche Renovirung. Sie wurde 1725 erbaut und zum heili= gen Florian geweiht. Merkwürdigkeiten enthält sie keine. — Außer dieser ist auch noch eine Capelle bei der von hier nahe gelegenen Mäßleinsdorfer=Linie, in der an Sonn= und Feier= tagen Messe gelesen wird. Es befinden sich daselbst die Mauth= häuser und Zollgefällen=Administrations=Beamten. Gleichwie die Wieden, so ist auch Mäßleinsdorf durch die äußerst reg= same Passage belebt. — Im Grundsiegel ist der heilige Flo= rian als Patron des Grundes angebracht.

Ursprünglich gehörte der größte Theil des Grundes und Bo= dens von Mäßleinsdorf (Maßisdorf in alten Zeiten) dem überaus reichen und angesehenen ritterlichen Bürgergeschlechte von Tierna in Wien, und es hatte dasselbe darauf auch ein Betkirchlein, zu St. Florian gestiftet, welches aber ab= getragen und durch Kaiser Carl VI. die heutige Pfarrkirche er= baut wurde. Späterhin ward es ein Gut der Gräfen Sonnau, die den Grund 1727 an den Magistrat verkauften.

Die Vorstadt Nikolsdorf,

liegt flach an der rechten Seite der Mäßleinsdorfer Hauptstraße, an Margarethen, Wieden und Mäßleinsdorf grenzend und be= steht bloß in einer Gasse, genannt »die Nikolsdorfergasse.« Der Seelenstand zählt nur 1350 Einwohner, die mehrentheils We= ber, Schuster, Schneider, und das weibliche Geschlecht Sei= denwinderinnen sind. Nebstbei gibt es einige, die Kühe halten und sich von Milchverkauf ernähren. Der Pfarrbezirk ist Mäß= leinsdorf, jener der Polizei=Bezirks=Direction aber die Wieden. Die Grundobrigkeit ist der Magistrat. Das Wasser ist nur mit= telmäßig zu nennen und meist salpeterhältig.

Nikolsdorf hat von daher die Benennung, weil einst die Gründe dem Nonnenkloster zu St. Nicolai auf der Land= straße gehört haben, später aber den Grafen Sonnau zuständig und endlich ein Eigenthum des Magistrats wurden. Es hieß aber in frühesten Zeiten das Bernards=Thal von dem Patron des Nonnen=Klosters, dessen feuerglühender Eifer einst die halbe Welt zur Kreuzfahrt nach dem Morgenlande bewegte. Die Gründe von hier reichten auch viel weiter hinaus bis an das nahe In= zersdorf am Wiener Berge, und sogar der Boden, worauf die Säule »Spinnerin am Kreuz« steht, gehörte zum Ber= nardsthale. (Wir werden die in der Volkssage berühmte Säule unter den Buchstaben S. in unserm Werke »Darstellung des Erzherzogthums Oesterreich unter der Ens« gründlich beschreiben).

Die Vorstadt Margarethen.

Dieser Grund ist am rechten Ufer des Wienflusses, an der kaum bemerkbaren Anhöhe des Wiener Berges, zunächst und an= grenzend den Vorstädten Nikolsdorf gegen Osten, Hundsthurm und Reimprechtsdorf gegen Süden, Gumpendorf, durch den Wien= fluß getrennt, gegen Westen, und Wieden gegen Norden gele= gen. Fünf Gässen mit einem Platze, der »Schloßplatz« ge= nannt, bilden diese historisch berühmte Vorstadt, welche 5080 Einwohner zählt. Es ist hier eine eigene Pfarrkirche mit der Pfarrschule, eine bestehende Klein=Kinderwart= anstalt, ein Brauhaus im vormaligen Schloßgebäude, eine Apotheke, ein Kaffeehaus und 16 Gasthäuser, jedoch ohne besondere Auszeichnung.

Die meiste Beschäftigung haben die Bewohner in den Sei= den= und andern Manufacturen und Fabriken, die hier vorzüg= lich betrieben werden. — Der Grund hat durchaus gutes Was= ser, gute Beleuchtung, ableitende Unrathscanäle, aber noch kei= ne Pflasterung in den Gässen. Es gibt hier niedliche Gebäude, doch meist nur mit einem Stockwerk. Außer zwei Häusern, wel= che dem Dominicaner=Orden zustehen, ist blos der Magistrat

die Grundherrschaft, und der Grund gehört in polizeilicher Eintheilung zur Wieden.

Die Kirche (auch unter dem Namen Sonnenhof bekannt)
steht in der Margarethner-Hauptstraße oder sogenannten langen
Gasse, und bildet ein ganz einfaches Gebäude im neuern Style
mit einem viereckigen Thurme. Sie ist zum heiligen Joseph
genannt und ward im Jahre 1768 erbaut. Das Innere besteht
in einem Halbbogen und hat ein sehr freundliches Ansehen. Nebst
'dem Hochaltar, das Altarblatt den heiligen Joseph vorstellend, von Altamonte gemalt, sind noch drei Seitenaltäre vorhanden, zum heiligen Leonhard, von Maulbertsch;
zur heiligen Theresia und Anna, von Carl Auer-
bacher. Sowohl der Hochaltar von angelegtem Marmor, als
auch die Seitenaltäre sind Werke des Hofarchitekten von Ho-
henberg. Ein alabasternes Frauenbild, die unbefleckte Empfängniß andeutend, und ein Crucifir von Elfenbein verdienen eine
besondere Erwähnung; auch sind schöne Kirchen-Paramente vorhanden.

Zur hiesigen Pfarre, welcher ein Pfarrer und drei Cooperatoren vorstehen, gehört ein großer Theil der neuen Wieden,
143 Häuse fassend, dann ganz Margarethen, Reimprechtsdorf, Hundsthurm und 20 Häuser von Mäzleinsdorf. Die Leichen von dem Antheile der Wieden gehören in den Mäzleins-
dorfer-, jene von den übrigen oben genannten Gründen in den
Hundsthurmer-Leichenhof.

Das Geschichtliche dieser Vorstadt ist folgendes: Die Benennung der hiesigen Gründe in der Urzeit (Anfangsperiode) ist
unbekannt, doch sagt man, solche haben zu einer Commenthur
gehört; den Namen Margarethen erhielten sie aber von der
Herrin von Tirol, Margaretha, genannt die Maultasche,
die der ihr gar wohlgefällige, schöne und in der Blüthe seiner
Jugendjahre feurige Herzog Rudolph nach Wien gebracht
hatte, welchem sie das wichtige Tirol mit Zustimmung der Land-
herren (1363) übergab. Hier ward ihr ein gar schönes Schlößlein
erbaut, wo sie gewohnt, und von Herzog Rudolph köstlich

und gaſtlich gehalten wurde, auch ſich gerne in der höchſt an=
muthigen Umgegend mit Jagd und Fiſcherei unterhielt, bis ſie
nach ſechs Jahren, obſchon in ihrem vorgerückten Alter noch voll
heißen und jungen Blutes, verſtarb, deren Hülle die majeſtäti=
ſche Kirche der Minoriten in der Stadt aufnahm.

In der erſten türkiſchen Belagerung wurde dieſes Schloß
beinahe ganz zu Grunde gerichtet, bald aber wieder hergeſtellt,
und durch den Primas Olai von Ungern erweitert und geziert.
Wir finden in der Regierungszeit Ferdinands III. als Be=
ſitzer dieſes Schloßes Rudolph Schmidt, Freiherrn von
Schwarzhorn, der das Schloß wie auch die Gärten erweitern
und verſchönern ließ, und unter welchem durch die herbeigezogenen
Anſiedler der erſte Grund zur heutigen Vorſtadt gelegt wurde. Nach
demſelben erhielten Margarethen die Grafen von Sonnau,
daher der Sonnenhof und dieſe Benennung der Kirche, erſterer
ehedem ein Spital und das große Brauhaus. — Mehrere der
ſchönen Landhäuſer mit prachtvollen Gärten, worunter jenes des
Hofſchauſpielers und verdienſtvollen Topographen Weiskern,
ſind abgeriſſen und ſomit Alles verbaut worden.

Das Grundgerichts=Siegel führt die heilige Margaretha mit
den beiden Wappenſchilden der Stadt Wien und der Herzogskrone.

Die Vorſtadt Reimprechtsdorf.

Eine ganz kleine Vorſtadt mit einer Seelenzahl von 630
Perſonen, meiſt vom Taglohne lebend und vom Milchhandel,
liegt flach, nur in fünf Gäſſen beſtehend, zwiſchen den Gründen
Hundsthurm, Margarethen und Mätzleinsdorf. Sie hat gar kei=
ne ausgezeichneten Gebäude oder ſonſt bemerkenswerthe Gegen=
ſtände. Vorzüglich gutes Waſſer gibt es hier in Fülle. Dieſe
Vorſtadt iſt nach Margarethen eingepfarrt, gehört zur k. k. Po=
lizei=Bezirks=Direction auf die Wieden, und hat zur Grund=
herrſchaft den Magiſtrat der Stadt Wien.

Die Abſtammung der unrichtigen Benennung Reimprechts=
dorf wird von der uralten angeſehenen Bürgerfamilie der
Rampersdorfer, aus denen einer im Jahre 1408 in dem

unseligen Zwist um die Vormundschaft über Albrecht V., zwischen Leopold dem Stolzen und Ernst dem Eisernen, mit dem edlen Bürgermeister Vorlauf durch das Henkerschwert fiel, abgeleitet, welche diese Gründe besaßen, die nach vieler Zeit an den Magistrat käuflich gelangten.

Das Gemeindesiegel enthält eine Weltkugel mit dem Kreuze, in und auf demselben die Jahreszahl 1790 und die zwei Anfangsbuchstaben G. H., welche auf die ersten Besitzer, die Rampersdorfer, hinweisen.

Nicht sobald wird man ein sinnvolleres und so angemessenes Siegel finden wie dieses, welches den Ursprung verewigt; wir können daher nur billig staunen, wie man so unüberlegt die Urbenennung verunstalten kann, und glauben möchte, der Name Reimprechtsdorf (blos modern klingend) sei besser als die richtige Benennung einer unserer edlen und uralten Wiener Bürgerfamilien, deren Namen wir mit Stolz aussprechen können.

Die Vorstadt Hundsthurm.

Diese Gemeinde liegt gegen Südwesten von der Stadt, am rechten Ufer des Wienflusses, und bildet ein zusammenhängendes Ganze mit den übrigen umliegenden Vorstädten. Sie grenzt südlich mit der nur durch die Hundsthurmer=, auch Schönbrunner=Linie getrennten Gemeinde Gaudenzdorf, gegen Westen mit der über den Wienfluß liegenden Vorstadt Gumpendorf, gegen Norden und Nordwesten mit Reimprechtsdorf und gegen Osten mit Mäßleinsdorf. Die Beschaffenheit der Lage ist theilweise hügelich, zum Theil auch eben.

Die hiesige Einwohnerzahl beläuft sich über 2400, welche mehrentheils Fabriksarbeitsleute sind, da auf diesem Grunde sich viele Lein= und Seidenzeugfabriken nebst einer k. k. priv. Kartenmaler=Fabrik des Mar. Uffenheimer befinden. Der Grund zählt viele schöne Häuser und hat gutes Wasser, die Lage ist aber nicht so angenehm wie die anderer Vorstädte, wegen des Wienflusses; er hat auch keine besondern Grund=Versorgungshäuser oder sonstige Anstal=

ten, wohl aber die gesetzlich vorgeschriebene Beleuchtung und
einen im Werke begriffenen Haupt-Unrathscanal, jedoch ohne
gepflasterte Straßen.

Ein Kaffeehaus, eilf Gasthäuser und das prächtige herrschaftliche Brauhaus, eine Gemeindeschule
und eine Capelle an der Hundsthurmer-Linie sind die ganzen Bestandtheile dieser Vorstadt, welche acht Gässen enthält.

Die hiesigen Einwohner, worunter sich nicht viele sehr wohlhabende Familien befinden, gehören zur Pfarre St. Joseph nach
Margarethen, zur Polizei-Bezirks-Direction auf die Wieden,
und haben eine eigene Grundherrschaft, »Hundsthurm« genannt, in der Person des gegenwärtigen Besitzers Herrn Anton
Gilberts Edlen von Seydel und der Johann Stein-
bauerischen Kinder.

· Seinen Namen hat der Grund von dem dort, wie im Erdberg, bestandenen Rüdenhaus (ein Haus für Jagdhunde) für
die Jagdlust im nahen Schloße Schönbrunn, gehörte aber in
früheren Zeiten der Familie der Rampersdorfer, die es dem
Landesfürsten abgelassen haben mochten. In der zweiten türkischen
Belagerung (1683) legten die Türken in diesem Thurme ein Magazin an, welches sie bei ihrer übereilten Flucht im Stiche ließen, und aus welchem gar mannichfache Gegenstände von Werth
erbeutet wurden, so daß mancher Arme von dem hier Aufgehäuf-
ten für seine Lebenszeit genug zu leben hatte. Die gänzliche Bildung dieser Vorstadt fällt in die neuere Zeit, und noch führt das
Grundgericht das sprechende Siegel: einen Thurm mit offener
Pforte, in deren Mitte ein Hund steht. — Wir erinnern hierbei, daß von den Weißgärbern angefangen bis zu dieser Vorstadt
alle oben beschriebenen Gründe diesseits des Wienflußes gelegen
sind, welcher Fluß solche der Länge nach von dem Glacis, der
Stadt und den übrigen Vorstädten abschneidet, und bei Ueberschwemmungen besonders Hundsthurm, Margarethen, den Niederungen am Ufer der Wieden, an dem jenseitigen Ufer aber Gumpendorf, Magdalenengrund und den Häusern an der Wien schädlich
wird. Auch ist bis zum Hundsthurm durch die Gnade des Kaisers ein

Hauptcanal angelegt worden, ·ber den Unrath in die Donau und nicht mehr in den Wienfluß ableitet, wodurch, wenn dieß auch jenseits geschieht, der bisherige Uebelstand verschwinden, und der Wienfluß voll reinen Wassers seyn wird.

Die Vorstadt Gumpendorf.

Diese Vorstadt ist drei Viertelstunden vom Mittelpunkt der Stadt südlich entfernt. Sie grenzt nördlich an Mariahilf, Laimgrube und den Magdalenengrund, östlich getrennt durch den Wienfluß, über welchen aber·eine schöne Bohlenbrücke die Verbindung herstellt, an die Wieden, Margarethen, Reimprechtsdorf und Hundsthurm, südlich an Fünfhaus (außer der gleichnamigen oder Gumpendorfer=Linie gelegen), westlich an Schottenfeld und Neubau. Der Grund liegt meistens flach, von Süden gegen Westen und Norden aber etwas erhöht. Ein Theil der von hier ganz isolirten Vorstadt Windmühle liegt unter der Benennung der großen Steingasse inmitten des Gumpendorfer Gebiethes. Die Grundherrschaft ist der Magistrat, die Polizei=Bezirks=Direction jene zu Mariahilf, die Pfarre besteht auf dem Grunde selbst.

Seine Lage ist schön und anmuthig, besonders gegen die Gumpendorfer.Linie hin, und wird auf dieser Seite auch in Gestalt eines unregelmäßigen Halbbogens von dem Linienwall eingeschlossen.

Nebst der Pfarrkirche sind ein Spital der barmherzigen Schwestern; eine Pfarr= und zwei Trivial=Schulen; ein Grundspital im Gemeindehaus; eine k. k. Artillerie=Kaserne (vormals der Königsackersche Gartenpallast); ein großes Brauhaus; vier Mahlmühlen; zwei Kaffeehäuser; eine Apotheke; 24 Gasthäuser; die k. k. priv. Papiertapeten=Fabrik von Spörlin und Rahn; die orientalische Kappenfabrik von Volnin de Mastre, die Fabrik türkischer Galanterie=Waaren von Jacob Samuel; die Fabrik von französischen Handschuhen und Leder, von Bartho=

lome Desbalmes, die landesbefugte, im ausgedehntesten Betriebe stehende und rühmlich bekannte Seidenfabrik des Georg Hornpostl; mehrere Baumwollfabriken; Seidenfärber; dann Kattun= und Tüchelbrucker und Wäscher vorhanden, welche letztere fünf Gewerbe den stärksten Erwerb den hiesigen Bewohnern geben.

Der Grund, welcher eine Bevölkerung von 9340 Seelen aufweist, hat gutes Wasser und viele schöne Gebäude mit prachtvollen Gärten, die ihn besonders auszeichnen und angenehm machen, und man findet mit Ausschluß der mindern Arbeitsclasse viele wohlhabende Einwohner. Da keine Haupt= oder Commerzial= Straße durch die Vorstadt führt, so herrscht hier wenig Staub und eine Ruhe, die Jedermann sogleich auffallen wird, so wie man mit Vergnügen ob der schönen Abwechselung der Gärten gern durch das ländlich aussehende Gumpendorf wandert.

Eine Hauptstraße und 16 Gassen werden sämmtlich von der Gemeinde erhalten, die den Grund nach allen Richtungen durchschneiden, und die sich größtentheils im fahrbaren Zustande befinden; gepflastert ist nur der Theil, welcher zur Mariahilfer= Straße gehört. Auch wird diese Vorstadt während der Winters= zeit durch 264 Laternen während der Nacht auf Kosten der Gemeinde beleuchtet. Uebrigens haben sämmtliche Canäle die Leitung in den Wienfluß, welches den Fluß selbst durch den vielen Unrath schmutzig und übelriechend macht.

Der von dem Meidlinger=Wehre abgeleitete, Fünfhaus und den untern Theil Gumpendorfs durchfließende Mühlbach ist für die daselbst wohnenden Färber und Wäscher sehr nutzbar. — Auch sind auf diesem Grunde von der Albertinischen Wasserleitung drei Baffins vorhanden, wovon das erste sich bei der Kirche, die andern zwei aber auf der Mariahilfer=Haupt= straße befinden.

Linker Hand, zunächst der Hauptstraße, prangt die Pfarr= kirche Gumpendorfs; diese ist zu Ehren des heiligen Abts Aegydius geweiht, und wurde im Jahre 1765 neu zu bauen angefangen und 1772 vollendet. Sie ist im neuen Geschmacke

in ovaler Form aufgeführt, hat in= und auswendig ein freund=
liches, helles Ansehen, und ist mit einem großen schönen mit
weißem Bleche gedeckte Thurme versehen, in welchem sich
4 Glocken befinden. Rings um steht sie frei auf einem offenen
und ganz ebenen Platze, wenige Schritte davon, im Rücken der=
selben der alte ehrwürdige Pfarrhof, von zwei Gärten umge=
ben. Seitwärts davon steht die Pfarrschule, seit 1806 ganz neu
erbaut, als ein sehr schönes und geräumiges Gebäude.

In dieser Kirche befinden sich außer dem Hochaltare noch
sechs im neuern Geschmacke erbaute Seitenaltäre, welche dem
heiligen Joseph, der heiligen Anna, dem heili=
gen Kreuze, dem heiligen Johann Baptist, der
Mutter Gottes, Mariahilf, und dem heiligen
Johann von Nepomuck gewidmet sind. Sie zeichnen sich
alle durch schöne Altarblätter und einfache Verzierungen aus.
Letztere beiden wurden erst während des jetzt der Kirche vorstehen=
den sehr thätigen Herrn Pfarrers und Menschenfreundes Johann
Baptist Schmidt von den Schotten, durch fromme aus=
gezeichnete Wohlthäter errichtet, daduch steht nun das Innere
der Kirche ganz vollendet da, und wir müssen gestehen, daß die=
ser Tempel des Segens und Friedens unter die schöneren der
Vorstädte gehört.

Man darf vor allem den Hochaltar bewundern, welcher
ganz frei steht, auf drei Marmorstufen ruht, und aus purem
Salzburger Marmor 1808 neu errichtet wurde. Das herrliche
Altarblatt, den heiligen Aegydius vorstellend, ist von
Abel gemalt; das späterhin hinzugekommene architektonische
Fresco = Gemälde, durch großmüthige bedeutende Beiträge der
braven Gemeinde, wird durch die aus Stein künstlich gehauenen
kolossalen Statuen der zwei heiligen Apostel Peter und
Paul, von dem Director Klieber, ungemein erhöht, ist mit
anpassender Vergoldung geschmückt, und so zu einem der schön=
sten Hochaltäre Wiens geeignet. Zu allen diesen Schönheiten
zählen wir auch die meisterhaft von Deutschmann verfertigte

Orgel mit 16 Registern, eine Kirchen=Reliquie des heiligen Aegydius und die schönen Kirchen=Paramente.

Die hiesige Pfarre ist uralt, da solche schon im Jahre 1360 in Gumpendorf vorkömmt; seit dem Jahre 1571 ist sie mit allem Zugehör von dem Zisterzienserstifte Baumgartenberg in Oberösterreich, welchem dieselbe angehörte, der Abtei Schotten in Wien überlassen worden. Die früheren Schicksale der alten Pfarrkirche kennt man nicht, nur so viel ist bekannt, daß sie auf demselben Platze stand, wo vor mehreren Jahren ein zweiter Pfarrhofgarten angelegt wurde.

Zur hiesigen Pfarre gehört auch die neu hergestellte Johannes=Capelle an der Mariahilfer=Linie, in der an Sonn= und Feiertagen Messe gelesen wird. Die Seelsorge und den Gottesdienst versieht ein Pfarrer und zwei Cooperatoren aus dem Orden der Benedictiner=Abtei Schotten. — Die Pfarre ist zu dem Leichenhofe außer der Hundsthurmer=Linie gewiesen.

Unter allen Vorstadtgründen ist Gumpendorf unstreitig der älteste und geschichtlich berühmteste. Noch werden mehrere im heutigen Gumpendorf aufgefundene Römerdenkmale, besonders der Siegesstein Trajans über den dacischen Decebalus, aufbewahrt, auch fanden sich dort viele jüdische Grabsteine, die denn doch, wenn wir noch so strenge sichten, weit über die Erbauung Roms hinauf reichen. Auch gab es zur Zeit der Regierung Heinrich Jasomirgotts schon ein Ministerialen=Geschlecht der Herren von Gumpendorf, von denen die Vorstadt noch heute den Namen trägt. Davon erscheint in einer Schenkungsurkunde der Abtei St. Peter in Salzburg Albero von Gumpendorf; im Jahre 1298 Heinrich von Gumpendorf; in der Mitte des XIV. Jahrhunderts wird uns die Pfarrkirche urkundlich bekannt, welches wohl der sicherste Beweis ist, daß der Grund schon eine Ansiedlung besessen haben müsse. Wir finden daher viele Eigenthümer um diese Zeit, die Gründe in Gumpendorf hatten, und auch 1305 Hannsen von Capellen als Herrn von Gumpendorf und Patron der dortigen Pfarrkirche.

Kein Wunder also, wenn wir berichten, daß vor einigen hun=
dert Jahren sehr viele prachtvolle Landhäuser mit den schönsten
Gärten hier gestanden haben, wovon viele noch wirkliche Ueber=
bleibsel der alten seyn mochten, welches auch aus der Art der
Lage und des Baustandes der Gebäude leicht zu urtheilen ist.

Der gräflich Königseckische Pallast diente im Jahre 1698
Peter dem Großen von Rußland während seines hiesi=
gen Aufenthaltes zur Wohnung, und die Münzwardeingasse er=
innert uns noch deutlich an den ehemals hier gestandenen Münz=
hof. Nicht minder alt sind als Freigründe die sogenannte
Dorotheermühle und das Brauhaus.

Im Wappen des Grundsiegels befinden sich drei Lilien,
die wir als eine gründliche Andeutung uns nicht entziffern kön=
nen, sondern vielmehr glauben müssen, daß dieses das Wappen
des letzten Besitzers von Gumpendorf, Grafen von Mol=
lard, ist.

Die Vorstadt Magdalenagrund,

ist an der Wien gegen Mariahilf zu gelegen, an einer ziem=
lich steilen Anhöhe, und steht gleichsam mit dem Grunde an
der Wien in Verbindung, von Gumpendorf und Mariahilf ist
sie durch Straßen abgesondert. Die Zahl der Bewohner be=
trägt 1240 Seelen, die mehrentheils der untern Volksclasse
angehören und vom Taglohne dürftig leben. Die Häuser, alle
an der Anhöhe gelegen, sind unregelmäßig gebaut und schlecht;
einige an dem Ufer der Wien stehende verdienen eine Aus=
nahme davon. Die hiesigen Gründe gehörten zu der uralten,
auf dem Stephansfriedhof zwischen dem Dom und dem Alum=
nat gestandenen, am 12. September 1781 abgebrannten Mag=
dalena=Capelle, daher auch der Name. — Das Insiegel
enthält die heilige Magdalena, vor dem Cruzifix knieend.

Von dieser Vorstadt, die auch ob ihrer schlechten Bauart
den abscheulichen Volksnamen »Ratzenstabl« trägt, ist der
Magistrat die Grundherrschaft; die zu Mariahilf befindliche
Polizei=Bezirks=Direction hat auch diesen Bezirk zu verwalten,

15

und Mariahilf ist die Pfarre, an welche der Magdalena=
grund angewiesen ist.

Die Vorstadt Laimgrube an der Wien.

Diese grenzt an den Magdalenagrund und zieht sich an
dem Ufer des Wienflusses fort bis 600 Schritte vor dem
Kärnthnerthor, von da bergan zu den kaiserlichen Ställen und
begrenzt Mariahilf, dann die Windmühle, mit der sie ein
Grund zu seyn scheint. An dem Ufer des Flusses liegt die
Laimgrube sehr tief, erhebt sich aber durch alle quer durch=
laufende Gassen zu der Anhöhe der Laimgrube=Hauptstraße,
die vom Burgthor aus über dieselbe und Mariahilf hindurch
führt und die Haupt=Reichs=Poststraße bildet. Die Kothgasse,
so wie auch die Hauptstraße, sind gepflastert, die andern Gas=
sen aber nicht. Es befindet sich in der Kothgasse ein Albertini=
scher Brunnen, weiter gegen den Wienfluß haben alle Häuser
gutes Wasser genug. Der Grund wird auch ordentlich durch
Laternen zur Nachtszeit erleuchtet, und es bestehen über den
Wienfluß drei Brücken, worunter zwei Kettenbrücken,
die die Communication mit der Wieden erhalten. An der Laim=
grube=Hauptstraße steht die Pfarrkirche, der Pfarrhof;
an der Wien auf der Hauptstraße die zwei Pfarrschulen;
das bekannte Wiener=Theater; die Getreidmarkt=Ka=
serne; das magistratische Körnermagazin; die k. k. Stal=
lungen; die k. k. Kaserne für die Hofburgwache;
die k. k. Ingenieur=Akademie mit der schönen Kirche;
das k. k. Heumagazin an der Wien; drei Kaffeehäu=
ser und 26 theils Wein=, theils Bierhäuser, wovon die
schönsten beim Kreuz an der Wien, und beim Strauß in
der Kothgasse sind. Der Grund hat durchaus schöne Häuser,
die alle in regelmäßigen Gassen gebaut sind, und darunter meh=
rere auch sehr große Zinshäuser, ein Gemeindehaus und
eine schöne Beleuchtung.

Die hiesigen Einwohner, 8400 an der Zahl, sind größ=
tentheils Arbeitsleute verschiedener Gewerbe, ohne daß man sa=

gen könnte, ein gewisser Zweig sei der vorherrschende. Der Grund zählt wenig ganz reiche Bewohner, doch auch nicht ganz verarmte, oder etwa gar Bettelleute, und gehört daher zu den mittlern, aber soliden und reinlichen Vorstädten.

Von dem größten Theil ist der Magistrat und von mehreren Häusern das Domcapitel die Grundherrschaft, einige wieder sind ständisch frei. — Die k. k. Polizei-Bezirks-Direction ist jene zu Mariahilf.

Die Pfarrkirche, welche auf der linken Seite der Hauptstraße der Laimgrube steht, ist dem heiligen Joseph geweiht, und wurde 1624 vollends erbaut. Die Bauart ist den äußeren Conturen nach im italienischen Style, ohne besonders classisch zu seyn, da sie weder gothisch, noch anderer Art ist, und besteht in einem großen Gebäude in Halbkuppel mit vielen Stuccatur-Verzierungen, aber nur mit mittelmäßigem Lichte versehen. Sie hat eine hübsche Façade mit mehreren Steinfiguren, und vorn zwei viereckige Thürme mit 6 Glocken, mit weißen, niedern Blech-Kuppeln, rückwärts aber einen derlei kleinen mit 2 Glöckchen, die jedoch alle zusammen kein harmonisches Geläute bilden.

Das Innere schmückt ein Hochaltar und 9 Seitenaltäre, nämlich die Kreuz-Capelle, der Antoni-Altar, des heiligen Johann von Nepomuck, der heiligen Anna, des heiligen Joseph, der heiligen Maria, der heiligen Dreifaltigkeit, an dem linken Pfeiler der heiligen Apollonia, und rechts am Pfeiler des heiligen Judas Thabbäus. Das Hochaltarblatt stellt den heiligen Joseph vor; ober demselben ist ein medaillonähnliches Gemälde mit dem Gott Vater und über dem Tabernakel ein herrliches Gemälde, die Mutter Gottes vom Berg Carmel, angebracht. Nicht nur die Kirche, sondern auch alle Altäre, wovon die Seitenaltäre im Blondelischen Style verfertigt sind, sind reich mit Verzierungen und Vergoldungen, die unlängst alle neu renovirt wurden, ausgestattet.

Dieses Gotteshaus kann überhaupt schön genannt werden,

15 *

228

und es wird auch besonders an Festtagen eine vortreffliche Musik daselbst aufgeführt.

Bei der zweiten Türkenbelagerung brannten Kirche und Kloster ab, wurden aber von Kaiser Joseph I. 1692 wieder hergestellt. Es war früher ein Kloster der Carmeliter, welches aber 1783 zu einer Pfarrkirche erhoben und das Kloster im Jahre 1797 aufgelöst wurde. Noch hat es unter der Kirche eine große Gruft, in der viele Geistliche aus damaligen Zeiten ruhen, und eine vorzüglich schöne und große Sakristei, die ganz von Nußbaumholz eingelegte Kästen und Decorirung enthält. Das sehr große Klostergebäude sammt schönem Garten wurde nach der Aufhebung auf eine kurze Zeit der Artillerie eingeräumt, später aber zu einem Arbeitshause verwendet. — Die Paramente und Ornate der Kirche sind sehr schön.

Gegenwärtig versehen die Seelsorge und den Gottesdienst ein Pfarrer und 3 Cooperatoren, obschon fünf von der Landesregierung zuerkannt sind.

Die Leichen werden auf den Hundsthurmer-Friedhof übertragen.

An der Wien beim Kegel befindet sich die von Smittnerische Capelle, in der an Sonn- und Feiertagen Messe gelesen werden darf.

Eines der bedeutendsten und schönsten Gebäude, welche die Vorstädte zieren, ist die auf der Laimgrube, zur Rechten der Hauptstraße stehende, zwei Stockwerk hohe Ingenieur-Akademie, welche einen ungemein großen Umfang hat, indem sie eine ganze Seite der langen Stiftsgasse einnimmt, und auch hier die Hauptfronte mit zwei Eingängen bildet, ober welchen die großen Wappen der Hauptstifter prangen.

Wir haben im Verlaufe der Geschichte den verehrten Lesern schon von der früher hier bestandenen Akademie Meldung gethan, und bemerken bloß, daß, in Folge eines von dem k. k. Hofkammer-Kanzlisten Georg Franz von Griener gemachten Entwurfes zu einer Ingenieur-Akademie, solche im Jahre 1769 zur Wirklichkeit gereift war, wozu das große schöne Ge-

bäude die Herzogin Theresia Anna Felicitas von Sa=
voyen erbauen ließ. Der Hauptzweck dieser wichtigen Anstalt ist,
gute Ingenieur=Officiere zu bilden, daher auch alle Lehrgegen=
stände, die hierauf Bezug haben, von geschickten Professoren vor=
getragen werden. Außerdem erhalten die Zöglinge eine höhere
Ausbildung und in mehreren Sprachen den geeigneten Unterricht.
Gestiftete Plätze gibt es 30 vom Staate und 49 durch Privat=
Stiftungen. Es werden aber zur Erziehung und Ausbildung für
die Ingenieur=Wissenschaft viele gegen Bezahlung des Kostgeldes
aufgenommen, so daß im Ganzen immer bei 300 Zöglinge sich
darin befinden.

Diese Anstalt wird musterhaft versehen, und steht unter der
obersten Leitung Sr. kaiserlichen Hoheit des durchlauchtigsten
Erzherzogs Johann, wobei der öconomische Director des Hau=
ses der Herr General=Feldmarschall=Lieutenant Freiherr von
Herzogenberg ist.

Zu dieser vortrefflichen Akademie gehört auch eine Kirche,
die, mit dem Gebäude in Verbindung, an der Ecke der Maria=
hilfer=Hauptstraße steht, und zum heiligen Kreuz genannt
wird. Diese wurde 1749 im gegenwärtigen Style erneuert und
hat einen von Henrici künstlich erbauten, prachtvollen Thurm,
den wir als den schönsten in Wien annehmen dürfen. Das In=
nere der Kirche, ihre einfache, aber schöne und erhabene Aus=
schmückung überrascht Jedermann. Vorzüglich schön und kunstvoll
sind die Gemälde; davon ist das Hauptaltarblatt mit dem Kreuz
Christi, Maria, Magdalena und Johannes, von
Heß, das obere Gemälde, Gott Vater in den Wolken
vorstellend, von Hubert Maurer, die Geburt des Herrn
und die Auferstehung an den zwei Seitenaltären von Win=
zenz Fischer.

So wie dieses Akademie=Gebäude in der Stiftsgasse die
ganze Fronte einnimmt, eben so nehmen die k. k. Stallun=
gen am Ende der Laimgrube, mit der Haupt=Façade ge=
gen das Burgthor gestellt, eine noch längere Fronte ein. Dieses
Prachtgebäude, welches der geneigte Leser ganz deutlich aus dem

dritten Blatte der bildlichen Darstellung der Vorstädte entnehmen
kann, wurde nach dem Plane des Hofarchitekten F i s ch e r von
E r l a ch aufgeführt, doch nicht in dem ganzen Umfang, als es
F i s ch e r entwarf. Ueber 500 Wägen und bei 700 Pferde von
den besten Raçen und Vorzüglichkeit sind in diesen Stallungen
und Remisen, wovon einige der ersteren noch aus der Zeit des
Wiener Congresses durch Pracht sich auszeichnen. Eine ganz vor=
zügliche Beachtung verdienen die in eben den k. k. Stallungen
befindlichen G e w e h r= und S a t t e l k a m m e r n, worin viele
Stücke von außerordentlicher Pracht und Kostbarkeit aufbewahrt
werden.

Auch das k. k. priv. T h e a t e r an der W i e n gehört zu
dieser Vorstadt. Dieses ist das größte und schönste Schauspiel=
haus der Residenzstadt. Solches wurde vom Schauspiel=Director
S ch i k a n e d e r, der sein Theater im Freihause auf der Wieden
hatte, im Jahre 1797 zu bauen angefangen und im Jahre 1800
vollendet; der Baumeister J ä g e r führte es in edlem Style auf,
und man bewundert mit Recht die äußerst kluge Eintheilung des
Innern, welche nicht bald ein Theater wie dieses in Bequemlich=
keit und Zweckmäßigkeit besitzen wird. Das Vorder= und Hinter=
gebäude ist zu Wohnungen bestimmt, und im letzteren sind auch
die Probesäle und Garderoben. Das Mittelgebäude schließt in sich
den eigentlichen Schauplatz und die Bühne, welche zu den breite=
sten und tiefsten in Deutschland gehört, da bei großen Spectakel=
stücken das Thor geöffnet werden kann, wodurch große Einzüge
von Cavallerie u. dgl. geschehen können, und es trifft sich nicht
selten, daß oft mehr als 500 Menschen und 50 Pferde zur Dar=
stellung solcher Stücke gebraucht werden.

Die Verzierungen des äußern Schauplatzes sind blau mit
Silber, die Logenreihen und so auch die Gallerien mit Resenen
geschmackvoll abgetheilt. Diese Ausschmückung überhaupt ist und
wird für immer schön genannt werden können. Es hat im Parter=
re und im ersten Range Logen, dann noch drei Gallerien, mit=
hin im Ganzen vier Stockwerke.

Wenn wir bei der Vorstadt L a i m g r u b e einen Blick auf

den Urſprung derſelben richten, ſo finden wir, daſi der ganze Theil dieſes von der Natur gebildeten Berges, worauf heut zu Tage die Laimgrube, Windmühle, Mariahilf und Spitel= berg ſtehen, im Allgemeinen »vor dem Widmerthor« hieß. Die natürliche Localität ſchuf andere Namen, die jedoch nicht im= mer die richtigſten waren, wie es eben ſo bei der Laimgrube der Fall iſt, denn der ganze Bezirk bildet eine nicht unbedeutende Anhöhe, die beſonders von der Wienſeite nördlich ſogar ſteil ge= nannt werden darf.

Es iſt wohl wahr, daß das Erdreich hier meiſt Lehmgrund iſt, aber von beſtandenen Gruben haben wir nie etwas gehört, und als wir die Lage dieſer Vorſtadt genau unterſuchten, fanden wir nicht den kleinſten Platz, der als ſolche einſt vorhanden ge= weſen wäre. Die ganze Strecke war ein Weingebirge, hie und da mit niedlichen Landhäuſern beſetzt, und mit anmuthigen Gär= ten umgeben. Der Name Laimgrube kömmt in der zweiten Hälfte des XIV. Jahrhunderts urkundlich vor, und ſeit dieſer Zeit blieb auch dieſe Benennung. So ſtand im hieſigen Bereiche ſchon 1330 das bekannte Hoſpital zu St. Merten, von Herzog Otto dem Fröhlichen geſtiftet, dicht an der heuti= gen Getreidemarkt = Caſerne. Bald darnach erhob ſich um 1349 durch Herzog Albrecht den Lahmen in der Nähe von St. Merten (Martin) eine Capelle zu St. Theobald (Tybold) auf der Laimgrube, auf der nämlichen Stelle, an der jetzt noch die Pfarrkirche ſich befindet, und nach fünf Jahren ein Klöſterlein für zwölf dürftige adeliche Witwen, die nach St. Franziscus ſtrenger Regel lebten. Eben ſo erhielten auch die Minoriten, als Beichtiger dieſer Kloſterfrauen, daſelbſt ein Hoſpitium. Im Jahre 1451 ließ Kaiſer Friedrich IV. ein Kloſter aus der Theobalds = Capelle für zweihundert Mönche, Zöglinge des heiligen Capiſtran (dieſe lebten nach der ſtrengeren Obſervanz des heiligen Franciscus und Ber= nardus), erbauen. Die Minoriten zogen in der Folge in ihr Klo= ſter in die Stadt, und die Kloſterfrauen löſten ſich auf, denn man kann keine weitere Spur ihres ferneren Beſtandes erfahren.

Auch standen zu jenen Zeiten mehrere öffentliche Frauenhäuser in der Gegend der heutigen Kothgasse, welche der »Frauenfleck vor Widmerthor« genannt ward.

So blieb es hier auf der Laimgrube bis zum ersten Türkenkriege, während welchem durch Feuer und Schwert alles zerstört wurde, dergestalt, daß die ganze Gegend noch 1551 außer einigen Wein- und Safrangärten öde lag. Das inzwischen doch wieder hergestellte Kirchlein zu St. Theobald (Grund Laimgrube) besaß im Jahre 1620 Ulrich Kettenkalch, darauf Ludmille von Kielmannsegg, dann 1656 Freiherr von Chaos-Richthausen, der solchen 1661 (in Bezug auf die Capelle und die um dieselbe herumliegenden Gründe, da die übrigen zum Grundbuche der Burgpfarre gehörten) den Carmelitern verkaufte, die darauf ein Kloster für sich aufrichteten, wie wir schon bei der Pfarrkirche bemerkt haben. Die Burgpfarre trat schon früher ihre Gründe an den Magistrat ab, und so kam es denn, daß allmälig neue Häuser entstanden, wodurch die Vorstadt Laimgrube besonders in den letzten drei Decennien des abgewichenen XVIII. Jahrhunderts so gut gebildet wurde. Das Grundgerichtssiegel führt noch den heiligen Theobald im Schilde und das magistratische Grundbuch hat auch noch diese uralte, aber richtige Benennung beibehalten, daher begreifen wir nicht, warum nicht diese Vorstadt »die St. Theobaldsvorstadt« benannt wird, was doch grundhältig wäre.

Die Vorstadt Windmühle,

zählt 4500 Einwohner, welche zur Pfarre St. Joseph ob der Laimgrube, jene in der Steingasse aber zur Pfarre Gumpendorf gehören. Der Grund gehört zur k. k. Polizei-Bezirks-Direction Mariahilf, und zum Magistrate, welcher die Grundherrschaft ist.

Die Lage dieser Vorstadt ist dieselbe wie die Laimgrube und sie ist mit derselben ihrer Bauart nach gleichsam vereinigt, nur finden wir keine so hübschen Häuser, wie bei der andern, auch die krumme Windmühlgasse nicht gepflastert, obschon der ganze

Grund auch gute Beleuchtung hat. Die hiesigen Einwohner sind nicht wohlhabend, mehrere arbeiten in verschiedenen Fabriken und viele um Taglohn. Es sind eine Gemeindeschule für Knaben und Mädchen, ein Kaffeehaus und 23 Gasthäuser hier vorhanden, wovon die meisten auf der Windmühlgasse sich befinden. Das größte Gebäude auf der Windmühle ist das k. k. Arbeitshaus, welches auf Befehl des Kaisers im Jahre 1804 von der n. ö. Landesregierung in dem vormaligen Klostergebäude der Carmeliter angelegt, und zweckmäßig zu einer öffentlichen Besserungsanstalt eingerichtet wurde. Diese wohlthätige Anstalt, die keineswegs als ein Strafhaus anzusehen ist, besteht bloß für Leute, die durch ihre unthätige Lebensweise als muthwillige, arbeitsscheue Bettler, Müssiggänger, aus eigener Schuld vacirende Dienstbothen, Säufer und Leute, die keinen Erwerb ausweisen können, bezeichnet werden. Solche kommen in dieses Arbeitshaus auf unbestimmte Zeit, und werden zur Arbeit angehalten, empfangen die Belehrung in der Religion und in den Pflichten des Menschen und Bürgers, und werden so lange hier gehalten, bis sie hinlängliche Proben ihrer Besserung abgelegt haben. Auch können arme Leute, die gar keinen Erwerb haben, freiwillig hinein gehen und arbeiten, wofür sie eine Bezahlung erhalten, wodurch also jede Ursache verschwindet, darben oder betteln zu müssen. Mit diesem Arbeitshause ist auch eine Corrections-Anstalt für junge Leute beiderlei Geschlechts aus den gebildeteren Ständen verbunden, wo sie in abgesonderten Zimmern, unter öffentlicher Aufsicht, von den betretenen Abwegen durch zweckmäßige Mittel wieder zurückgebracht, ihre Namen aber sorgfältig verschwiegen werden.

In Bezug auf das Geschichtliche dieser Vorstadt glauben wir bemerken zu müssen, daß diese Gründe, welche die Vorstadt Windmühl bilden, früher vicedomisch waren, dann im Jahre 1562 als öde Flecken einem gewissen Johann Frankhelin unter der Bedingung überlassen worden waren, Windmühlen daselbst zu erbauen, von woher auch die Benennung dieser Vorstadt abstammt. Da er aber statt der Windmühlen Häufer erbaute, so nahm man ihm die Gründe wieder und verlieh solche an verschiedene Bauluftige um Grundzins. In der Folge erkaufte der Magistrat die Grundherrlichkeit und ist gegenwärtig noch im Besitze davon.

Die Vorstadt Mariahilf.

Diese Vorstadt grenzt gegen Osten mit der Laimgrube und Windmühle, gegen Süden mit Gumpendorf, gegen Westen mit Schottenfeld und gegen Norden mit dem Spitelberg. Sie ist meist flach auf der Anhöhe oberhalb der Laimgrube gelegen und es führt die Reichs-Haupt-Poststraße, welche vom Burgthor angefangen bis zur Mariahilfer-Linie gepflastert ist, hindurch, die sehr breit ist und Tag und Nacht lebhaft befahren wird, wozu die Stellwagen, Fiakers und Landkutscher, dann die vielen Herrschafts-Equipagen, die in Menge zu allen Zeiten und Stunden von den Umgebungen Wiens hin und her fahren, das meiste beitragen; auch ist dieser Grund bei seiner starken Bevölkerung von beinahe 10,000 Menschen äußerst belebt. — Mariahilf hat eine hohe gesunde Lage, und ist durch seine schönen Gebäude eine ansehnliche Vorstadt, die gleich einer Stadt majestätisch sich gestaltet, und ob ihrer Schönheit, vorzüglich aber der Belebtheit, wie es nur wenige dergleichen gibt, zu den beliebtesten gerechnet werden kann.

Hier steht auch in der Mitte des Grundes auf ganz freiem Platze, zur Linken der Hauptstraße, die prachtvolle Pfarrkirche Mariahilf, bekannt als ein gnadenreicher Wallfahrtsort. Außer diesem herrlichen Denkmal des christlichen Glaubens, prangen auf diesem Grunde das fürstlich Esterhazysche (früher fürstlich Kaunitzische) Palais, worin eine prachtvolle Bildergallerie, Bibliothek und Kunstsammlungen sich befinden, mit dem schönen Garten und einem daranstoßenden, in der Tiefe gleichsam wie in einem Kessel liegenden Obstgarten; mit mehreren tausend Zwergbäumen besetzt, und mehrere ansehnliche Zinshäuser in großartigem Style erbaut; auch sind hier ein Grund-Armenspital, zwei Pfarrschulen, mehrere Trivial=Schulen, zwei Apotheken, zwei Kaffeehäuser, viele Specerei= Schnitt=Waaren= und Eisenhandlungen und eine große Anzahl von Gasthäufern, von denen das goldene Kreuz und der blaue Bock als gute Einkehr=Wirthshäuser bekannt find, in welchen meist Reifende und Fuhrleute aus Ober= österreich einkehren; auch ist hier eine k. k. Polizei=Bezirks= Direction; das Domcapitel ist die Grundherrschaft.

Unter den Bewohnern gibt es viele wohlhabende Leute; viele vermischte bürgerliche Gewerbe werden betrieben, und es herrscht überhaupt viel Leben und Regsamkeit. Waffer und be= fonders gutes gibt es zu Mariahilf wenig, dazu trägt auch bei, daß die Hauseigenthümer sich wenig herbeilaffen, tiefe Brunnen, die auf diefem Grunde gefordert werden, anzulegen, vielmehr werden diejenigen Hausbrunnen vernachläffigt, welche von Alters her bestehen, daher ist die Gemeinde beim Trink= waffer bloß auf die Albertinischen Brunnen befchränkt, wovon ein großes Baffin auf der Hauptstraße, ein folches auf dem Plaße von der Kirche, und eines in der Stiftgaffe sich be= findet, die wohl Waffer in ziemlicher Quantität, den Sommer über aber nicht in fo guter Qualität fpenden, da durch den langen Lauf von Hüttelsdorf herein das Waffer feiner Frische be= raubt wird.

Diefes Grundes ältester Name hieß »im Schiff«, oder nach damaliger Ausfprache »Schöff«, welches auch der Grund im Siegel durch ein mit vollen Segeln hineilendes Schiff an= deutet, und stammt daher, weil die aus Baiern und Schwa= ben und aus den oberen Gegenden Oesterreichs zahlreich herab= kommenden Schiffleute, Kaufleute und andere Donaufahrer ge= wöhnlich ihre Herberge auf diefem Grunde nahmen, wenn sie zu Lande nach Haufe kehrten, was auch noch jeßt gefchieht.

Der jeßige Name diefer Vorstadt rührt von dem in ihrer Pfarrkirche ausgefeßten Marienbilde her. Die Barnabiten in der Stadt kauften nämlich einen Grund im Schöff, um den Friedhof ihrer Kirche aus der Stadt dahin zu verlegen. In der hölzernen Capelle dieses neuen Gottesackers setzten sie im Jahre 1660 das Madonnen=Bildniß, welches als »Mariahilf« in seiner Urbenennung von Passau her bekannt ist, zur Verehrung aus, wozu ein solcher Volkszulauf geschah, daß bald dabei ein Gebäude für Geistliche erbaut wurde.

Im Türkenkriege 1683 ward dieß Gnadenbild in die Stadt gerettet, und da die Capelle in Mariahilf (dieser Name wurde damals schon allgemein gebraucht, und der alte Ausdruck Schöff verlor sich) durch die Barbaren zerstört worden war, so stieg ein viel geräumigeres Barnabiten=Collegium und eine im Jahre 1713 vollendete schöne Kirche empor, die in großartigem Style aufgeführt ist, und von in= und auswendig ein sehr schönes Ansehen hat. — Die zwei Thürme an der Façade sind stark und hoch, mit schönen Kuppeln, mit Kupfer gedeckt, worin ein harmonisches Geläute besteht, besonders durch die große Glocke, welche den Namen »Schuster Michel« trägt und 79 Zentner, 55 Pfund schwer ist. Nach des Stifters Willen muß diese Glocke jeden Samstag zum Segen geläutet werden, deren feierliche Töne das Gemüth begeistern, und freundlich zum Segen des Herrn laden.

Nebst dem aus dem feinsten Salzburger Marmor künstlich gearbeiteten, mit sechs Säulen versehenen Hochaltar, dessen Auszierung so reich ist, und dessen Werth sich so hoch beläuft, daß er schon vor 80 Jahren auf 20,000 Gulden berechnet wurde, sind noch acht Seitenaltäre vorhanden. Von diesen sind die ersten zu beiden Seiten stehenden ebenfalls ganz von Marmor, zur heiligen Anna, zum heiligen Alexander Saulus, zum heiligen Kreuze, zum heiligen Paulus, zum heiligen Johann von Nepomuk, zum heiligen Joseph, zum heiligen Anton und Erzengel Michael genannt, die alle schön verziert sind.

Vorzüglich bemerkenswerth ist die Fresco=Malerei am Plafond der Halbkuppel von Troger und seinen Mitkünstlern Hauzinger und Strattmann, und die prächtige Orgel von Henke. Das Merkwürdigste ist jedoch das Bildniß

Mariahilf, welches in silbernen Rahmen hoch über dem Ta=
bernakel am Hochaltar prangt, und zu welchem von nahe und
ferne zahlreiche Wallfahrten geschehen, die auch selbst in Wien
von St. Stephan aus in schweren Zeiten, wie es die vor kur=
zem da gewesene Cholera=Zeit war, in Bittgängen angestellt
werden.

Diesem Gnadenbilde wurden seither auch viele Opfer ge=
bracht, die alle noch vorhanden sind, und selbst von den k. k.
Majestäten wurden solche dargebracht, so wie erst unlängst nach
der Vermählung des jüngern Königs von Ungern und Kronprin=
zen aller übrigen österreichischen Staaten, das Brautkleid J. M.
der Königin als Schutzmantel für dieses Gnadenbild als Ge=
schenk hieher gegeben wurde.

Neben der Kirche steht das große Gebäude des Colle=
giums der Barnabiten (insgemein so genannt, da sie aus
der Versammlung des heiligen Paulus stammen), welchem ein
Propst, der zugleich Pfarrer ist, vorsteht, und dem 8 Geistli=
che aus derselben Versammlung zur Verrichtung des Gottesdien=
stes beigegeben sind.

Die Vorstadt Spitelberg.

Diese Vorstadt liegt, so zu sagen, im Rücken der Laim=
grube und grenzt an St. Ulrich und die Josephstadt. Ihre Lage
ist uneben und zieht sich vom sogenannten Platzl (St. Ulrich) aus
bergan. Die Bevölkerung enthält 5000 Personen, welche ver=
schiedenen Gewerben einverleibt sind, und wovon auch viele im
Taglohn stehen. Der ganze Grund enthält wenig schöne Häuser,
mit Ausnahme der Kirchberggasse, die, ganz neu gebaut, sehr
schöne Zinshäuser enthält. Unter den übrigen sind viele, die wir
sogar als schlecht, klein, und unansehnlich bezeichnen können;
sie stammen noch aus einer Zeit, in der die Vorstadt Spitel=
berg sehr tief unter der Cultur, ja sogar ob den leichtfertigen
Frauenspersonen, die sich gern hier aufhielten, in keinem rühm=
lichen Rufe stand. Seit geraumer Zeit ist es aber anders und
diese Vorstadt steht in Hinsicht der Moralität der Einwohner mit

ben andern gleich, denn das Unwesen ist vom Grunde aus ge=
hoben worden.

Besonders bemerkenswerthe Gegenstände gibt es hier keine;
die Gassen haben Beleuchtung, wovon jene in der Burg= und
Breiten Gasse vom Magistrate, die übrige aber vom Grund aus
bestritten wird. Die meisten Gässen sind schmal, ungepflastert und
nicht ganz so reinlich wie in den andern Vorstädten, auch die Lage
des Grundes ist nicht am gesündesten. Die ganze Breite Gasse
ist vollgefüllt von Meubel=Tändlern (Trödlern), die alle
Gattungen alter und neuer Meubel verkaufen; auch gibt es ei=
nige ausgezeichnete Messer= und Zeugschmiede allhier.

Zur hiesigen Vorstadt gehören eine Apotheke, eine Tri=
vial=Schule, ein Kaffeehaus und 33 Wein= und Bier=
häuser. Wasser gibt es auch wenig, deßhalb ist der Grund
größtentheils auf das Bassin=Wasser der Albertinischen Wasser=
leitung in der Breiten Gasse beschränkt, welche hieher geleitet
ist. Das Bassin und die über dasselbe sich erhebende Dreifal=
tigkeitssäule anstatt der alten gestandenen aus Gußeisen, von
Maria=Zell, ist auf Kosten der Gemeinde errichtet worden,
und ist eine Zierde des Grundes; das hieher geleitete Wasser
aber eine wahre Wohlthat für die Einwohner.

Eingepfarrt ist diese Vorstadt zur Kirche St. Ulrich,
und gehört auch zu demselben Polizei=Bezirk. Grundherrschaft ist
der Magistrat der Stadt Wien.

Ursprünglich war dieser Grund eine Hutweide, wurde
aber vom Bürgerspital dem Wolf'Kirchberger pachtweise
überlassen. Dieser verfuhr aber anders und gab kleine Theile als
Bauplätze hinweg an die hier angesiedelten Winden, Kroaten
und Ungern, deßhalb hieß der Grund im Munde des Volkes
»das Croatendörfl.« Das Bürgerspital aufmerksam dar=
über, verglich sich mit Kirchberger und nahm die Gründe
zurück. Wie es zu dem Namen Spitelberg kam, weiß
man nicht, doch dürfte der Grund seiner bergigen Lage wegen
eben so vom Bürgerspital aus den Namen Spitelberg er=

halten haben, wie das demselben zuständige Haus in der Kärnthnerstraße, das Spitelhaus genannt.

Das Grundsiegel ist ein goldener Reichsapfel mit dem Kreuze darauf, vor einem Berge, ober welchem der heilige Geist schwebt; wohin dieses Sinnbild deutet, ist schwer zu enträthseln.

Die Vorstadt St. Ulrich,

liegt von der innern Sadt aus westlich und bildet nach ihrer Länge von dem königlich ungrischen Garde-Palais bis zur Vorstadt Neubau, »am Neustift« genannt, eine bedeutende Vertiefung; die Breite dieser Vorstadt dehnt sich von Maria-hilf bis zur Vorstadt Josephstadt und zwar bis zur Kaiserstraße durch die Neudegger- und Neue Schottengasse aus, beide breite Theile liegen erhaben, und das in der Mitte befindliche Platzl gleichsam wie in einem Graben, welchen auch die Natur ge-bildet zu haben scheint. Sie wird von den Vorstädten Spitel-berg, Mariahilf, Neubau, Altlerchenfeld und Josephstadt be-grenzt.

Dieser Grund ist mit aller Grund- und Ortsobrigkeitlichen Jurisdiction dem Benedictiner-Stifte Schotten unterthänig und ist dem Polizei-Bezirke St. Ulrich zugetheilt.

Es befindet sich hier die Pfarrkirche, der Pfarrhof mit der Pfarrschule, das Kloster der PP. Mechita-risten am Platz; 4 Trivial-Schulen; das Grundspi-tal in der Kaiserstraße, zum Bären genannt, in welchem 30 Pfründner versorgt werden; zu bemerken sind: das schöne kö-niglich ungrische Garde-Palais (ehemals gräflich Traut-sohn'scher Pallast); zwei Apotheken, 24 Gasthäuser und ein Albertinischer Brunnen am Platzel.

Die Beleuchtung auf diesem Grunde ist noch ziemlich mit-telmäßig und auch noch gar keine gepflasterte Gasse, mit Aus-nahme eines kleinen Theils vom Platzl, vorhanden, viele der Häuser nur mittelmäßig und viele in schlechtem, unansehnlichen Zustande, auch gar keine schöne oder regelmäßige Gasse vorhanden. Die hiesigen Einwohner, 6460 an der Zahl, sind in Rücksicht ihres Erwerbs sehr gemischt, meist aber arm, worunter es viele Obst- und Grünzeugkrämer gibt, die ihre Stände auf dem Platzl haben. So wie am Spitelberg geht es auch hier mit dem Wasser, welches zum Trinken wenig gut ist; das beste ist noch bei den Mechitaristen, in dem ungrischen Gardegebäude und jenes vom Albertinischen Bassin.

Der Grund St. Ulrich ist uralt. Den ersten Besitzer davon lernen wir in der Person des reichen Dietrichs kennen, der von seinem hohen Herrn, dem Herzog Leopold dem Glorreichen, geehrt und geliebt war. Ihm gehörte nämlich dieser Grund, der damals Zaismannsbrunn hieß (wahrscheinlich ein Brunnen bei einem Gartengrunde und von demselben die ganze Umgegend also benannt), frei und eigenthümlich, und er ließ auf demselben eine Kirche zu Ehren des heiligen Ulrich im Jahre 1211 erbauen. Von dieser angesehenen Familie kam solcher zu jenem ritterlichen Geschlechte der Grifo von Maria Stiegen, die nun mit Zustimmung des Herzogs im Jahre 1302 St. Ulrich gegen die Kirche von Maria Stiegen an den Schottenabt Wilhelm vertauschten. Im Jahre 1474, am Peter- und Paul-Tage, stürzte dieß alte Kirchlein während der Vesper bei einem heftigen Sturmwinde ein, und erschlug den Pfarrer, Caplan und über 30 Personen. — 1754 erst, also nach hundert Jahren, ward das beschädigte Gotteshaus abgetragen und ein neues dafür erbaut; Pachleb führte hier auf seinem Grund evangelische Prediger ein, die aber 1614 wieder vertrieben wurden. Nach und nach kauften die Schottenäbte die Gründe zu St. Ulrich, sammt dem Neudeggerlehen, und so bekamen sie die Grundherrlichkeit über die heutige Vorstadt St. Ulrich. Da übrigens auch diese Kirche wieder baufällig geworden seyn durfte, besonders während des zweiten Türkenkrieges, so wurde im Jahre 1721 die noch jetzt stehende Pfarrkirche vom Baumeister Raimund aufgeführt. Diese ist auf einer Anhöhe gelegen, und im römischen Style erbaut, sie hat zwei schöne Thürme mit niederer, spitzer

Dachbedeckung, worin ein schönes harmonisches Geläute von sieben Glocken sich befindet, welches den gestimmten Glockentönen von St. Carl. zunächst kommt, und auf jedem Thurme eine Uhr, wovon auch in der Kirche am Chore ein Uhrblatt angebracht ist, dessen Zeiger durch dasselbe künstliche Werk dirigirt werden. Beim Presbyterium besteht noch ein kleines Thürmchen mit zwei Glocken, ganz mit weißem Blech überzogen.

Zum Haupteingange führen 24 breite steinerne Stufen. Das Innere der Kirche ist hoch, licht und sehr geräumig. Das Ansehen ist um so imposanter, da das Gewölbe ein bloßer Halbbogen ist, der ganz frei auf den Hauptmauern der Seitenwände ruht, an denen ebenfalls römische Lesenen angebracht sind. Ein Hochaltar mit römischen canellirten Säulen, mit einem großen Gemälde, den heiligen Bischof Ulrich vorstellend, und sechs schöne Seitenaltäre zieren diesen majestätischen Tempel des Herrn, die alle reichlich mit vergoldeten Verzierungen geschmückt, und deren Altarblätter von Paul Troger gemalt sind. Ober dem Tabernakel des Hochaltars steht die aus Holz geschnitzte Marien-Statue in einem Strahlenkranze, der von Lampen beleuchtet wird. Die Kirche besitzt einige Heiligen-Reliquien und reiche Paramente.

Nachdem an dieser Kirche seit 10 Jahren ein Privat-Kirchenmusik-Verein besteht, so wird der Sonn- und Festtags-Gottesdienst erhaben und solenn abgehalten. Zunächst derselben steht linker Hand der Pfarrhof mit der Mariatrost-Capelle, im ersten Stocke rückwärts der Kirche aber eine schöne Dreifaltigkeits-Säule, von Sandstein gearbeitet.

Die hiesigen Priester zur Verrichtung des Gottesdienstes sind aus dem Schottenstifte, unter dem Vorstande eines Pfarrers. — Zur hiesigen Pfarre gehört der Grund St. Ulrich, Spitelberg und Neubau. Der Leichenhof für hiesige Verstorbene ist jener auf der Schmelz.

Die Mechitaristen befinden sich gegenwärtig zu St. Ulrich am Platzl in dem kleinen und alten Kloster sammt Kirchlein, welches vormals die Capuciner besaßen. Diese Geist-

16

lichen sind aus der armenischen Congregation der Mechitaristen, die im Jahre 1701 mit Genehmhaltung der heiligen Congregation de propaganda fide von dem Priester Pater Mechitar di Pietro von Sebaste gestiftet wurde. Als sie im Jahre 1810 unter der französischen Regierung von Triest weg mußten, bewarben sie sich um die Aufnahme in Wien, und erhielten dieselbe von Sr. jetzt regierenden Majestät F r a n z I. Es wurde denselben das C a p u c i n e r k l o s t e r am Platzl angewiesen, welches sie jedoch im Jahre 1813 durch Kauf als Eigenthum an sich brachten. — Im Jahre 1813 befreiten Se. Majestät diese Congregation von dem Amortisations-Gesetze und verlieh derselben im Jahre 1822 (mit Ausnahme der ungrischen Provinzen) ein P r i v i l e g i u m für die Buchdruckerei in orientalischen und occidentalischen Sprachen, die sie auch mit großer Thätigkeit auf die ausgedehnteste Weise betreiben, und zugleich eine schöne Buchhandlung in der Stadt, dem deutschen Ordenshause gegenüber, besitzen.

Sie haben auch Zöglinge in der Kost, und jene die zu Priestern bestimmt sind, lernen nebst den beiden armenischen auch die lateinische Sprache, die Theologie aber nach den Lehrbüchern des Dominicaners R e n a t u s W i l l u a r t. Ihre Religion ist die r ö m i s c h - k a t h o l i s c h e, ihr Ritus der S y r i s c h e, ihre Schrift und Kirchensprache die A r m e n i s c h - H a i k a n i s c h e. In Klosterneuburg haben sie ein schönes Klostergebäude (Collegium) mit einer Capelle und mit zwei Thürmchen erbauen lassen, an der Stelle des vormaligen alten St. Jacobskirchleins der Franciscaner, allwo sich die Novizen und mehrere Geistliche befinden. Auch haben sie einen Obern, der von ihnen gewählt wird, und den Titel: G e n e r a l - A b t d e r M e c h i t a r i s t e n - C o n g r e g a t i o n führt; so wie der gegenwärtige Hochwürdigste Herr General-Abt A r i s t a z e s A z a r i a, der auch zugleich Erzbischof von Cäsarea ist, so wird ein jeder Obere auch vom päpstlichen Stuhle zum Bischof in partibus et quidem Armeniae ernannt.

Das Kirchlein, welches die Mechitaristen am Platzl hier

befitzen, wurde den frommen Vätern der Capuciner im Jahre 1600 vom Erzherzog Matthias errichtet, und da es durch die zweite türkische Belagerung 1683 gänzlich zerstört ward, so erhielt es seine gegenwärtige Gestalt durch den Grafen C a r l von S e r e n y, obschon es nun auch, besonders aber das dürftige Klostergebäude, sehr baufällig ist. Das Innere der Kirche wurde durch die unermüdeten Mechitaristen fast ganz erneuert und alle Altäre neu hergestellt, so daß es gegenwärtig jeden Christen überrascht, hier einen so freundlichen Tempel zu treffen. Das Hochaltarbild ist M a r i a S ch u tz und von diesem auch die Kirche so benannt.

Die Mechitaristen tragen, wie schon erwähnt, große Sorge und besonderen Fleiß für ihre Buchdruckerei, und so wie für diese ist ihre höchste Aufmerksamkeit auch auf die Abhaltung des feierlichen Gottesdienstes gerichtet, den sie mit einer lobenswerthen Erbauung verrichten. Durch dieses ihnen angemessene Benehmen haben sie sich auch viele Freunde zugezogen.

Für die geschichtliche Rubrik S t. U l r i ch fügen wir noch an, daß vormals der Grund in das obere und untere Gut abgetheilt war, welches in Neubau, Neustift ꝛc. ꝛc. bestand. Das untere Gut hieß größtentheils dagegen der N e u d e g g e r h o f oder das N e u d e g g e r l e h e n; noch bewährt sich dasselbe im Andenken durch die N e u d e g g e r g a f f e, die freilich ganz anders liegt, als das Lehen lag, und wir finden darin einen neuen Beweis großer Unrichtigkeit. Das S ch l o ß, von welchem alle übrigen Gründe, die von den Capucinern an begonnen, und sich bis zum Haus, zur Rundbellen genannt, und vom goldenen Schiff bis weit an das Glacis, wo einst eine steinerne Säule, jetzt aber ein S t a n d b i l d der u n b e f l e ck t e n M a r i ä E m p f ä n g n i ß von Gußeisen ihre Markung bezeichnet, und im Viereck bis an den Spitelberg erstreckten, den Namen bekamen und zusammen das N e u d e g g e r l e h e n ausmachten, lag unter der Benennung »der N e u d e g g e r h o f« an der Stelle am Platzl, wo nun die drei Häuser zum goldenen Schiff, zum schwarzen Rößl und zum Teich (Nr. 4, 5 und 6) beisammen stehen. Es war ein fe-

16 *

ftes Gebäude mit vier Thürmen, mit Gräben und Ringmauern
verfehen, die einst ganz von Waffer umfloffen waren. Noch be=
wahrt das Haus Nr. 5. ein Hintergebäude, deffen Grundmauern
von einem Thurm diefes feften Schloffes herrühren. Die ritter=
liche Familie der Neudegger war ein angefehenes, ural=
tes Gefchlecht, reich an Nachkommen und Gütern in Oefterreich
unter der Ens, wie wir folches unfern verehrten Lefern ohnedieß
fchon in unfern Werke »Darftellung des Erzherzogthums Oefter=
reich unter der Ens« berichtet haben.

Gefchichtlich merkwürdig ift diefes Schloß, da hier der
erfte Zufluchtsort des aus der belagerten Burg gewichenen Kai=
fers Friedrich IV. war, in welchem er treuherzige Gaftfreund=
lichkeit und Troft nach erlittenen Drangfalen, Schmach und Ge=
fahr empfing.

St. Ulrich war auch in der zweiten Türkenbelagerung
der Platz, wo der Großvezier fein Prachtzelt aufgefchlagen ha=
ben foll, und welches bei der überfchnellen Flucht, fammt allem
Reichthum, angehäuften Gegenftänden und Vorräthen aller Art,
von dem vereinigten chriftlichen Heere erbeutet wurde.

Das Grundfiegel von hier führt in feinem finnvollen Wap=
pen den heiligen Bifchof Ulrich, als erfte Benennung der
hier aufgerichteten Capelle.

Die Vorftadt Neubau.

Diefelbe machte vor Zeiten, wie wir fchon oben angezeigt
haben, das obere Gut von St. Ulrich aus, und heißt auch Un=
ter=Neuftift. In ihrer heutigen Geftalt wurde diefe Vor=
ftadt erft feit der Jofephinifchen Periode gebildet und in neuerer
Zeit vollends verfchönert. Ihre Lage ift zum Theil erhöht und
theilweife nieder, da fie mit dem Platzel fich vereinigt, welches
einen natürlichen Graben bildet, zur Rechten und Linken aber
Anhöhen enthält. Diefe Vorftadt grenzt an St. Ulrich, an die
Jofephftadt, an den Spitelberg, Mariahilf und an Schotten=
feld. Sie umfchließt einige Häufer am Platzl, die Koffrano=,
große und kleine Rosmarin=, Spindler=, Neuftift=,

lange Keller-, Stöhrergasse, die Wendelstadt, die Dreihütten-, Luftschützgasse, das Holzplaßl, die Leichenhof-, Stuck-, Mondschein-, Schwaben-, Kron-, Ritter-, Lamm-, Dreilaufer-, Neubau- Haupt-, einen Theil der Mariahilfer-Haupt-, und einige Häuſer der Hermanns-, Andreas-, Neuſtift- und Zieglergaſſe. Ein kleiner Bezirk gehört zur Schottenfelder Pfarre, der größte Theil aber nach St. Ulrich. Die Polizei- Bezirks-Direction iſt jene zu St. Ulrich; die Grundherrschaft durchaus das Schottenſtift. Die an den erhöhten Theilen der Vorſtadt liegenden Häuſer haben eine schöne und geſunde Lage, jene aber in den Niederungen iſt nicht vortheilhaft. Auch die Gebäude ſind ſehr verschieden, da am Holzplaßl, an der Mariahilferſtraße, Stuckgaſſe, Neubau-Hauptſtraße, Hermanns- und Andreasgaſſe mitunter gleichſam pallaſtähnliche neue Ge- bäude prangen, die keinen Wunsch übrig laſſen. Die schönſte Straße dieſer großen Vorſtadt, welche eine Seelenzahl von 14,730 Perſonen enthält, iſt die Neubau-Hauptſtraße, welche gleich wie die Neuſtiftgaſſe durchaus gepflaſtert und mit einem bequemen Trottoir verſehen iſt. Die übrigen Gaſſen mit Aus- schluß der Mariahilferſtraße ſind noch ungepflaſtert, es beſtehen aber Unraths-Canäle. Die Beleuchtung iſt wie am Schottenfeld ausgezeichnet schön. Die Vorſtadt hat eine Apotheke, mehrere Schulen und ſehr viele Gaſthäuſer; auch ſteht das prachtvolle Schottengerichtshaus in der langen Kellergaſſe. Die Claſſe der Einwohner gehört größtentheils zum Fabriksſtande, de- ren Erzeugniſſe bei der Vorſtadt Schottenfeld beſprochen werden. Außer jenem zu St. Ulrich gehörenden Armenspital, an der Ma- riahilfer-Linie liegend, zum Bären genannt, in welchem 36 Arme beiderlei Geschlechts verſorgt werden, beſteht auch auf dem Grunde Neubau hier ein Verſorgungshaus, zum langen Kel- ler, welches dieſe Benennung wirklich von einem Keller erhal- ten hat, der zu dieſem Armenhauſe durch den Schottenabt Se- baſtian I. im Jahre 1690 verwendet wurde, und welches nach- mals, da die Armen und preßhaften alten Leute nicht zur Kirche

St. Ulrich gehen konnten, eine Capelle erhielt, zum **heiligen
Martin** geweiht, mit einem hölzernen kleinen Thürmchen. Gegenwärtig werden in diesem Versorgungshause über achtzig Arme beiderlei Geschlechts außer der nöthigen Kleidung, dem Holze und Lichte, auch noch, und zwar die Männer täglich mit 5 Kreuzern, die Weiber aber mit 4 Kreuzern Conv. Münze betheilt, und im Erkrankungsfalle mit der ärztlichen Hilfe, und mit den nöthigen Arzeneien unterstützt.

Das Gemeindesiegel stellt im Schild einen Halbmond vor, ober welchem sich ein Kreuz befindet. — Beide Zeichen schreiben sich aus der Belagerung **Wiens** durch die Türken her.

Die Vorstadt Schottenfeld,

von den der Schottenabtei eigenthümlich gewesenen Aeckern, worauf diese Vorstadt größten Theils vom Jahre 1780 angefangen, erbaut ist, so genannt, kommt auch unter der Benennung **Ober-Neustift** vor.

Diese ganze, zwischen der Mariahilfer- und Lerchenfelder-Linie liegende, weitläuftige Vorstadt verdankt ihr Daseyn dem für das Wohl seiner Unterthanen rastlosem Streben des unvergeßlichen Kaisers Joseph II., welcher bei seiner klugen Umsicht den vaterländischen Kunstfleiß und die Vervollkommnung inländischer Fabrikate zu wecken suchte, und hier vorzüglich Fabriken anzulegen beabsichtigte.

Vor fünfzig Jahren noch war der ganze Theil der heutigen Vorstadt **Schottenfeld** ein bloßes Ackerland, und wie noch jetzt ein alleiniges Eigenthum des Schottenstiftes, wo gefüllte Kornähren ihr segenreiches Haupt zur Erde neigten, dem emsigen Landmann den Schweiß seiner Arbeit lohnend. — Bald aber erhoben sich in Folge des angelegten Planes viele Gebäude mit Gärten, und jene Kunst-Werkstätte der gepriesenen österreichischen Fabrikszweige. Bald wurde auch durch die mit jedem Tage sich mehrende Anzahl der Bewohner die Gründung einer eigenen Pfarre nöthig, und so ward denn auf Befehl Kaiser **Josephs** die gegenwärtige Kirche in der Mitte dieser Vorstadt auf einem dem Stifte Schotten zwar dienstbaren, aber von den regulirten Chorfrauen zum heiligen Laurenz auf dem alten Fleischmarkte in Wien benützten, und von ihnen zu diesem Behufe erkauften Acker im Jahre 1686 erbaut, welche als ein wahrhaft herrlicher und würdiger Tempel zur Anbethung Gottes des Weltbeherrschers in voller Schönheit und Majestät pranget, neben an mit dem schönen Pfarrhofe und Garten.

Dieses Gebäude zeichnet sich durch schöne Bauart im römischen Style, durch vorherrschendes Licht bei seiner bedeutenden Größe (63 Schritte lang und 37 breit), durch die Höhe der Kuppeln und durch den schön gespannten Bogen des Musik-Chores ganz vorzüglich aus, wozu der große starke Thurm mit niedlicher Kuppel und Uhr, welcher sich ober dem Haupteingange der Façade erhebt, als Zierde gerechnet werden kann. Die in demselben vorhandenen vier harmonisch gestimmten Glocken sind von dem aufgehobenen Kloster der sogenannten Schwarzspanier, die Kaiser Joseph II. hieher als Geschenk gab.

Drei Altäre schmücken das Innere dieser Pfarrkirche. Der Hochaltar, wovon das große Altarblatt den heiligen Laurenz darstellt, ist von Peter Freiherrn von Strudel gemalt, hat eine Höhe von 52 Schuh und ist ganz aus Salzburger Marmor, der Tabernakel aber und der Altartisch, an welchem sich ein werthvolles Basrelief von Procop, die Grablegung Christi in Blei gegossen, befindet, aus weißen Tiroler-Marmor vom Director Hagenauer künstlich gearbeitet, und stellt einen Halbbogen mit Gott Vater und zwei knieenden Cherubimen vor, welcher auf vier römischen Säulen ruht. Solcher war in der Kirche der Laurenzer-Chorfrauen aufgestellt, und wurde bei ihrer Auflösung sammt dem das Hochaltar einschließenden marmornen Geländer vom Schottenabte Benno angekauft.

Die zwei Seitenaltäre, deren Tische ebenfalls Salzburger Marmor sind, wurden aus der entweihten Friedhof-Capelle auf der Landstraße gekauft und hieher übersetzt; der eine ist dem sterbenden heiligen Joseph, der zweite der heiligen unbefleckten Mariä Empfängniß gewidmet, deren beide große Altarblätter von Troger, Hofkammermaler, verfertigt wurden.

Die größte Zierde dieser Kirche bleibt aber die 1790 von dem berühmten Abbé Johann Friedrich Christmann verfertigte Orgel von 25 Registern, die unter allen Orgeln Wien s den ersten Rang behauptet.

Außer einem Theil von Neubau und der ganzen Vorstadt Schottenfeld, ist sonst kein Grund hierher eingepfarrt. Pfarrer ist an dieser Kirche gegenwärtig der hochwürdige Herr Honorius Kraus aus dem Benedictiner = Orden des Schottenstiftes in Wien, geziert für seine Verdienste mit des Kaisers Brustbild in der goldenen Ehren = Medaille, gekannt und verehrt als ein würdiger Seelenhirt und als ein Vater der Armen, der sich durch seine humanen liebreichen Handlungen (wir meinen darunter die Beförderung des Cultus, und ein gesteigertes Gefühl für Sittlichkeit und Gutes, die Bildung eines Armen = Leichen= und Musik= Vereins) die Liebe aller seiner Pfarrkinder in reichlichem Maße erworben hat, und mit vollem Rechte verdient er solche, da viele gute Einrichtungen auf diesem Grunde diesem Priester, der nicht ansteht, mit Kraft und Nachdruck seine christlichen Mitbrüder zum Wohlthun von der Kanzel aufzufordern, und der den Darniedergebeugten balsamischen Trost spendet, — verdankt werden müssen, und er es war, der mit den wackern und ehrenvollen Bürgern des Grundes, dem Polizei = Bezirks = Director und den Gemeinde = Vorstehern, die noch zarten Sinn für menschliche Leiden und Wohlthätigkeit für ihre armen bedrängten Mitmenschen im Busen bewahren, gemeinschaftlich Noth zu lindern trachtete unter der großen Anzahl Armer und Hilfsbedürftiger am Schottenfelde, besonders zur Zeit der Cholera, und schon öfters in den herben Tagen der strengen Winterszeit, wo die Noth mit allen ihren Schreckenszügen auftrat!

Die Leichen von hier werden auf dem Friedhofe auf der Schmelz zur Erde bestattet.

Wir wollen übrigens noch in kurzen Umrissen diese schöne Vorstadt näher bezeichnen, und den Fabriksstand erwähnen.

Die weitläuftige Vorstadt Schottenfeld, welche über 15,800 Einwohner zählt, hat eine Stunde im Umfange und liegt auf dem erhabensten Punkte Wiens, begrenzt vom Neubau, der gegenseitigen Häuserreihe Mariahilfs und Gumpendorfs und dem Altlerchenfelde, da dem Reisenden in der Ferne von der Hauptstadt nebst dem Stephansthurme wohl zuerst jener der Pfarre Schottenfeld sichtbar wird. Wir finden bei' näherer Beschauung diesen Grund sehr symmetrisch angelegt, welches auch bei der Entstehung und seiner Lage ganz leicht hat beobachtet werden können, solchergestalt laufen mehrere Gassen der Quere und mehrere der Länge nach durch diese Vorstadt, die bei Nachtszeit gut beleuchtet sind, und gar viele schöne Gebäude mit eben so schönen Gärten enthalten. Alles was hier noch zu wünschen übrig blieb, wäre zur Erhöhung des Ganzen ein großer Platz, der aber leider nicht vorhanden ist, da vor der Kirche sich nur ein kleiner Raum vorfindet, an welchem durch die Albertinische Wasserleitung ein Bassin aufgestellt wurde, ein wahres Bedürfniß für Schotten= felds Einwohner, weil, sonderbar genug, das meiste gute, trinkbare Wasser von der Kaiserstraße aus Hausbrunnen zum Kaufen hierher gebracht werden muß.

Auf diesem Grunde bestehen eine Hauptschule (die Zol= lerische Stiftung, die mehr als 3000 Kinder der Schottenfelder Pfarre unterrichtet); vier Trivial=Schulen; zwei Apotheken; 15 Handlungen mit Specerei=, Schnitt= und andern Waaren; drei Kaffeehäuser; viele Gasthäuser, worunter der Apollo= und Schaffaal obenan stehen, und ein mit allen Bequemlichkeiten versehenes Badhaus.

Welche Lebhaftigkeit hier im Fabrikswesen existirt, kann man leicht daraus ermessen, daß allein an Seidenzeug=, Sammet= und Dünntuch=Erzeugung 261 Fabriken gezählt werden, ohne der Band=, Seiden=, Seiden=Che= nillen=, Petinet=, und Strumpfwirker=, Posamenti= rer=, Gold= und Silber=Drahtzieher=, Messer=

schmid-Fabriken, der Mechaniker und Clavier-Instrumentenmacher zu gedenken. Wenn das Glück der
Ruhe und des Friedens uns Oesterreichern, wie wir mit Grund
bei der weisen Regierung unsers geliebten Kaisers hoffen dürfen, noch ferner lächelt, so können wir auch annehmen, daß
Handel und Wandel wieder einen höhern Aufschwung nehmen
werden, dann werden die Fabriken am Schottenfeld wohl
um einige tausend Menschen mehr beschäftigen können, und
die Fabrikate werden, wie schon jetzt, auch im Auslande das
unläugbare Zeugniß geben, wie hoch sich der Kunstfleiß und
die Zweige der Industrie in Oesterreich aufgeschwungen haben.

Die Vorstadt Altlerchenfeld.

Diese grenzt an das Schottenfeld, Neubau, Strozzischen
Grund und Josephstadt. Der Grund ist meist flach mitten unter
den erstbenannten Vorstädten gelegen, gleichsam mit allen diesen
vereinigt, und bildet nur von der Altlerchenfelder-Hauptstraße
gegen die Josephstadt zu, eine kaum bemerkbare Anhöhe. Diese
Vorstadt ist durchaus unansehnlich, nur mit kleinen Häusern,
worunter nur wenige mit zwei Stockwerken sind, besetzt, und
viele davon befinden sich in geringem und schlechten Zustande,
ganz besonders aber jene, welche sich um die Kirche und gegen
die Lerchenfelder-Linie zu befinden, die klein sind, ganz schlechte
Wohnungen enthalten, in welchen oft in einer viele Familien
beisamen wohnen, und ein wahres Bild der ärmeren Volks-
Classe einer Hauptstadt darstellen. Die meisten der hier angesiedelten 8450 Einwohner, eine Unzahl auf 238 Häuser, leben
von Tagelohn und Obstverkaufen in den dürftigsten Umständen,
wozu noch die geringe Bildung dieser Menschen zu bemerken
kömmt.

Die Entfernung dieses Grundes von der Stadt beträgt eine
gute halbe Stunde und er liegt zum Theil schon an den Linien-
Wällen, gegen die Schmelz und das Neulerchenfeld zu. Blos eine
Hauptstraße führt zur Linie, an der eine schöne Capelle steht,

in welcher an Sonntagen das Meßopfer verrichtet wird, nebst zwei Mauthhäusern mit dem Linienpersonale.

Inmitten der Straße an der linken Seite befindet sich das Pfarrkirchlein mit einem kleinen unansehnlichen Thürmchen, viel zu klein, die große Masse der Einwohner von Altlerchenfeld zu fassen. Sie ist zu den sieben Zufluchten geweiht, und ihr Inneres reinlich und niedlich mit einem Hochaltar und vier Seitenaltären versehen, die alle anständig geziert und neu renovirt sind. — Anstatt der frühern hier gestandenen Capelle wurde diese Kirche im Jahre 1779 von Grund aus in ihrer heutigen Gestalt erbaut, und 1783 zur Pfarrkirche erhoben; wovon der landesfürstliche Pfarrhof weiter unten rechter Hand in besagter Straße steht.

Den Gottesdienst und die Seelsorge versehen ein Pfarrer und zwei Cooperatoren. Die Kirche gehört zum Leichenhofe auf der Schmelz. Sie ist mit anständigen Paramenten versehen, hat aber gar keine merkwürdigen Gegenstände aufzuweisen. — Auf dem Grunde befinden sich ein Kaffeehaus, sehr viele Gasthäuser; einige Branntweinschenken, ein Blindeninstitut für Mädchen, eine Pfarrschule, und das k. k. Militär=Transport=Haus. Es existirt hier weder eine gute Beleuchtung noch eine Pflasterung, oder sonst eine humane Versorgungsanstalt. — Die Grundherrschaft ist der Magistrat, die Polizei=Bezirks=Direction jene in der Josephstadt.

Altlerchenfeld besteht schon seit mehr den 500 Jahren, und wir finden in Urkunden vom Jahre 1337 unter Herzog Albrecht dem Lahmen den alten Namen Larichvueld; den Namen hat dieser Grund von dem einst hier bestandenen Lärchenwald von Laub= oder Nadelholz, der bis zu den Weinbergen der angrenzenden Vorstädte reichte, und nicht vom Lerchenfang, wie Viele irrig träumen, und wie selbst im Grundsiegel die Lerche ganz falsch als redendes Denkmal angebracht ist.

Die Vorstadt Strozzischer Grund,

liegt schon mehr an der sanften Anhöhe und hat eine schöne und
gesunde Lage, mit der Begrenzung an Altlerchenfeld und Joseph=
stadt. Die hiesigen Einwohner belaufen sich auf 2100 Seelen,
und sind in Rücksicht ihrer Beschäftigung sehr gemischt. Es gibt
darunter mehrere Gewerbsleute, und auch Beamte, daher höher
gebildete Menschen. Die Gassen, obschon nicht gepflastert, sind
sehr rein, und haben eine ziemliche Beleuchtung, auch sind alle
Häuser sehr nett gebaut, man kann deßhalb mit Recht sagen,
daß der Strozzische Grund eine hübsche kleine Vorstadt bil=
det. — Er gehört zur Pfarre und zur k. k. Polizei=Bezirks=
Direction in die Josephstadt und zum Wiener Stadt=Magistrat,
welcher die Grundherrschaft ist. Hier gibt es schon wieder in je=
dem Hause einen Brunnen mit ziemlich gutem Wasser. Es besteht
eine Normal=Schule für Knaben und Mädchen, die gut
bestellt und besucht ist, und mehrere ordentliche Gasthäuser. Da
der ganze Grund nur 57 Häuser zählt, so ist es natürlich, daß
keine besondern Versorgungsanstalten bestehen.

Der Name dieser Vorstadt entstammt von dem berühmten
Geschlecht der Strozzi, wovon ein Glied desselben auf seinem
Freigut im Lerchenfeld, gegen das Ende der Josephstadt, einen
schönen Pallast erbaute, und solchen mit einem weitläuftigen Gar=
ten schmückte. Den Rest gab er auf Häuserbau ab, welchen gan=
zen Grund 1752 endlich der Magistrat erkaufte und die Vorstadt
gründete, da bis in die Tage Kaiser Joseph II. hier noch Wein=
gärten bestanden. — Des Grundes Insiegel ist der österreichische
Bindenschild, von zwei Löwen gehalten, und mit einer Krone
bedeckt.

Die Vorstadt Josephstadt.

Eine prachtvolle Vorstadt, welche bei ihrer vorzüglich erha=
benen Situation durch gesunde Luft und durch Anmuth vor
vielen andern sich auszeichnet. Ein Theil derselben steht gegen
das Glacis im Angesicht der Löwelbastei, ein Theil grenzt an

St. Ulrich und Altlerchenfeld, der andere im Rücken oder west=
lich gelegene aber an Breitenfeld und an die Alservorstadt. Vom
Glacis beginnt die Josephstadt etwas bergan, sonst aber ist
sie ganz flach. Es führt durch dieselbe die schöne Kaiserstraße bis
zur Lerchenfelder=Linie, und aus dieser laufen zu beiden Seiten
regelmäßig angelegte Quergassen, die alle gut gepflastert, mit
schöner Beleuchtung und güten Canälen (es sind dieß die ersten
in den Vorstädten angelegten Unrathscanäle) versehen sind. In
allen Gässen gibt es schöne Häuser mit zwei und drei Stockwer=
ken, die meisten aber am Glacis und in der Kaiserstraße.

Eine ganz vorzügliche Zierde ist die prachtvolle Pfarrkir=
che der Piaristen mit dem Gymnasium und gräflich Lö=
wenburgischen Convicte, das neu decorirte Josephstädter=
Theater und das fürstlich Auersbergische Palais, in des=
sen vielen wahrhaft fürstlichen, von Goldverzierungen strotzenden
und mit prachtvollen Meubeln reichlich versehenen Gemächern
Se. königliche Hoheit Prinz von Wasa nebst Höchst=
dessen Frau Gemahlin wohnen. ——

Auf dem Grunde gibt es eine Pfarrschule, eine Mäd=
chenschule des Herrn von Radler, wo alle weiblichen Ar=
beiten und die französische und italienische Sprache gelehrt wer=
den; eine vorzüglich gut eingerichtete Apotheke, zwei Kaffee=
häuser, viele Gasthäuser, worunter »zum Stauß« im
Theatergebäude, zu den »3 Hacken« in der Piaristengasse
und zur »Stadt Wien« in der langen Gasse die besten sind;
viele Gewölbe mit Schnitt=, Specerei=und anderen Waa=
ren, und eine k. k. Cavallerie=Kaserne, in welcher eine
schöne Capelle zu Ehren der heiligen Anna besteht. Ihre
lebhafte Bevölkerung von 8720 Personen, die stark besuchten Gym=
nasial=Classen der Piaristen, die Freunde des Theaters von der
Stadt und andern Vorstädten geben dem Grunde ein eigenes
Leben und Regsamkeit. Dazu kömmt noch, daß gemischte, wenig
lärmende Handwerker, und meist Beamte hier wohnen, wo=
durch schon der Umgang und Verkehr im bürgerlichen Leben
ganz anders sich gestaltet, als in einer andern Vorstadt. So

wie wir dieses Alles höchst lobenswerth erwähnen und auszeich=
nen müssen, ist auf der andern Seite aber wieder ein ganz an=
deres Verhältniß sichtbar, es mangelt nämlich doch gewisser=
maßen an regem Antheil für Schönes und Gutes, wie wir es
zum Beispiel auf der Landstraße, in der Leopoldstadt und auf
dem Schottenfelde wahrgenommen haben, und wahrhaftig, wenn
dieser so wohlthätige Gemeinsinn sich eben so warm hier aus=
sprechen möchte, so wäre die Josephstadt dadurch in Be=
tracht ihrer eigenthümlichen Schönheit die allererste Vorstadt in
Wien, und würde die besten Anstalten für Arme rc. rc. auf=
zuweisen haben.

Der Pfarrbezirk erstreckt sich über die ganze Josephstadt,
den Strozzischen Grund und einen Theil von St. Ulrich, in der
Neu=Schottengasse gelegen. Die k. k. Polizei=Bezirks = Direction
hat ihren Standpunct hierselbst, und Grundherrschaft ist der
Magistrat der Hauptstadt Wien.

Was den Orden, das Kloster = Collegium und die Kirche
der Piaristen hier betrifft, so wollen wir unsern verehrten Le=
sern Folgendes mittheilen. Dieser Orden der frommen
Schulen, gestiftet von Joseph von Calasanz, einem
gleich frommen wie ausgezeichneten gelehrten Arragonier, wurde
eigentlich zur gänzlichen Vollendung eines großen Werkes für
die katholische Welt, nämlich zur Vollendung der Gegen=Refor=
mation, zum Unterrichte des Volkes und der gänzlich verwahr=
losten Jugend schon unter Kaiser Ferdinand III. in Mähren
und Böhmen eingeführt. Es waren die ersten vom Ordensstifter
abgesendeten Männer, die durch ihre Abkunft, Kraft und Ge=
lehrsamkeit einen feuerglühenden Eifer für den katholischen Glau=
ben, und verbesserte Erziehung für die Jugend verbanden, und
darin weit die Erwartungen des Kaisers übertrafen. Diese Vor=
züge waren es auch, welche den ehrwürdigen Piaristen den Ein=
tritt nach Horn in Oesterreich bahnten, allwo ihnen 1652 der
Vice=Kanzler Graf Kurz ein Kloster gründete. Bald würden
sie auch in Wien festen Fuß gefaßt haben, doch das nahe
schwere Ungewitter des Türkenkrieges scheint diese Ausführung

verzögert zu haben. Nachdem aber solches sich hinweggezogen, stellten sie beim Kaiser das Ansuchen darum, und Kaiser Leopold I. verwilligte im Jahre 1697, daß sie in einer der Vorstädte ein Collegium sammt Kirche auf eigene Kosten erbauen und ihr Lehrinstitut zum Besten der Volksbildung eröffnen durften. Sie kauften daher in der außerhalb dem Burgthore neu zu errichtenden Vorstadt (der jetzigen Josephstadt) vom Marquis Mataspina den weitläuftigen Rothen Hof, bei den Ziegelöfen gelegen, und begannen mit großer Thätigkeit den Bau des Collegiums und der Capelle, bis zu deren Vollendung die Patres in einem Privathause, »zu den zwei grünen Bäumen,« in der heutigen Piaristengasse wohnten.

Bald waren die Mittel vorhanden die heutige schöne Kirche zu vollenden, die schon 1719 zur Pfarre erhoben wurde. Wie sich solche jetzt dem Auge darstellt, enthält sie eine überraschend schöne Façade, die halbrund hervortritt, und ein Portal mit halbhervorstehenden Säulen jonischer Ordnung bildet; das Obere der Façade hingegen wird von Lesenen römischen Styls getragen. Ueber dem Eingange prangt das Cardinals = Wappen und über demselben das in Stein gehauene Bildniß »Maria Treu.« Zu beiden Seiten dieser Hauptfronte erheben sich die Thürme, eigentlich in viereckiger Form, deren Ecken aber durch flache Lesenen abgebrochen sind, und welche ein ganz niederes, spitzig zulaufendes Ziegeldach haben, wovon der linksstehende eine Uhr und die vier Glocken enthält, welche durchaus kein harmonisches Geläute genannt werden können. Der andere Thurm ist ganz leer, und wartet schon viele Jahre, ob nicht fromme Wohlthäter eine große Glocke, die doch so nothwendig wäre, dahin werden schaffen lassen, welche dann durch ihren feierlichen Ton die Gemüther dankbar erinnern würde, daß die Ehre Gottes nicht genugsam hochgestellt und verherrlicht werden könne! — Beim Eintritt in den Tempel des Herrn befindet man sich in einer offenen, mit der Kirche zusammen hängenden Vorhalle, deren Bogen von 12 römischen Säulen getragen wird, und ober welcher der Chor angebracht ist, mit einem

wunderschönen Plafond=Fresco=Gemälde geziert (der Chor ist
zu hoch gestellt, weßhalb die Musik keinen reinen Effect gibt
und verhallt, auch ist die Orgel auf die Größe der Kirche zu
klein, und bedarf einer tüchtigen Reparatur). Zur Rechten und
Linken befinden sich Capellen, jene erstere mit dem Bildniße
Mariahilf, reich mit Opfern versehen, und mit einem mar=
mornen Altar, letztere viel größer und bogenartig gebaut, mit
der von Holz geschnitzten schmerzhaften Mutter Got=
tes. Die ganze Capelle ist sammt dem Altare neu renovirt,
und besonders der Altar ist schön und freundlich. Das übrige
ist gemalter Marmor, blau, und die Bogenfatschen gelb und
hellglänzend gefirnißt. Auch hier kömmt uns wie bei der Land=
straße die Bemerkung vor, warum ein unnatürlicher Marmor
nachgebildet worden ist, und nicht ein solcher, von welchem
wir große Denkmale besitzen. Sollten wir uns bei dem blauen
Marmor einen echten Lapislazuli (keinen andern gibt es nicht
mit solchem Colorit) denken wollen, so müßten wir auch glau=
ben, daß die Austäfelung der Capelle eine halbe Million geko=
stet haben würde. Unsere Anmerkung will nichts anders be=
zwecken, als die Vergolder und Künstler hinweisen, wie sie
beim Aesthetischen bleiben sollen, besonders bei Kirchenarbeiten,
welche keine Wohngemächer oder Säle, sondern Tempel sind,
in denen wir im Staube die Majestät unsers Erschaffers ehr=
furchtsvoll anbeten! — Rückwärts dieser schönen Capelle be=
steht ein ganzer Chor mit aufgelegtem Marmor und zu beiden
Seiten der Wände Grabsteine. — Von der Vorhalle aus wird
dem Beschauer die ganze majestätische Schönheit dieser Kirche
vor Augen gestellt, über deren Bau und Fresco=Malerei er in
Staunen versinkt. Der Mitteltheil bildet ein geformtes Ron=
deau mit hoher Kuppel, welche durch Maulbertsch's
kühnen Pinsel, mit Kunstfleiß al fresco ausgeführt, Ma=
ria in der Verherrlichung darstellt. Die Gruppen der
Heiligen, besonders an den Stufen des Gemäldes (im Vorder=
grunde) sind vortrefflich und das Colorit überaus feurig, welches
sich in einen Dunstkreis verliert, in welchem die Dreieinigkeit sicht=

bar wird. (Leider ist bitter zu beklagen, daß solche zum Theil schon verschwunden ist, und durch den sich ansetzenden Salniter= fraß gar bald vollends ruinirt seyn wird, welches durch das Hereinregnen beim schadhaften Kirchendach geschah, da das Wasser allmälig durch die Kuppel drang. Wir haben uns die Mühe genommen, den gemauerten Bogen mit Gefahr hinan zu= klettern, und haben uns so davon die Ueberzeugung verschafft. Das Kirchendach ist jetzt wohl hergestellt, allein doch der Scha= den angerichtet, der sich im Gemälde, in der Luft ausgebreitet, für den Kenner zeigt.) In diesem Rondeau sind sehr symmetrisch vier Seitenaltäre, und an den durchbrochenen mit der Kuppel in Verbindung stehenden Hallen, etwas weiter zurückgesetzt, eben= falls zwei größere Altäre aufgestellt. Diese sind zu Ehren des **heiligen Kreuzes,** des **heiligen Johannes,** der **Freundschaft Christi,** der **heiligen Barbara,** des **heiligen Sebastian** und dem **heiligen Ordensstifter Cala= sanzius** geweiht. Ein jeder Altar bildet in der Höhe einen verzierten Bogen, welcher auf 4 römischen Säulen ruht. Die zwei vordern Altäre sind von aufgelegtem Marmor und gut er= halten, haben auch zu beiden Seiten des Tabernakels **Reli= quien** (Knochenstücke) in Goldeinfassung; die andern beiden aber sind ganz gering geziert, und die Säulen schlecht mar= morirt. Jene zwei an den Seitentheilen sind aber größer, und die Tabernakel ganz neu vergoldet und weiß gefaßt, was ein schönes Ansehen macht, jedoch aber gegen die ganze übrige alte Vergoldung des Altars um so mehr absticht. An das erstbespro= chene Rondeau oder Mitteltheil der Kirche stößt das Presbyterium, in einem größern und kleinern Bogen bestehend, wo im ersteren die Eingänge und ober denselben Oratorien angebracht, an der Kuppel aber die vier Evangelisten in Lebensgröße Fresco gemalt sind, im zweiten aber der Hochaltar ganz frei steht. An der Rück= wand des Presbyteriums ist ebenfalls großartig im römischen Style ein schöner Bogen mit betenden Cherubinen zu beiden Sei= ten, der auf 4 korinthischen Säulen und rückwärts auf eben so vielen Lesenen ruht, welcher das ebenfalls von **Maulbertsch**

17

in Oel gemalte große Altarblatt, die Vermählung Mariä darstellend, in sich faßt. Der zierliche Altar, so wie dieses Altarportal, ist von aufgelegtem künstlichen Marmor, und die darauf stehenden vier lebensgroßen Heiligen=Statuen sind von Gips gegossen. Das Geländer beim Hochaltar und jenes, welches das Presbyterium und die sechs Seitenaltäre umschließt, ist ganz vom schönsten Salzburger Marmor.

Wahrhaft großartig ist die Bauart dieser herrlichen Kir=che, und wir reihen sie in dieser Beziehung als die nächste der Carlskirche an. Wären die Thürme nach dem ursprünglichen Entwurfe ausgebaut worden, so würden sie eine noch größere Zierde der Kirche geworden seyn. Ein ganz vorzügliches Meister=werk ist aber das hölzerne Gebälk des Kirchendaches, welches sich um die ganz runde Kuppel wunderbar kühn emporhebt und einen langen gewöhnlichen Dachstuhl bildet; jeder Zimmermeister und Gesell wird erstaunen ob einer solchen Zusammensetzung, zu=mal da die ganze Kuppel von allem Gebälk freigehalten ist.

Die Kirchen=Paramente und Ornate dürfen schön ge=nannt werden. — Auch besteht hier ein Kirchenmusik=Verein, der, wenn er in seiner ersten angelegten Ausdeh=nung erhalten würde, einer der ersten in Wien wäre. Der Leichenhof für die hiesige Pfarre ist der auf der Schmelz lie=gende Friedhof. — Als Pfarrer steht gegenwärtig der hoch=würdige Herr Rector Martin Sailler dieser Kirche vor, der als ein ausgezeichnet humaner und kenntnißvoller Priester noch aus dem Stadt=Convict rühmlich bekannt ist, und von welchem die Kirche zur Verschönerung vieles erwarten darf.

Vor der Kirche ist ein schöner Platz in Quadratform ange=legt, auf welchem, zunächst dem Haupteingange, eine Stein=säule der unbefleckten Mariä Empfängniß steht. Sie wurde von Georg Constantin Freiherrn von Simich zu Loosdorf errichtet, und enthält ein dreieckiges Piedestal, auf welchem nebst der sich von demselben erhebenden Säule drei Heilige in Lebensgröße stehen. Das Ganze ist in schöner Form aus Stein gehauen und enthält vorn das Wappen des Stifters.

Vor dieser Säule ist ein Bassin der Albertinischen Wasserleitung aufgestellt, eine wahre Wohlthat für die Josephstadt, die eben auch Mangel an weichem und trinkbaren Wasser leidet.

Von der Kirche aus erstrecken sich zu beiden Seiten zwei Flügelgebäude und formiren zu beiden Seiten in der Piaristen= gasse hübsche Gebäude, in welchen an jeder Seite zwei Ein= gänge, vom Platze aus, bestehen. Auf dem Platze hat ein jeder Theil zwölf und in die Gasse eilf Fenster mit zwei Stockwerken, welche Fronten dem Ganzen ein gar schönes Ansehen geben. Im linken Flügelgebäude ist das Provinzialat, ferner sind im Ge= bäude die Wohnungen der Geistlichen und Professoren, dann die Lehrzimmer von den drei Normal=, vier Grammatical= und zwei Humanitäts=Classen des Gymnasiums, mit schönen Gängen geziert, und hinter dem Ganzen zwei Gärten. Im Kloster bemerken wir noch eine Bibliothek, aus mehreren tausend Bänden wissen= schaftlicher Werke bestehend. In rechten Flügel dagegen besteht das seit 1732 von Jacob Grafen Löwenburg gegründete Convict, über welches die Piaristen die Aufsicht haben und es versehen. — Die Zöglinge erhalten eine gute Bildung, werden bis zur Philosophie gelehrt, und empfangen in Sprachen und andern Zweigen der Wissenschaften von tüchtigen Männern einen vorzüglichen Unterricht. Außer den Stiftungsplätzen werden auch Jünglinge gegen Entrichtung eines mäßigen Kostgeldes aufge= nommen. Die innere Einrichtung ist sehr zweckmäßig, und es herrscht eine lobenswerthe Ordnung und preiswürdige Reinlich= keit vor.

Die Zöglinge tragen dunkelblaue Uniform mit silbernen Epaulets, gelbe Westen und Beinkleider, dann Stahldegen.

Rector davon ist gegenwärtig der hochwürdige Herr Anton Schuller; Vicerector: der hochwürdige Herr Gottfried Fißinger.

Besonders erwähnenswerth ist das neu errichtete, von Gum= pendorf hieher übersetzte, Blindeninstitut mit einer hübschen Capelle gegen die Neulerchenfelder=Linie (vormals das Fa= briksgebäude des bekannten Shawl=Fabrikanten Bertholly),

17 *

welches sehr zweckmäßig eingerichtet ist, und eine schöne Capelle und Garten hat. Die inneren Einrichtungen und die Art der Lehrmethode für diese Unglücklichen, um wieder brauchbare Glieder der menschlichen Gesellschaft zu werden, sind vorzüglich lobenswerth. Es fehlt dieser Anstalt nicht an Wohlthätern.

Bevor wir uns zu der kurzen Geschichte der Gründung der Josephstadt wenden, bemerken wir noch, daß das Josephstädter-Theater, welches, obgleich in kleiner Form, ein neues Gebäude ist, erst seit kurzem auch im Innern eine vollkommen neue Decorirung erhalten hat. Nicht nur allein der äußere Schauplatz (nebst dem Parterre in einer Reihe Logen und zwei Gallerien bestehend), ist in der Hauptfarbe chamoir, zart und schön hergestellt, sondern selbst die Bühne wurde durch den neuen Pächter Herrn Stöger, aus Grätz, der uns ein recht wackerer Mann zu seyn scheint, mit großen Kosten mit neuen Decorationen geziert, so, daß dieser niedliche Musen-Tempel als der schönste in Wien gegenwärtig genannt werden darf.

Der ganze große Theil, welcher die heutige belebte und anmuthige Josephstadt in sich faßt, hieß seit den ersten davon erhaltenen urkundlichen Spuren (im Jahre 1280) »das Buchfeld,« und so bestanden auch hier bis zur zweiten türkischen Belagerung Ackerfeld und Weingärten, mit Lust- und Obstgärten wechselnd, nebst Lusthäusern nach damaligem Geschmack der Wiener Bürger, zwischen welchen und der Stadt (auf dem heutigen Josephstädter-Glacis) mehrere Ziegelöfen lagen, die auch das erste in dieser Gegend bestandene Gebäude, den »Rothen Hof,« umgaben.

Als die ältesten Grundherren finden wir durch lange Zeit das Geschlecht der Kühlmann, von welchen diese Gründe der Marchese Hypolit Malaspina erkaufte, solche dann aber am 22. April 1700 um 101,000 Gulden dem Magistrate überließ, wodurch derselbe Orts-Grundherrschaft wurde. Die Gründe, der Rothe Hof mit allem Zugehör und Gärten, erstreckten sich im engsten Sinne des Worts bis zum heutigen grünen Thor (Eckhaus der langen Gasse gegen die Kofranogasse), bis in das Altlerchenfeld (den Winkel des Strozzischen Grundes ausgenommen) und in die untere Alsergasse (obschon schlecht benannt, glauben wir doch die Florianigasse darunter zu verstehen).

Der Herr dieses Grundes, Malaspina, benannte solchen zu Ehren des damaligen zwei und zwanzigjährigen äußerst liebenswürdigen römischen Königs Joseph I. »Josephstadt«, und so geschah es denn auch, daß, da derselbe eine Stadt hieß, er auch an mehreren Orten durch Schwibbögen und kleine Thore geschlossen wurde; daher noch die heutige Schwibbogengasse beim Auersbergischen Palais). — Der Rothe Hof selbst war den Schotten dienstbar, theilte aber der ganzen hiesigen Umgegend seinen Namen mit. Von der neuen Schottengasse hinein, führt die nicht offene Gasse mit 12 Häusern, welche zum Altlerchenfeld und St. Ulrich gehören, noch jetzt zum Andenken den Namen »der rothe Hof«, aber wegen der unrechten Stelle, da der alte gegen die Kaiserstraße zu lag, eben so falsch, wie die Neudeggergasse. — Kaum waren 30 Jahre abgewichen, als der Grund in das Eigenthum des Magistrats überfloß; es erhoben sich außer sehr vielen wohlgebauten Häusern auch mehrere schöne Palläste von Fürsten und Grafen, worunter der Rofranische, der Kinskische (nun Auersbergische, auch ein Werk des berühmten Fischers von Erlach), der Caprarische (an einen Theil des Convictes anstoßend, gegenwärtig ein bloßes Ergeschoß-Gebäude), der Vandernathische und der Schöllheimische (jetzt der Strobelkopf genannt und ein Eigenthum des Baron Wetzlar), dann der Haugwitzische (gegenwärtig die Cavallerie-Kaserne) mit seinen prachtvollen Gärten (wie theilweise Ueberreste noch heut zu Tage zeigen) ganz besonders die Josephstadt verschönerten. — Seit der Hälfte des XVIII. Jahrhunderts aber gewann diese Vorstadt an Schönheit und Regelmäßigkeit immer mehr und mehr, und prangt nun als eine schöne Vorstadt Wiens, des Namens einer Stadt nicht unwerth.

Die Vorstadt Alsergrund.

Diese Vorstadt liegt östlich von der innern Stadt und im Angesicht derselben, bloß durch das Glacis getrennt, und grenzt an die Josephstadt, südlich an das breite Feld und den Linien= wall, westlich an den Michelbeurischen Grund und an Thury, dann nördlich an die Roßau. — Der Grund ist der ganzen Alser= straße entlang flach, gegen den Michelbeurischen Grund, Thury und Roßau aber enthält er eine merkliche Abdachung und Unebene. Sein Bezirk ist sehr weit ausgedehnt, die Lage im Ganzen nicht annehmlich, obgleich den Gebirgen näher gelegen, als andere Vorstädte, die Luft ist ziemlich rein und gesund, das Wasser meist gut. Die hiesige Bevölkerung zählt 14,520 Seelen und hat 26 Gassen mit der Hauptstraße, doch führt hier weder eine Haupt= noch Commerzialstraße durch. Die Einwohner=Classe ist sehr ge= mischt; es wohnen hier wegen der nahen und vielen Sanitätsan= stalten viele Doctoren und Studierende, außerdem viel Mili= tär, Beamte von höherem Range, gemischte Professionisten und Leute, die sich von Taglohn nähren, am Alserbache aber meistens Wäscherleute; daher ist auch ein großer Unterschied an Reichthum und so gibt es mehrere sehr wohlhabende Familien, wenigere von mittlerer Classe, am meisten aber Arme, und so wie in der Alsergasse unter den Bewohnern mehr Bildung herrscht, ist bei den andern noch die geringe Stufe der Cultur sehr sichtbar, welches wohl der Art ihrer Beschäftigung und ihrem Umgange zuzuschreiben seyn mag. Aus dem XVIII. Jahrhundert stehen hier noch einzelne pallastähnliche schöne Gebäude mit großen Gärten, auch einige Herrschaftsgebäude mit vielen andern schönen Gebäu= den, die den Grund allerdings auszeichnen und zieren, es gibt aber wieder viele kleine Gebäude bald in solcher Gestalt, wie wir sie im Alterchenfeld geschildert haben. An verschiedenen Anstal= ten und sonstigen öffentlichen Gebäuden ist die Alservorstadt eine der reichsten.

Orts= und Grundobrigkeit ist der Magistrat, letztere auch von einigen Häusern das Domcapitel und das Stift Schotten.

Die Polizei-Bezirks-Direction besteht in der Alsergasse selbst, und über den ganzen Bezirk hat die Pfarre zur heiligen Dreieinigkeit der PP. Minoriten die Seelsorge und den Gottesdienst zu verrichten. Die Leichen von hier werden auf den Gottesacker nach Währing übersetzt.

Von den öffentlichen Gebäuden und Merkwürdigkeiten dieser Vorstadt können wir folgende anführen.

Die Pfarrkirche der PP. Minoriten in der Alservorstadt; die Waisenhauskirche zur heil. Dreieinigkeit mit dem k. k. Waisenhause; das k. k. Criminal-Gerichts- und Polizeihaus an dem Glacis; das k. k. Civil-Krankenhaus mit der Irren- und Gebäranstalt; das k. k. Findelhaus und die Säugammenanstalt; das k. k. Civil-Mädchen-Pensionat; die k. k. Infanterie-Caserne; die k. k. Gewehrfabrik; die k. k. Josephinische medicinisch-chirurgische Akademie sammt dem botanischen Garten; das k. k. Militär-Garnisons-Hauptspital; das k. k. Versorgungshaus in der Währingergasse und am Alserbach; das Lazareth mit der Kirche zu St. Johann; die Ersparnißcasse des Alser-Polizei-Bezirkes; der öffentliche Röhrbrunnen in der Alsergasse, der öffentliche Röhrbrunnen in der Josephinischen Akademie; das Gemeindehaus und drei Stationen des Leidens Christi im Alser-Bezirke, auf dem Kreuzwege nach Herrnals; das k. k. Mauthgebäude an der Herrnalser-Linie mit einer schönen Capelle zum heiligen Johannes; das schöne Gebäude des Grafen von Wrbna und Mnischek in der Alsergasse; das rothe Haus des Fürsten Esterhazy am Glacis; das k. k. Bettenmagazin; das gräflich Schönbornische und fürstlich Lichtensteinische Palais mit schönem Garten, in welch' letzterem der k. k. Feldmarschall Herzog Ferdinand von Würtemberg wohnt, und viele schöne Gebäude in der Währingergasse und am Ochsenberg; eine Pfarr-, zwei Trivial-Schulen und ein schönes wohleingerichtetes Knaben-Erziehungs-Institut, mit einer eige-

nen Capelle, von Herrn Friedrich von Klinkowström; die
k. k. priv. Steingut=Geschirr=, Bimsstein=, Blei=
stift=, Röthel= und elastische Rechentafel=Fabrik
des Ludwig und Carl Harthmud; eine Apotheke, drei
Kaffeehäuser und mehrere Gasthäuser, worunter sich
einige ganz vorzügliche mit schönen Gärten befinden, endlich meh=
rere Schnitt= und Specerei=Handlungen, und das soge=
nannte Brünnelbad.

Die hiesigen Grundanstalten sind durchaus lobenswerth, es
herrscht in dieser Vorstadt, wo doch so Vieles sich von dem Spitale
und der Caserne aus ereignet, eine bewundernswerthe Ordnung
und Reinlichkeit; der Grund wird durch 440 Laternen beleuchtet, es
bestehen die nöthigen Unrathscanäle, und wenn die Straßen gleich
nicht gepflastert sind, so wird doch auf gute Schotterung gesehen.

Die heutige Pfarrkirche in der Alsergasse trägt noch
ken Namen der Kirche der-Weißspanier, die solche gegrün=
det haben.

Der pohlnische Kriegsheld, König Sobiesky, welcher
Wien mit seinen Tapfern entsetzen half, berief die Trinitarier
aus Catalonien nach Lemberg (1685) und ertheilte dem Ordensge=
neral zugleich den Auftrag, sich auch in Wien um ein Kloster
zu bewerben, welches ihnen auch gestattet wurde, und wozu sie
den Adlersburgischen Gartengrund in der Alsergasse erhielten,
worauf sie die noch jetzt bestehende Kirche sammt Kloster erbau=
ten, welches im Jahre 1702 vollendet wurde. Ihr Hauptaugen=
merk bestand in Erlösung der christlichen Gefangenen aus türki=
scher Sclaverei, wie denn auch das Kloster hier in Wien bis zu
seiner Auflösung im Jahre 1783 allein über 5000 Christen aus
dem Türkenjoche befreite. Da Kaiser Joseph II. durch das
Uebergewicht seiner Waffen einen weit eindringlicheren und kür=
zeren Weg zur Erlösung jener Unglücklichen sich gebahnt hatte,
so hob er die Weißspanier in der Alsergasse auf, und verordnete,
daß die Minoriten hinter dem Landhause in der Stadt ihr Klo=
ster beziehen und die Seelsorge hier übernehmen sollten, welches
geschah, und allwo sich noch die Minoriten, deren Kloster auch

zugleich das Provinzialat ist, befinden, welche den Gottes=
dienst in der Alservorstadt zum Theil auch auf dem Michel=
beurischen Grund und am Breitenfeld versehen.

Diese Pfarrkirche ist zu Ehren der heiligen Dreiei=
nigkeit geweiht und besteht in einem schönen Gebäude, welches
schon eine reine Architektur neueren Baustyls an sich trägt, ohne einer
festgesetzten Ordnung anzugehören. Von Außen gegen die Alser=
straße hat sie eine wirklich schöne Façade mit dem Haupteingange ·
über 6 steinerne Stufen, und an beiden Seiten zwei schöne
Thürme mit prachtvollen Kuppeln, die ganz mit Kupfer gedeckt
und auch mit einem wohltönenden großen Geläute versehen sind.

Das Innere der Kirche ist majestätisch und gewährt gegen=
wärtig mit der ganz neuen Renovation, durchaus weiß und
Gold mit einer lieblich violettgrauen Farbe an den Wänden
und der Halbkuppel, einen höchst überraschenden Anblick. Die Ko=
sten wurden durch Wohlthäter und eine allgemeine Sammlung
vom Grunde bestritten, wobei den größten Dank der rühmlichst
bekannte gegenwärtige hochwürdige Herr Provinzial und Pfarrer
und der Herr Grundrichter Hauser verdienen, da sie durch
große Thätigkeit eine solche bedeutende Reparatur vorzunehmen
im Stande waren. In Rücksicht der Schönheit ihrer Ausschmü=
ckung und des überaus zarten Geschmackes, ganz einem Gottes=
hause angemessen, erklären wir diese Kirche als eine der schönsten
in Wien. Ein sehr schöner Hochaltar, mit dem neuen Fres=
co=Gemälde »die Dreifaltigkeit,« nach altdeutscher Schule
vom Ritter vom Hempel gemalt, nebst acht Seitenaltä=
ren: 1) der Kreuzaltar, 2) mit dem Haupt Christi,
3) zu Ehren des heiligen Johann von Nepomuck, 4) der
heilige Dreikönig=Altar, 5) dem heiligen Leonhard
geweiht, 6) der schmerzhaften Mutter Gottes gewidmet,
7) zum heiligen Franciscus, 8)zur unbefleckten Ma=
riä Empfängniß, schmücken diese ausgezeichnete Pfarrkirche
auf das angenehmste, indem sie alle hallenartig an den Seiten=
wänden bestehen. — Der merkwürdigste darunter ist der soge=
nannte Kreuzaltar, ganz von Marmor mit einem in Manns=

gröſſe geformten Crucifix, mit einem dabei befindlichen geſlochte=
nen Palmzweig und dem Haupte des heiligen Albanus ge=
ziert, welches alles die Herzogin Elifabetha Dorothea von
Schleßwig den Trinitariern zum Geſchenk machte; der unter
dem Altar ruhende heil. Leib des Märtyrers Victor kam durch
den Fürſten Lichtenſtein aus Rom hieher. Neben der Kirche
im Kreuzgange iſt auch eine ſchöne Capelle zu Ehren des heil.
Anton aufgerichtet, deſſen Altar mit den Minoriten aus der
Stadt hieher kam, und jetzt ganz Holz und verſilbert iſt, einſt
aber ganz von getriebenem Silber war. Zu dem anſtoßenden Kreuz=
gange des ſehr weitläuftigen Kloſtergebäudes, zu ebener Erde,
befinden ſich 56 Porträtgemälde, vom IV. Jahrhundert, von
St. Antonius, Stifter des Einſiedler=Ordens in Egypten
angefangen, bis in das XVIII. Jahrhundert, welche lauter Or=
densſtifter enthalten und worunter ſich wirklich ſehr gute Gemälde
befinden. Vorzüglich ſehenswerth iſt die Gruft unter der Kirche,
welche ſo groß iſt, als die Kirche ſelbſt, ſie iſt rein angeworfen,
übertüncht und erhält ziemlich viel Licht von den kleinen Fenſtern
gegen die Gaſſe; es beſtand darin auch vormals ein ſchöner Altar
zu Aller=Seelen. Hier ſind ungemein viele Grabſtellen, die
meiſten Leichname aber liegen eingemauert, wie es damals üblich
war. Wir ſahen aber Leichname auch offen baſtehen, die ganz voll=
kommen ausgetrocknet und gleich wie lebend in unverſehrtem Zu=
ſtande ſich befinden, ganz vorzüglich iſt dieß der Körper des Gra=
fen Caraffa, General=Feldmarſchall=Lieutenants, der wohl
länger als 100 Jahre hier liegen mag.

Der Gottesdienſt wird erbaulich und ſolenn abgehalten,
wobei der an dieſer Kirche ſtehende Muſik=Verein thätig zur
Erhöhung deſſelben mitwirkt. — Die Kirchen=Paramente ſind
reich und ſchön. Als hiſtoriſche Merkwürdigkeit er=
kennen wir den hier befindlichen Nekrolog der Minoriten
aus der Stadt, welcher bis in das XII. Jahrhundert zurück
reicht, und in welchem viele alte Geſchlechter genannt werden,
deren Glieder ihre Ruheſtätte in der allberühmten Minoriten=
kirche fanden.

Das k. k. Waisenhaus befindet sich in der Carlsgasse Nr. 261, wo ehedem das spanische Spital stand, und es werden hier die elternlosen Kinder zu bürgerlichen Geschäften, zu Handwerken und Künsten vorbereitet, durch Erlernung der Normal=Classen, Religion= und Sittenlehre, wobei selbst vorzügliche Talente die lateinischen Classen und die Academie der bildenden Künste besuchen dürfen. Dagegen erhalten die Mädchen, nebst dem Normal=Unterricht, in allen weiblichen Arbeiten gründliche Unterweisung, und es können auch die Knaben in die Lehre zu bürgerlichen Gewerben, und die Mädchen in ordentliche Häuser in Dienst genommen werden. Es hat sich nicht selten getroffen, daß solche Waisen die glücklichsten Mitbürger und die reichsten Leute in der Folge durch Fleiß und Arbeitsamkeit wurden.

Diese Anstalt hat ganz besonders während der Regierungszeit unsers Kaisers Franz zugenommen, und steht in Beziehung ihrer zweckmäßigen Eintheilung, Ordnung und überaus großen Reinlichkeit auf einer hohen Stufe. — Außer diesem Hause werden auch gar viele Waisenkinder bei Privaten erzogen, die ein kleines Kostgeld empfangen.

Eine schöne Zierde dieses großen Hauses, welches über 300 Kinder umfaßt, ist die anstoßende Kirche zu Ehren der heiligen Dreieinigkeit, wozu der Grundstein von Kaiser Carl VI. im Jahre 1722 gelegt wurde. Der Hochaltar ist mit Säulen und dem heiligen Kreuze geschmückt, an den drei Seitenaltären hingegen, zum heiligen Carl, Petrus und Januarius, sind die Altarblätter von berühmten Meistern, das erste von Rotmayer, das zweite von Roettiers und das dritte von Altamonte gemalt.

Das allgemeine k. k. Krankenhaus besteht hier in der Alsergasse erst seit dem Jahre 1784. Früher gab es mehrere Krankenhäuser, die aber alle aufgehoben und ihre Stiftungen hierher gezogen wurden. Der große Menschenfreund Kaiser Joseph II. ließ an diese seine neue Anstalt die Ueberschrift setzen: Saluti et Solatio Aegrorum Josephus II. Aug. 1784. (Zum Trost und Heil der Kranken von Kaiser Joseph II. 1784).

Dieses Gebäude, ein Stockwerk hoch, liegt in der Alser= gasse und hat einen ungeheuern Umfang, indem es sieben Höfe in sich faßt, wovon die zwei größten mit schattenreichen Alleen geziert und mit Springbrunnen versehen sind, wobei auch eine schöne Capelle im ersten Stocke besteht, die so gelegen ist, daß das ganze Krankenhaus Antheil an dem Gottesdienste nehmen kann. Es sind bei 150 Krankenzimmer vorhanden, die meist 26 Schuh lang sind und 17 Schuh in der Breite haben. Außer diesen gibt es auch Zimmer für Augenkranke, wel= che ein eigenes Institut bilden, für Wasserscheue und für die mit der Lustseuche Behafteten. Man kann annehmen, daß über 2000 Betten zur Aufnahme bereit stehen, und die Anzahl der jährlich Aufgenommenen mag im Durchschnitt mehr als 17,000 Menschen betragen. Auch stehen mehrere Zimmer bereit zur Aufnahme für Kranke, welche bezahlen, wovon die erste Classe täglich 1 Gulden 20 Kreuzer, die zweite Classe 51 Kreuzer und die dritte Classe 18 Kreuzer in C. M. jedoch monatlich vor= hinein zu entrichten haben.

Es würde zu weitläuftig werden, hier alle Einrichtungen und Anstalten, die Sections = Säle und Lehrzimmer ꝛc. ꝛc., dann die Sammlung der sehenswürdigen vielen Skelette und Präparate aufzuzählen, die in diesem Krankenhause bestehen; genügen mag es aber, wenn wir anführen, daß die vorherr= schende Thätigkeit, Ordnung und höchste Reinlichkeit alles über= trifft, was man sich von solch' einem Hause denken kann.

Mit der Krankenhaus=Direction ist auch zugleich die k. k. Irren=Heilanstalt oder der sogenannte Narrenthurm verbunden. Dieß Gebäude steht gleich rückwärts dem Kranken= hause, ist ganz rund gebaut, hat fünf Stockwerke, und in jedem derselben 28 Zimmer, und ist von einem Garten umgeben, in welchem die Genesenden frische Luft schöpfen können.

Nebst diesem besteht hier auch ein eigener Tract, bestimmt als Gebärhaus, welches in der wohlthätigen Absicht angelegt wurde, damit die Kindermorde nicht um sich greifen möchten. Es werden Schwangere zu allen Stunden unentgeldlich und gegen Bezahlung zur Entbindung aufgenommen, wobei für letztere die Delicatesse beobachtet wird, daß sie verschleiert oder verlarvt eintreten und so verbleiben können, auch wird eine solche Frauensperson nie um Namen und Stand gefragt, sondern sie hat solchen in einem Zettel versiegelt zu übergeben, der unerbrochen in ihren Händen mit der angemerkten Nummer des Zimmers und Bettes verbleibt, und nur genommen und erbrochen würde, falls die zu Entbindende im Hause stürbe, um dann ihren Tod ihrer Familie mittheilen zu können.

An diese Anstalten zunächst reiht sich ihrer Bestimmung nach das k. k. Findelhaus, welches auch in der Alsergasse ist, aber auf der linken Seite sich befindet. Es werden hier zum Theil Kinder von ganz mittellosen Eltern ganz unentgeldlich, zum Theil Kinder gegen von der Regierung bestimmte Bezahlung aufgenommen, wovon aber die Mütter der ersteren im Gebärhause entbunden und dann im Findelhause eine bestimmte Zeit als Säugammen unentgeldlich verbleiben müssen. Alle Findlinge werden von der Direction an Familienmütter in die Vorstädte, auf das Land und sogar in das nahe Mähren und Ungern zur Erziehung, unter den bestehenden Vorschriften und dem festgesetzten Kostgelde, nach den Jahren des Kindes, gegeben. Mit dem Findelhause ist auch eine Säugammen= und eine allgemeine Schutzpocken=Anstalt verbunden; aus ersterer können Familien gesunde und taugliche Ammen sich verschaffen, und in letzterer werden nebst den Findlingen alle Kinder von armen Leuten unentgeldlich vaccinirt.

Zunächst diesen ist in der Alsergasse das k. k. Civil= Mädchen=Pensionat gelegen. Kaiser Joseph II. beabsichtigte eine Verbesserung der weiblichen Erziehung in Schulen und Privathäusern, ohne Gouvernanten oder Lehrerinnen vom Auslande zu brauchen, und errichtete deßhalb diese Anstalt im Jahre 1786; er machte hierzu eine Stiftung auf 24 Mädchen zwischen 7 und 12 Jahren, welche daselbst ganz unent-

gelblich erzogen und gebildet werden, deren Väter Staatsbe=
amte seyn sollen. Die Mädchen bleiben ungefähr 8 Jahre im
Pensionat, und können dann nach ihrer Ausbildung, nach ih=
rem freien Willen, als Gouvernanten oder Lehrerinnen in Häu=
ser eintreten, in welche sie wollen. Sie erhalten während die=
ser Jahre gründlichen Unterricht in der Religion, im Schön=
und Rechtschreiben, Rechnen, Zeichnen, in der Geschichte,
Erdbeschreibung, Naturlehre, in schriftlichen Aufsätzen, in der
französischen und italienischen Sprache, und in allen bekannten
weiblichen Hand= und schönen Arbeiten. Die Mädchen sind zwar
einfach, aber nett gekleidet, und haben nebst der Ober= und
den Untervorsteherinnen die nöthigen Lehrerinnen.

Die Anzahl der Stiftungsplätze hat sich seit der Stiftungs=
zeit ungemein vermehrt, und dürfte sich auf 80 Mädchen belaufen.

Die hier zu Anfang der Alsergasse rechts stehende k. k. In=
fanterie=Kaserne ist die größte in Wien. Sie wurde
schon 1751 erbaut, hat 3 Stockwerke, 4 Höfe, und kann über
6000 Mann aufnehmen. Wie überhaupt in einer jeden Kaserne,
so besteht auch in dieser im ersten Stocke eine niedliche Capelle,
zum Gottesdienste eingerichtet.

Noch weiter gegen das Glacis, an der Ecke der Währin=
gergasse besteht die k. k. Gewehrfabrik, welche eben auch,
wie so viele andere nützliche Anstalten, von Kaiser Joseph II. im
Jahre 1787 errichtet, seitdem aber von unserm jetzigen Kaiser
verbessert wurde. In dieser Fabrik wird immer an Schießgeweh=
ren für die kaiserlichen Zeughäuser gearbeitet, wenn auch gegen=
wärtig in Friedenszeit nur von etwa 50 oder 60 Personen, die
aber auch, wenn es nöthig wird, oft auf 400 bis 500 Arbeiter
vermehrt werden. — Durch verschiedene Maschinen wird die
Fabrikation der Gewehre sehr befördert, und die gelieferten Ar=
beiten geben auch den Beweis, wie hoch diese Anstalt gestellt ist.

Eine der allerschönsten Schöpfungen des unvergeßlichen Kai=
sers Joseph ist unstreitig die hier in der Währingergasse befind=
liche k. k. medicinisch=chirurgische Josephs=Akade=
mie, welche als ein Institut, um Aerzte und Wundärzte für

die Armee zu bilden, in Betracht ihrer prächtigen Einrichtungen, den ersten Rang in Europa behauptet.

Das Gebäude an und für sich beurkundet schon den Sinn des hohen Stifters, und darf zu den schönsten Wiens gezählt werden; es bildet einen zwei Stock hohen Hauptheil mit großen und verzierten Fenstern und mit zu beiden Seiten gleichhervorste= henden Flügelgebäuden, auf dessen Vorplatz ein Springbrunnen steht, der aber sammt dem Mittelgebäude durch ein schönes eiser= nes Gitter eingeschlossen wird.

Diese Akademie ist ein ganz für sich bestehendes Institut, an welchem der vollständige Unterricht in der Medicin und Chirurgie gleichwie an Universitäten ertheilt wird, und dessen Direction in der Person des Obersten Feldstaabsarztes, der zugleich Hofrath ist, unter dem Hofkriegsrathe steht. Die Anlage ist auf 200 Zög= linge berechnet, wovon mehrere nebst ihrem Gehalt als Unter= Feldärzte auch eine Zulage empfangen und nach Befinden ihrer Kenntnisse und Ausbildung nach beendigtem Curse nicht nur den Grad als Doctor der Chirurgie oder Medicin, sondern auch eine Beförderung zu Oberärzten, und die Oberärzte zu Regiments= ärzten erhalten. Doch bestehen Bedingnisse gegen den Staat, welche die Absolvirten zu erfüllen haben, daß sie nämlich nicht aus den Militärdiensten nach ihrer Willkühr in der Folge austreten können, ohne für die in der Akademie genossene Unterstützung und Ausbildung an das Aerarium einen Schadenersatz in Gelde zu leisten. — Die Akademie hat eine eigene und reiche, auserlesene Bibliothek von mehr als 6000 Bänden im Fache der Me= dicin, Chirurgie, Anatomie, Botanik und Naturgeschichte. Die Naturalien=Sammlung enthält eine große Anzahl Stücke aus dem Thier=, Mineralien= und Pflanzenreich, die für die Medicin und Chemie wichtig sind; die reiche und merk= würdige Sammlung anatomischer Wachs=Präpara= te, welche von Fontana und Moscagni in Florenz verfer= tigt wurden, welche sieben Zimmer füllen, wovon zwei im zwei= ten Stocke für die Geburtshilfe sind; eine Sammlung von pa= thologischen Wachs=Präparaten; ein anatomi=

sches Theater; eine Sammlung von kranken Knochen, von Skeletten, von natürlichen und monströsen Fötus (Frucht) nach allen Perioden der Zeugung; dann eine vollständige Sammlung von allen Arten chirurgischer Instrumente, Bandagen und Maschinen, die zu chirurgischen Operationen nöthig sind. — Bei diesem so vorzüglichen Institute besteht ein eigener botanischer Garten, der nach dessen Entzweck angelegt, und meist mit Medicinal = Pflanzen besetzt ist.

Rückwärts an die Josephinische Akademie stößt das k. k. Militär = Garnisons = Hauptspital, auf mehr als 1200 Kranke eingerichtet, mit einer eigenen Apotheke, Laboratorium und einer klinischen Schule. Es ist ein sehr großes Gebäude mit zwei Stockwerken, mehreren schönen mit Alleen bepflanzten Höfen und einer wahrhaft schönen Capelle.

In der Währingergasse, welche von dem gleich außer der Linie liegenden Dorfe Währing so benannt wird, befindet sich auch das k. k. Versorgungshaus zu Anfang der Carlsgasse mit einer im Hofe freistehenden, sehr schönen Capelle zur heiligen Rosalia, welche im Jahre 1729 erbaut wurde. In diesem großen Gebäude werden arme und gebrechliche Leute vom Staate untergebracht, um hier verpflegt zu werden.

Am Ende dieser Gasse ist noch das sogenannte Lazareth gelegen, welches aber gegenwärtig einen Bestandtheil des allgemeinen Krankenhauses ausmacht und zur Irrenanstalt gehört. Dabei befindet sich ein altes Kirchlein zum heiligen Johann dem Täufer (vormals Lazarethkirche St. Johann im Siechenals). Die Sage läßt die Kirche vom heiligen Severin erbauen, wobei ein Klösterchen gestanden, in welchem dieser Mann Gottes einige Zeit gewohnt haben soll, wie selbst sein Geschichtsschreiber Eugippius berichtet. Diese Kirche ward durch die Hunn=Avaren zerstört, und Kaiser Carl der Große erneuerte sie wieder. Wir haben darüber zwar keine urkundlichen Beweise, doch aber wird das Kirchlein St. Johann im Als, da wo sich der Alsbach in die Donau zu münden scheint, in der Stiftungsur-

kunde der Schottenabtei im Jahre 1158 von Herzog Heinrich
Jasomirgott ausdrücklich genannt, woraus natürlicherweise
zu urtheilen ist, daß solches schon früher bestanden haben müsse.
Im Jahre 1282 wurde diese Kirche von einem Otto von Neu=
burg erneuert und da sie nach dreihundert Jahren wieder bau=
fällig ward, 1579 in ihrer heutigen alterthümlichen Gestalt zum
Theil neu erbaut, welches um so richtiger scheint, als wir durch
den Augenschein uns deutlich überzeugten, daß der Thurm
und das Presbyterium eine weit ältere Bauart als die des
XVI. Jahrhunderts tragen, wozu auch der niedere altgothische
Eingang und der darüber stehende Chor gerechnet werden können.
Es ist ein ganz kleines Kirchlein, auf einer Anhöhe romantisch
gelegen, mit innerer schöner Ausschmückung und es wird der
Gottesdienst von einem Weltpriester versehen. Immerhin bleibt
diese Kirche ein merkwürdiger, zu verehrender Ueberrest vieler ab=
gewichener Jahrhunderte, und erhält das Andenken an den uns
theuern Apostel Severin. Wie wir schon in der Geschichte be=
merkt haben, bestand hier vor Zeiten das bürgerliche Laza=
reth, und so ist dieses Spital von den Pestzeiten her uns be=
kannt geblieben.

Noch hat dieser Grund am Alserbach im Rücken des allge=
meinen Krankenhauses ein Versorgungshaus, gleichwie
jenes in der Währingergasse, für alte arme Leute beiderlei Ge=
schlechts, die von der Landesregierung dahin untergebracht werden.

Zu allen diesen vielen öffentlichen Gebäuden im Alserbezirk
gehört vorzüglich das so eben im Bau begriffene k. k. Crimi=
nal=Gerichts= und Gefangenhaus an dem Glacis, wel=
ches nach zwei Jahren ganz vollendet seyn muß, und dessen äu=
ßere Gestalt sehr deutlich aus der bildlichen Darstellung Nr. 5
und 6 entnommen werden kann. Es ist bei dem Entwurfe darauf
Bedacht genommen worden, daß alle Gemächer und Behältnisse
auf das zweckmäßigste eingetheilt werden, da der große Raum
des Bauplatzes eine solche günstige Eintheilung gestattet. Das
Ganze zerfällt in das Amtslocale des Criminal=Ge=
richts, welches ungefähr sammt dem Rathssaal in 103 Zim=

18

mern besteht; in die Inquisiten=Anstalt mit 84 Untersu=
chungsarresten und 20 Nebenzimmern; in die Strafanstalt,
mit 30 Schlafarresten nebst 29 andern Zimmern und Magazi=
nen; in die Krankenanstalt für Inquisiten a) mit 15
Zimmern; in die Krankenanstalt für Sträflinge b) mit
30 Zimmern und in die Wohnungen für die Beamten und
das Personale der Strafanstalt, welche sammt der Ca=
pelle mehr als 14 Zimmer enthalten.

Zu den Bildungsanstalten der Stadt Wien gehörend, be=
merken wir noch beim Alsergrund, daß sich in Herrnals au=
ßer der Linie, der dortigen Kirche gegenüber, in dem ehemaligen
Klostergebäude der Paulaner das k. k. Officiers=Töchter=
Erziehungsinstitut befindet, welches dieselbe Einrichtung
und Tendenz hat, gleichwie jenes Mädchen=Pensionat in der
Alservorstadt.

In geschichtlicher Beziehung wollen wir von der heutigen
Alservorstadt unsern verehrten Lesern berichten, daß die
Gegend an der Als (Alserbach im Rücken der Vorstadt) schon
von Markgraf Leopold dem Heiligen (1134) in einer
Schenkungsurkunde erwähnt wird. Die erste namentliche Benen=
nung der Alsergasse aber finden wir erst in den Zeiten Leo=
polds des Glorreichen (1211). Nach allem dem, was wir
weiter aus Urkunden entnommen haben, geht hervor, daß der
Alsergrund mit dem jetzt durch die Linie getrennten Herrn=
als zusammen geflossen und die uralte Alsergasse, gleich den
übrigen Vorstädten, vor den türkischen Belagerungen noch viel
weiter herein bis an das Schottenthor gereicht habe. Somit
ist es ganz wahrscheinlich, daß die Herren von Als (Herrnals),
welche zu der Zeit als Griechen bekannt sind, die mit
Theodora, der Gemahlin des Herzogs Heinrich Jaso=
mirgott, aus Griechenland kamen, und auch im Todtenbuch
der Minoriten in der Stadt als solche erscheinen, wie z. B.
Nicolai Greci, Militis de Als (Niklas der Grieche, herzog=
licher Dienstmann von Als), auch einen Theil der heutigen Al=
sergasse mit besessen haben, da auch das Wäldchen an der je=

ßigen Hernalſer-Linie das G r i e ch e n b e r g l, das G r i e ch e n-
h ö l z l hieß. Die Gegend, wo ſich der Alsbach gegen den Mi-
chelbeuerischen Grund beugt, hieß immer das Alseck, und hatte
in seiner Umgegend gute Weingärten, der Theil aber gegen
den Thury hinab wegen der vielen Kranken- und Versorgungs-
häuser der S i e ch e n a l s. Im XIV. Jahrhundert jedoch war
die A l s ſt r a ß e (Alsergaſſe) allgemein bekannt.

Bis auf Kaiſer J o ſ e p h II. war in der Alſergaſſe auf
dem Grund und Boden, auf welchem jetzt das Criminal-Gerichtshaus erbaut wird, an die beſtandene Schießſtätte anſtoßend, die gegenwärtig in die Nähe des Belvedere verlegt wurde,
der große Gottesacker von St. Stephan mit einer Capelle.

Ortsobrigkeit iſt ganz allein der Magiſtrat und auch die
Grundherrſchaft, doch hat das Stift Schotten über einige Häuſer, die zur Pfarre in die Roßau gehören, die Grundherrlichkeit.

Unwiſſenheit in der Geſchichte und die Wuth zu Anfang
des XVIII. Jahrhunderts, Alles mit Sinn entſtellenden Allegorien zu verzieren, hat auch das damalige Grundgericht ange-
trieben, in ſeinem Grundſiegel eine A e l ſt e r zu führen, welches noch jetzt beſteht, ein ſicheres Zeichen, daß man bis jetzt
noch nicht die Abſtammung des Namens »oder Alſergrund« hat
kennen lernen wollen.

Die Vorſtadt Breitenfeld,

hat eine hohe, gegen die angrenzenden Vorſtädte Altlerchenfeld,
Joſephſtadt und Alſervorſtadt abhängende Lage mit reiner, geſun-
der Luft, und iſt auf einer Seite von dem Linienwall umſchloſ-
ſen, an welchen es anliegt, und ſich bei der Hernalſer-Linie endet. Durch dieſe erhöhte Lage iſt der Grund nach jedem Regen-
wetter alſobald trocken, da das Waſſer nach allen Seiten hin
ſchnell abfließt.

Breitenfeld iſt eine freundliche, neu angelegte Vorſtadt mit hübſchen, meiſt zwei Stock hohen Häuſern, alle im
neuern Bauſtyl aufgeführt, und ziemlich regelmäßig in breiten

18 *

Gassen angelegt mit zwei großen Plätzen in Quadratform, auf
deren einem die Kirche seiner Zeit gebaut werden soll. — Auch
hat sie gutes Gebirgswasser von den nahen Gebirgen, und wird
noch mehr gutes Wasser erhalten, da der Grundrichter Herr Ga=
ber die Erlaubniß erhalten hat, von der k. k. Ottagrüner Hof=
wasserleitung welches hereinleiten zu dürfen, weßhalb auf den
zwei großen Plätzen noch im gegenwärtigen Jahre zwei Bassins
aufgestellt werden. Die Straßen sind noch ungepflastert, da sie
ohnehin immer trocken sind und feste Schotterung haben, aber es
ist eine gute Grundbeleuchtung veranstaltet, die lobenswerth ist.

Die Einwohnerzahl beträgt bei 6000 Personen in 94 Häu=
sern, welche sehr gemischt ist, und vielen Classen angehört; so
findet man denn auch meist Handwerker und auch andere, aber
auch viele dürftige Familien, wo mehrere Parteien beisammen
wohnen. Vorzüglich enthält der Grund viele Tischlerwerkstätten,
in denen gute Tischlerwaaren verfertigt werden.

Hier besteht ein Kaffeehaus, drei Gasthäuser mit
dem bekannten Tanzsaale zum grünen Kranze, mehrere
vermischte Waaren=Handlungen, das k. k. Joseph=
städter=Heumagazin und eine Trivialschule, die auf
Kosten des Grundgerichtes erhalten wird. Erst seit dem Jahre
1802 besteht diese Vorstadt und ist nun schon ganz verbaut. Der
größte Theil davon ist zur Pfarre in die Alfergasse, 20 Häuser
davon in die Josephstadt eingepfarrt. — Zur k. k. Polizei=Be=
zirks=Direction gehört der Grund zur Alservorstadt. Grund= und
Ortsobrigkeit ist das Stift Schotten.

Den Namen trägt der Grund von seiner ehemaligen natür=
lichen Lage. Obschon der Grund vor 600 Jahren schon in Ur=
kunden erwähnt wird, so hieß solcher doch nur mit seinen Aeckern
der Grund zwischen den Alserbächen und der Esel=
hardried (gegenwärtig außer der Linie liegende Felder).

Das Grundsiegel von Breitenfeld besteht in einem
Muttergottesbilde mit einem Zepter in der linken und
dem Reichsapfel in der rechten Hand, über einem Felde auf
Wolken stehend.

Die Vorstadt Michaelbeuerischer Grund.

Diese Vorstadt, welche theils flach, theils hügelich zwischen dem Alserbache und der Währinger-Linie gelegen ist, grenzt an die Vorstädte Thury und Himmelpfortgrund, und nur durch den Alserbach getrennt, an den Alsergrund. Es sind hier schöne Häuser, die erst vor kurzem erbaut wurden, aber auch noch viele niedere und schlecht erbaute vorhanden. Der Lage und dem Aussehen nach, herrscht hier gegen andere Vorstädte beinahe ländliche Sitte vor; jedoch ist die Situation wegen der nahen Gebirge und gesunden Luft ganz gut, auch vortreffliches Wasser vorhanden.

Die Einwohnerzahl beläuft sich jetzt auf 1600 Personen, welche sich durch verschiedene Professionen ihre Existenz verschaffen; große Werkstätten oder Fabriken sind hier nicht vorhanden, daher können wir auch nur die einzige Seidenzeugfabrik des Herrn Carl Fuchshaller bemerken, die etwa bei 50 Menschen beschäftigt. — Außer der angeordneten nöthigen Beleuchtung sind keine Anstalten errichtet, auch keine Gassen gepflastert. — Hauptstraßen gibt es keine, da der Grund die Communication bloß durch die über den kleinen Alsbach angelegten Brücken hat, daher ist ganz leicht zu urtheilen, daß hier keine Lebhaftigkeit herrscht. Die Bewohner überhaupt gehören zur ärmeren und nicht so gebildeten Classe der Einwohner Wiens.

Zur Hälfte gehört diese Vorstadt zur Pfarre nach dem Lichtenthal und zur Hälfte zur Alservorstadt. — Grund- und Ortsobrigkeit ist der Magistrat, und als Polizei-Bezirk gehört die Vorstadt zur Alser-Polizei-Bezirks-Direction.

Wir glauben hier erwähnen zu müssen, daß jenes bei dem Alsergrund aufgezählte k. k. Versorgungshaus am Alserbache, welches insgemein zum blauen Herrgott genannt wird, da solches auf hiesigen Grund und Boden liegt, auch als ein Bestandtheil des Michaelbeurischen Grundes mit Recht gelten kann.

Das Grundsiegel ist dem am Alsergrund, durch die Darstellung einer Aelster auf einem Baum an der vorbeifließenden Als, ganz verwandt, daher eben auch fo unrichtig.

Den Namen trägt diefe Vorstadt, von ihrer ehemaligen Grundherrschaft, der falzburgischen Benedictiner=Abtei Michaelbeuern, welche von diefem Stift feit dem Jahre 1072, alfo früher fchon bevor fich Wien als Herzogsstadt bildete, befeffen wurde, und erstreckte fich bis Währing, welcher Grund aber auch diefer Abtei gehörte. Als aber 1703 die Linien gezogen wurden, fo wurde das Befißthum abgefchnitten, und jenes inner derfelben erwuchs zu einem eigenen Vorstadtgrunde, unter der Benennung »am Alferbache,« und wurde dann 1786 dem Magistrate käuflich überlaffen, welcher der Vorstadt feine urfprüngliche und richtige Benennung wieder gab.

Die Vorstadt Himmelpfortgrund,

erhebt fich vom Alferbach aus mäßig bergan und zieht fich der Länge nach bis zur Nußdorfer=Linie, zur Rechten an Thury und Lichtenthal, zur Linken an den Michaelbeuerifchen Grund, und der Länge nach an den Währinger= und Nußdorfer=Linienwall grenzend. Bei der bedeutend erhöhten Lage genießt der Grund eine reine und gefunde Gebirgsluft und hat gutes Waffer.

Es führt eine breite Fahrstraße mitten durch zur Nußdorfer= Linie, die fehr stark befahren wird, und den Grund fehr lebhaft gestaltet. An der Seite, rechts diefer Straße, steht auf einem viereckigen Plaße die Statue des heiligen Johannes. Gepflastert ist diefe Vorstadt nicht, aber beleuchtet wie die übrigen. Anstalten bestehen auch keine, und nur eine Schule, ein Ge= meindehaus und 17 Gasthäufer werden hier gezählt.

Die hiefigen Einwohner, welche fich auf 3200 Seelen belau= fen, find verfchiedene Profeffionisten und viele Wäfcherleute. Von den Fabrikszweigen können wir nur die berühmte Tuch= fabrik des Herr Alois Neumann erwähnen.

Diefe Vorstadt ist zur Kirche nach dem Lichtenthal eingepfarrt und gehört zur k. k. Polizei=Bezirks=Direction in die Roßau; Grund= und Ortsobrigkeit ist aber der Wiener Stadtmagistrat,

welcher den Grund bei Auflösung des Klosters zur Himmels=
pforte in der Stadt im Jahre 1783 mit aller Gerichtsbarkeit
erkauft hat, welches durch mehrere hundert Jahre diese Gründe,
welche die heutige Vorstadt Himmelpfortgrund umfassen,
besaß. In den ersten Zeiten hieß diese Gegend der Sporkenbühel
(Sporkenberg oder Anhöhe).

Das Siegel enthält im Schilde ein Osterlamm mit einer
Fahne, oder welchem eine Krone angebracht ist.

Die Vorstadt Thury,

bildet ein förmliches Dreieck, ist jenseits des Alserbaches theils
in der Tiefe, theils an der Anhöhe, wozu eine Stiege von
73 Stufen führt, dem Himmelpfortgrund zunächst, gelegen, und
grenzt somit an den Alsergrund, den Himmelpfortgrund und Lich=
tenthal.

Der Grund hat 11 Gassen und eine Hauptstraße in Gemein=
schaft mit Lichtenthal, die zur Nußdorfer=Linie der Länge nach
führt. Der an der Anhöhe gelegene Theil genießt gesunde Luft,
nicht aber der in Tiefe liegende Grund, welcher keine gesunde Lage,
aber häufiges Quellwasser hat, worunter viele Mineralquellen
sind. Die Beleuchtung von der Hauptstraße rührt als eine ewige
Stiftung vom Fürsten Colloredo her, welcher vor ungefähr
30 Jahren einen Hauseigenthümer hier zur Abendszeit mit seinem
Wagen überfuhr, der bald starb, worauf der Fürst, von diesem
Unglücksfall gerührt, diese Stiftung machte. Auch der übrige
Theil dieser Vorstadt ist beleuchtet, aber wenig Pflasterung vor=
handen, die hier sehr nöthig wäre. Der Grund, wenn auch gar
nicht anmuthig oder freundlich, ist sehr belebt, die Einwohner
aber meist von der geringen Classe mit wenig Bildung.

Der Seelenstand beträgt 3750 Personen, die verschiedene
Professionisten, aber meist Taglöhner sind, und nur dürftige Fa=
milien bilden. Vormals gab es hier beträchtliche Fabriken der
Zeugmacher, Weber und Strumpfwirker, die aber alle einge=
gangen sind.

Es bestehen eine Schule und sehr viele Gasthäuser, alle übrigen Anstalten entbehrt der Grund.

Die Vorstadt Thury ist nach Lichtenthal eingepfarrt, und gehört zur k. k. Polizei-Bezirks-Direction in der Roßau. Die grundherrlichen und ortsobrigkeitlichen Rechte besitzt ganz allein der Magistrat.

Das Grundsiegel führt als sprechendes Wappen den heiligen Johannes den Täufer, welcher ein Kirchlein in der rechten Hand hält, mit der Jahreszahl 1699 in dem Schilde.

Vor mehr als 600 Jahren wurde diese Gegend als »Siechenals« bezeichnet, da, wie schon erwähnt, in der Umgegend mehrere Spitäler und Siechenhäuser bestanden. In den ersten Tagen der Babenberger stand hier eine Capelle, dem heiligen Johannes dem Täufer geweiht, welche als Pfarre damals (1282) von einem im obern Werd (Roßau) begüterten Glied der Herren von Neuburg (der späteren bekannten Ottohaimen bei St. Salvator in der Stadt) erneuert worden seyn soll. Von dieser Zeit an erscheinen viele Urkunden von Vermächtnissen für das Hospital zu St. Johann in Siechenals, und es waren um dieses Gotteshaus und Spital mehrere Häuser angebaut. Kaiser Friedrich IV. schenkte in Folge einer vorhandenen Urkunde von 1475 das Dorf Siechenals sammt Kirche, Spital und allen seinen Gründen, Weingärten und Nußungen dem Stifte St. Dorothee in der Stadt Wien, welches erstere bis zur ersten Türkenbelagerung (1529) bestand, dann aber gleichwie andere Dörfer und Kirchen zu Grunde ging. Durch diese Gefahr abgeschreckt, hatte in der Folge Niemand mehr Lust, sich dort anzusiedeln; daher mußte das Stift die Gründe zu Weingärten verwenden. Endlich aber, da contagiöse Zeiten und furchtbare Pesten wiederkehrten, erbaute der Rath der Stadt dort das Hospital von Neuem, dagegen das Stift auf die Grundrechte Verzicht leistete. 1546 erbaute der kaiserliche Hofdiener und Ziegelschaffer Johann Thury, also auf magistratischem Grund und Boden, sich hier ein Haus, welchem Beispiele bald mehrere folgten, wodurch es kam, daß der Name Siechenals weg-

blieb, und dem neuen Grunde der Name seines eifrigen Gön-
ners beigelegt wurde. Aber auch im zweiten Türkenkriege wurde
der Thurygrund zerstört, jedoch nach abgewichener Gefahr
stieg er diefmal weit schneller aus seinem Schutte.

Als die Gemeinde im Jahre 1713 die Erlaubniß erhielt,
an einem Platze zunächst des Thurybrückels über den Alsbach
eine Kreuzsäule errichten zu dürfen, stießen sie bei dem Graben
auf Theile einer ehemaligen Capelle, die nach Aussage alter
Leute die vormalige Johanneskirche gewesen seyn soll, welches
die Einwohner aneiferte, die noch bestehende Capelle zum heiligen Johannes zu erbauen, welche ein Thürmchen mit
zwei Glocken und in der Folge viele Unterstützung bekam. In
derselben wird täglich das heilige Meßopfer verrichtet.

Die Vorstadt Lichtenthal.

Dieser Grund liegt tief und flach, grenzt an den Althann-
grund, Thury und Himmelpfortgrund und bildet ein langes
Viereck gegen die Nußdorfer-Linie hin. Die Lage dieser Vorstadt ist nicht unangenehm, obschon solche immer eine feuchte
Luft von der nahen Donau erhält, die dem Gesundheitszustand
der hiesigen Einwohner nicht vortheilhaft seyn kann. Die Vorstadt hat im Ueberfluß Wasser, welches als ein Seihwasser der
Donau hinlänglich genießbar ist. Hier werden 6820 Einwohner,
13 Gassen und mehrere schöne Häuser gezählt, mit einer Hauptstraße zur Nußdorfer-Linie. — Es bestehen Canäle, theilweise
Pflasterung und eine gute Beleuchtung. Die Bewohner gehören
zu verschiedenen Handwerken, wenn gleich kein Zweig besonders vorherrschend ist, doch viele davon haben ihren Erwerb
beim Ausschieben des Holzes aus den Schiffen des Wiener Do-
naucanals, und viele leben von Taglohn. Wenn auch gutmü-
thig, sind die Einwohner von Lichtenthal als Leute gekannt, die nicht viele Bildung besitzen, — daher das gewöhnliche Sprichwort der Wiener: »der ist grob wie ein Holz-
schieber«; — auch sind hier größtentheils dürftige Familien.

Die Häuser dieser volkreichen Vorstadt sind bis auf einige

Gaffen nett gebaut, und es befindet sich allhier das Pracht=
gebäude sammt Garten vom regierenden Fürsten von Lich=
tenstein, und das sehr große herrschaftliche Brauhaus,
welches Dominical ist und in welchem sich die Herrschafts=
Kanzlei befindet. Außerdem steht hier die Pfarrkirche zu den
14 Nothhelfern, der Pfarrhof, die Pfarrschule,
das Grundspital zur Versorgung armer Grundbewohner,
eine Apotheke und sehr viele Gasthäuser, worunter ei=
nige bedeutende sind.

Die Kirche entstand im Jahre 1712 vorzüglich durch die
unermüdete Freigebigkeit des Fürsten Hanns Adam von Lich=
tenstein und ist ein schönes Gebäude neueren Styls, geräu=
mig und licht. Bei ihrer Entstehung hatte sie blos einen Thurm
links, einen zweiten solchen erhielt sie durch Wohlthäter im
Jahre 1827, die nun zu beiden Seiten des Haupteinganges
sich erheben, und mit einfachen Halbkuppeln, mit Kupfer ge=
deckt, und mit einer Uhr geziert sind. In diesen befinden sich
sieben Glocken, wovon die größte, 40 Zentner schwer, ebenfalls
von einem Wohlthäter beigeschafft wurde.

Das Hochaltarblatt, die 14 Nothhelfer vorstellend, ist von
Franz Zoller gemalt. — Noch sind vier Seitenaltäre
vorhanden, nämlich der Kreuzaltar mit dem Bildnisse des
Erlösers, von dem Künstler Herrn Kuppelwieser gemalt;
der Altar zum heiligen Johann von Nepomuck, von Zol=
ler; der sogenannte Christenlehr=Bruderschaftsaltar,
von Maulbertsch, und der Franz Xaveri=Altar, von
Koll. Unter dem Thurme rechts befindet sich die Capelle
des heiligen Zeno, und auf derselben Seite dem Hochal=
tar gegenüber die Tauf=Capelle. Der Hochaltar ist von künst=
lichem Marmor nach jonischer Ordnung errichtet; der Tabernakel
aber von Salzburger und weißem, die Altarstufen von rothem
Marmor. Die ganze Ausschmückung ist einem Gotteshause voll=
kommen angemessen und zierlich. — Kirchen=Paramente, als
schöne Monstranzen und prachtvolle Ornate, gibt es in hinläng=
licher Zahl, die alle von Wohlthätern dargebracht wurden. —

Der Gottesdienst wird von einem Pfarrer und drei Coopera=
toren versehen, übrigens ist die Pfarre zum Leichenhof nach
Währing angewiesen.

An der Nußdorfer=Linie steht neben den dortigen Mauth=
häusern eine sehr schöne Capelle, zu Ehren des heiligen Jo=
hann von Nepomuck.

Ursprünglich finden wir das Lichtenthal als eine Thal=
wiese, daher auch noch heut zu Tage die Benennung »auf
der Wiese« anstatt im Lichtenthal, und dieser Grund hieß
in alten Zeiten, als er noch durch den veränderten Lauf der Donau
und eines zweiten Armes des Alsbaches ein Werd (Insel) war,
Altlichtenwerd. Schon 1254 erscheint dieser Theil, der das
Lichtenthal in sich faßt, als Eigenthum des Heinrich von
Lichtenstein, seit welchem solcher bis gegenwärtig bei dieser
altberühmten und regierenden fürstlichen Familie verblieb. Sein
Entstehen als Vorstadtgrund aber verdankt das Lichtenthal
dem in der Kunstwelt bekannten Fürsten Hanns Adam von
Lichtenstein; er vertheilte zur Zeit, als die Vorstädte mit Li=
nien umschlossen wurden, den ganzen Grund zu Bauplätzen, und
gab steuerfreie Jahre nebst reichlicher Unterstützung; dadurch zog
er viele gewerbfleißige Bürger hierher, und nach acht Jahren (1712)
stand die Vorstadt schon vollendet da. Er selbst ließ den diese
Vorstadt zierenden herrlichen Pallast erbauen und legte den
prachtvollen Garten an. Durch die schöne Architektur, nach dem
Plane des Dominik Martinelli erbaut, ist dieser Pallast
einer der sehenswürdigsten in Wien. Eine vorzügliche Aufmerk=
samkeit verdient die in ihrer Art einzige marmorne Prachttreppe.
Die Plafonds sind von Rothmaier gemalt. Imposant ist der
Eintrittssaal in die große Bildergallerie, welcher ein 82
Schuh langes Viereck bildet, dessen Decke von 18 marmornen
Säulen getragen wird, und welche, die Vergötterung des Her=
kules darstellend, von dem Jesuiten Pozzo gemalt ist. Der
Stifter dieser Gallerie war der vorgedachte hochgefeierte Fürst,
der sie zu einem unveräußerlichen Familien=Fideicommiß machte.
Seine Nachfolger, ebenfalls Verehrer der Kunst, bereicherten

solche anſehnlich, und ſo wuchs dieſe, Gemälde aus der italieni=
ſchen, flammländiſchen, alten und neueren deutſchen Schule ent=
haltend, in Allem bis gegen 1200 Stücke an, worunter viele
von den vornehmſten Meiſtern. Eine ausgeſuchte Zierde dieſer
Gallerie ſind ſechs Gemälde von Rubens, die Geſchichte
des Decius darſtellend, die über 80,000 Gulden gekoſtet ha=
ben ſollen. Außer dieſen Kunſtgemälden ſind noch bei 400 Stücke
aus dem Gebiete der Bildnerkunſt vorhanden, die in Statuen,
Vaſen, Gruppen u. ſ. w. aus Bronze, Alabaſter und Marmor
beſtehen, nebſt einem ſchönen Moſaikbild des Fürſten Wenzel
von Lichtenſtein. Dieſe Gallerie iſt eine der vorzüglicheren der
Reſidenzſtadt, daher verdient ſie auch die beſondere Aufmerkſamkeit
des Kunſtkenners. Dieſes Prachtgebäude, über deſſen Eingang
die Inſchrift ſteht: Der Kunſt, den Künſtlern, Johann
Fürſt von Lichtenſtein, wird von einem in groſem engli=
ſchen Style angelegten Garten umgeben, reichlich verſehen mit
ausländiſchen Gewächſen, mit romantiſchen Anlagen und Teichen,
im Hintergrunde aber große Treibhäuſer enthaltend. Es iſt Je=
dermann hier der freie Eintritt geſtattet, und die ſchöne Ausſtat=
tung deſſelben gehört dem jetzt regierenden Herrn Fürſten Jo=
hann von Lichtenſtein an.

Wie ſchon erwähnt, iſt die Vorſtadt Lichtenthal ein
Eigenthum des fürſtlichen Hauſes Lichtenſtein, daher iſt auch
daſſelbe allein Grund= und Ortsobrigkeit; zur Polizei=Bezirks=
Direction gehört aber die Vorſtadt in die Roßau.

Das herrſchaftliche Siegel enthält zwei Berge, auf welchem
jeden ein Haus ſteht, und eine Sonne, die zwiſchen den Ber=
gen ihre Strahlen zeigt. Dieſes allegoriſche Sinnbild iſt eben ſo
unrichtig, wie die andern der Vorſtädte.

Die Vorſtadt Althann,

liegt ganz flach, und grenzt der Länge nach an Lichtenthal, von
der andern Seite an den Wiener Donaucanal, vorn an die
Roßau, durch den Alſerbach getrennt, der ſich hier in die Do=
nau mündet, und im Rücken an die ſogenannte Spitelau. Die

Bauart und Gestaltung des Grundes ist dieselbe wie beim Lich=
tenthal, nur daß hier, obschon in 37 Häusern bei 900 Einwoh=
sich befinden, eine weit größere ländliche Stille und Ruhe herrscht,
als in den andern anliegenden Vorstädten. Wasser und Luft sind
mit Lichtenthal gleich anzunehmen, eben so der Erwerb und
Charakter der hiesigen Einwohner, unter denen uns die Tisch=
ler als die meisten Handwerker scheinen; überdieß werden in
der hier bestehenden Wollfabrik des Herrn Johann Bapt.
Edlen von Puthon bei 3—400 Menschen beschäftigt.

Besondere Anstalten gibt es auf einem so kleinen Grunde
nicht. — Außer den nöthigen Gewerben für das bürgerliche Le=
ben und mehreren Gasthäusern, ist das noch von Graf Gund=
acker von Althann erbaute schöne Schloß mit großem Zier=
garten, jetzt dem Edlen von Puthon gehörig, zu bemerken,
welches eine schöne anmuthige Lage hat. Graf Althann ver=
kaufte seinen Grund an den Magistrat, der solchen zu Baustellen
abtrat, wonach zu gleicher Zeit mit Lichtenthal diese Vorstadt
entstand.

Grund= und Ortsobrigkeit ist der Magistrat; — der Pfarr=
bezirk gehört zur Kirche im Lichtenthal, und zur k. k. Polizei=
Bezirks=Direction in die Roßau.

Das Siegel dieses Grundes führt im Schilde einen Hirsch,
und ober demselben eine Krone.

Die Vorstadt Roßau.

Diese Vorstadt ist die letzte von den 34 Vorstädten, die sich
im Halbzirkel so majestätisch um die innere Stadt lagern, und
liegt im Angesicht des obern Theils der Leopoldstadt, nur durch
den Wiener Donaucanal von ihr getrennt, und im Angesicht der
Stadt am Glacis gegen das neue Thor zu, an welchem Theile
noch mehrere Holzlegstätten bestehen. Der Länge nach grenzt sie
auf der Abendseite an Lichtenthal und im Rücken an die Vor=
stadt Althann. Die Lage dieses ziemlich und gleich wie die Weiß=
gärber tief gelegenen Grundes ist ebenfalls flach. Sie hat in ihrer
Situation nichts unangenehmes, doch herrscht auch keine Freund=

lichkeit vor und keine Regsamkeit, wozu die Häuser, welche meist unansehnlich sind, auch beitragen mögen. Das Wasser, meist aus der Donau, ist zum verwundern gut, wird aber durch den Fluß= sand gleichsam filtrirt, ehe es in die Brunnen fließt, daher auch sein kristallhelles Ansehen. Doch ist die beständig nasse Luft kei= neswegs gesund, und zudem ist die Roßau gleich wie die andern nahen Gründe den Ueberschwemmungen häufig ausgesetzt, um so mehr, da viele der Häuser sehr tief liegen und eine niedere Bau= art haben.

Alles dieses und die ohnehin dürftige Lebensweise der mei= sten Familien hier, gegen andere Vorstädte, verursachen öfters größere Sterblichkeit und anhaltendere Krankheiten. Der Erwerb der hiesigen Einwohner, deren Zahl 5520 Personen beträgt, ist ebenfalls gemischt in den bürgerlichen Gewerben, viele aber ar= beiten um Taglohn. Die gewöhnlichen Gemeindeanstalten sind auch hier eingeführt, nebst der üblichen Beleuchtung, jedoch sind nur wenige der Gassen gepflastert, was sehr nöthig wäre, da die Roßau häufig kothig ist.

An besondern Gebäuden erwähnen wir die Pfarrkirche der PP. Serviten mit ihrem Kloster, eine sehr große Pfarrschule mit sechs Lehrzimmern und einem Zimmer für weibliche Arbeiten, die berühmte k. k. Porzellan=, Spiegel= und Smalten=Fabrik, welche im höchsten Flor und ausgedehn= testen Betrieb steht, und deren Kunsterzeugnisse im In= und Auslande hochgeschätzt werden, das Israeliten=Spital, eine Apotheke, ein schönes Kaffeehaus und viele Gast= häuser, worunter der weiße Schwan, die goldene Krone, der grüne Kranz, dann die Einkehr=Wirthshäuser zum weißen Hahn, weißen Lamm und goldenen Bä= ren die vorzüglichsten sind; die landesbefugte Wagenfabrik des k. k. Hofsattlers Simon Brandmayer, welche einen großen Absatz im In= und Auslande hat, die k. k. privile= girte Lederfabrik des Felix Halbmayer, die Papier= spalier=Fabrik von Spannl und Rhederer, mit ihren trefflichen Erzeugnissen und die Gaserzeugungsanstalt.

Die Gründung des Servitenklosters ist folgende: Im Jahre 1639 kauften die PP., welche auf Erlaubniß des Kaisers Ferdinand von Insbruck hieher kamen, von einer gewissen Frau Quantin (nicht Quarien, wie fälschlich berichtet wird) deren Haus, Stabl und Garten, welche da standen, wo jetzt Kirche und Kloster sich befinden, um 4000 Gulden, worüber sie den Gewährbrief erhielten. Das Haus wurde, wie es sich eben thun ließ, in eine Residenz umgestaltet, und an dem Orte, wo der Stabl stand, eine hölzerne Capelle errichtet. Armuth und andere mißliche Umstände verzögerten den Bau eines förmlichen Klosters und Kirche. Endlich im Jahre 1643 erhielten die Serviten durch gute Freunde und mehrere Wohlthäter, vorzüglich in der Person des Fürsten Octavio Piccolomini, Elias Schiller, Doctors der Theologie und geheimen Raths, und des bekannten Johann Thury, Ziegelschaffers, zu welchen sich noch andere gesellten, so reichliche Unterstützungen, daß der Bau begonnen werden konnte, welcher an Kirche und Kloster im Jahre 1678 vollendet war. Doch im Jahre 1683 wurden beide ein Raub der Flammen, aber noch im nämlichen Jahre im Monat October fing man an, den Schaden zu repariren und dem Klostergebäude ein zweites Stockwerk aufzusetzen, wie es noch gegenwärtig besteht und den daranstoßenden Garten anzulegen.

Die Kirche ist ein schönes ovales Gebäude mit hinlänglicher Höhe, Lichte und Geräumigkeit. Sie hat von Außen eine recht hübsche Façade und zwei schöne Thürme mit Kuppeln, in welchen ein gutes Geläute sich befindet. Die innere Ausschmückung ist äußerst schön und zierlich, woselbst folgende Altäre aufgerichtet sind. Der Hochaltar mit dem herrlichen Bilde die Verkündigung Mariä, eine Copie desjenigen Bildes, welches sich in Florenz befindet, und welches der Erzherzog Leopold Wilhelm, Bischof von Passau, malen und hieher bringen ließ, dann im Schiffe der Kirche sechs Seitenaltäre, zum heiligen Anton, heiligen Liborius, die Enthauptung des heiligen Johann des Täufers, zum heiligen

Sebastian, heiligen Philippus Benitius, und zur schmerzhaften Mutter Gottes. Auch unter den beiden Thürmen befinden sich Capellen, eine als die Johannes-Capelle und die andere als die Tauf-Capelle bekannt. Außer diesen ist auch noch an der rechten Seite des Schiffes die heilige Peregrinus = Capelle angebaut, welche prachtvoll decorirt, und wovon der Altar schwarzer Lilienfelder-Marmor, der Tabernakel und der Rahmen aber, worin der heilige Peregrinus sich befindet, pures Silber ist.

Seit dem Jahre 1783 ist die Servitenkirche zur Pfarre erhoben worden, woran die Serviten den Gottesdienst versehen.

Die Paramente und Ornate sind vorzüglich reich zu nennen, und der Gottesdienst wird sehr erbaulich abgehalten. Die Pfarre ist mit den Leichen zum Währinger=Leichenhof gewiesen.

So wie wir mit dem untern Werd die Beschreibung der Vorstädte begannen, eben so wollen wir mit dem obern Werd diese Beschreibung schließen. So hieß nämlich die Gegend der heutigen Roßau, und darauf lag ein von Auen umgebenes Fischerdörfchen. Auch dieses hatte eine St. Johanneskirche, wie Siechenals, und das Lazarethkirchlein, das im Alter mit den übrigen beiden streitet. Im XIV. und XV. Jahrhundert gehörte diese Kirche zur Chur nach St. Stephan, und den vorhandenen Urkunden zu Folge waren derselben eigene Pfarrer vorgesetzt. In der ersten Türkenbelagerung 1529 fiel diese Fischervorstadt in Schutt, erhob sich aber gar bald aus demselben, mußte aber in der zweiten Belagerung, als viel zu nahe der Stadt und ihrer Haltbarkeit höchst nachtheilig, der Erde gleich gemacht werden. Nach Abwendung dieser Türkengefahr nahm die Ansiedlung im obern Werd, die nun die Roßau genannt wurde, durch Schiff= und Handelsleute sehr bedeutend zu, und so wurde sie seit den jetzt abgewichenen fünf Decennien vollkommen verbaut und bevölkert, daß wohl keine Spur einer frühern Au mehr zu finden ist.

In dieser Vorstadt besteht eine k. k. Polizei=Bezirks=

Direction. — Grund= und Ortsobrigkeit ist der Magistrat seit der Zeit seiner Erwerbung dieses Grundes.

Vorstehender Art haben wir die alte, an großen Welt= geschicken überaus reiche Kaiserstadt mit ihren vier und dreißig Vorstädten beschrieben, woran wir noch eine kurze

Haupt=Uebersicht

der Gebäude, Seelenanzahl, Bemerkung der verschie= denen Handlungen und Gewerbe mit Einschluß der Fabriken, und Consumtion der k. k. Haupt= und Re= sidenzstadt Wien, anreihen *).

Die innere Stadt zählt . . . . 1214 Häuser
Die 34 Vorstädte zusammen . . . . . . 6834 —

Summa 8048 Häuser.

Die Einwohner, ohne die Fremden, der in=
nern Stadt betragen circa . . . . 50,000 Seelen.
Die Einwohner, ohne die Fremden, der 34
Vorstädte betragen circa . . . . . 229,000 —
Das in Wien in Garnison vorhandene Mili=
tär beiläufig . . . . 12,200 —

Summa 291,200 Seelen.

Darunter sind unter dem Civile begriffen
männliche Personen . . . . 137,660 —
weibliche — . . . . . . 141,340 —

Summa 279,000 Seelen.

---

*) Es bedarf wohl kaum der Bemerkung für den verehrten Leser, daß hie und da eine kleine Differenz der angegebenen Anzahl sich er= geben könne, da die Angaben, die uns von verschiedenen Seiten, als von Behörden, Gremien, Innungen ꝛc. ꝛc. zugekommen sind, nicht ganz vollkommen verbürgt werden können, wobei übrigens aber der etwa wirklich eintretende Unterschied von gar keinem Be= lange seyn wird.

19

Das Miethertragniß wird gegenwärtig in der innern Stadt auf 4,260,000 Gulden C. M., in den Vorstädten auf 4,790,000 Gulden C. M. beiläufig angegeben. — Die Dienstboten männlichen und weiblichen Geschlechtes betragen nach den Verzeichnissen über 32,000 Köpfe. Wien als die erste Fabriksstadt der österreichischen Monarchie beschäftigt allein über 60,000 Menschen in Fabriken und Gewerben; nicht geringer nimmt sie als Handelsstadt einen bedeutenden Rang ein, indem sie der Centralpunct der Geschäfte von der ganzen Monarchie ist, und daher in solcher mehr als tausend Handlungen sich befinden. Die vornehmsten 28 Fabriken in Wien arbeiten in Blonden, Potinet, goldenen und silbernen Spitzen; bey 200 beschäftigen sich bloß mit Verfertigung von Sammt, Seide, Seidenflor und Dünntuch; 125 sind uns als Band=Fabriken bekannt; 140 als Baumwoll=Fabriken; vier mathematische Instrumenten=Fabriken, 15 Papier=Fabriken; 45 Galanterie=Fabriken nebst vielen andern von Metall=Waaren, Meubeln, Tapeten, Bronze, Leder, Hüten u. s. w. Die hiesige k. k. Porzellan=Fabrik allein beschäftigt bei 1500 Menschen, darunter mehr als 100 Maler. Uebrigens wird in Wien alles erzeugt, was nur im menschlichen Sinne liegen kann. Dabei ist sehr natürlich die Menge der Künstler, als: Maler, Zeichner und Kupferstecher außerordentlich groß, wozu eine sehr große Anzahl Tonkünstler zu zählen kommen, da Wien in Betracht auf Musik wirklich die allererste Stadt in Deutschland ist.

Es gibt von den hervorgebrachten Kunsterzeugnissen alljährlich ein großes Erträgniß, wohl mehr als 20 Millionen Gulden C. M., so wie der Handel bei aller seiner Mittelmäßigkeit gegenwärtiger Zeiten, bei 2 Millionen Fuhren und 7000 Schiffe beschäftigt. Summarisch können wir die Meister der verschiedenen Gewerbe der Handwerker auf 5840 angeben und 22,000 Gesellen. Nur an Großhandlun=

gen allein werden bei hunbert gezählt, ohne die griechi= schen und jübischen Handlungshäufer.

Uebrigeus werden in ber Stabt 12 bürgerliche Spe= cerei=, 12 Material=, 54 Gewürz=, gegen 120 Sei= ben=, 15 Galanterie=, 25 Stahl=, 20 Hut=, 13 Le= ber=, 35 Leinwanb=, 24 Tuch=, 11 Pelz=, 8 Eifen=, 14 Kunst unb Mufikalien= unb 28 Buchhanblungen, bann über 140 verschiebene Hanblungen in ben Vorstäbten gezählt. Noch bemerken wir, baß Wien brei bebeutenbe Jahrmärkte abhält, unb zwar: 1) zu Jubilate; 2) zu Margarethen, in ber Leopolbstabt; 3) zu Allerheili= gen. — Die Einwohner confumiren im Durchschnitte jährlich 78,000 Ochfen, 130,620 Kälber, 100,600 Lämmer, 30,020 Schöpfe, 120,020 Schweine, 800,000 Sück Haus= geflügel, als: Hühner, Gänfe, Enten ꝛc.ꝛc.; bei 800,000 Pfunb Fifchen, bei 150,000 Stück Wilbpret, 17 Mil= lionen Eier, 860,000 Metzen Früchte, 10,530 Schilling Kraut, 1,400,680 Pfunb Brot, ungefähr eine Million Ei= mer Getränke, meift Wein, 180,000 Klafter Holz unb 60,420 Centner Steinkohlen.

Ansicht Nr. I.

Die Leopoldstadt sammt der Jägerzeile.

Nr. 1. Das Rothe Thurmthor sammt der Bastei der Stadt von dieser Seite.

— 2. Die Ferdinandsbrücke.

— 3. Die Kettenbrücke, welche zum scharfen Eck und in alle obern Gassen der Leopoldstadt führt.

— 4 Die Pfarrkirche zum heiligen Leopold.

— 5. Die Pfarrkirche zum heiligen Joseph (das Carmeliterkloster).

— 6. Die Kirche der barmherzigen Brüder.

— 7. Das Pfarrkirchlein zum St. Johann in der Praterstraße (Jägerzeile genannt).

Diese Ansicht ist von einem Hause in der Nähe des Rothen Thurmthores aus aufgenommen. Der Vordergrund enthält einen Theil der Bastionen sammt dem Thore, man gewahrt den Lauf der Donau (Leopoldstädter Canal); am Ufer desselben liegen mehrere kleine Schiffe, welche die Fischbehältnisse der Fischmeister enthalten. — Die ersten schönen Gebäude sind meist die besprochenen Kaffeehäuser, zwischen welchen von der Brücke aus sich die Leopoldstädter-Hauptstraße, die zum Tabor führt, eröffnet. Zur Linken, gleichsam der Krümmung des Flußes nach, liegt ziemlich im Hintergrunde der Leopoldstadt die Brigittenau, im Mittelpunkt der Ansicht die Ferdinandsbrücke; rechts hinab von den Kaffeehäusern entlang beginnt die lebhafte Praterstraße, und an diese schließt sich der Prater.

Ansicht Nr. II.

Die Vorstadt »unter den Weißgärbern« und Landstraße.

Diese Ansicht wurde auf der Dominicaner=Bastei, von dem Hause Sr. Durchlaucht des Herrn Fürsten von Die= trichstein aus, aufgenommen. — Der Vordergrund stellt den ganzen Theil der Dominicaner = Bastei dar, mit der Brücke, welche vom Hauptmauthgebäude aus zu den Weißgärbern und auf die Landstraße, überhaupt auf die um die Vorstädte sich herumziehende Straße führt; zur Rechten erblickt man einen Theil der Jägerzeile mit dem an= stoßenden Prater und den untern Theil der Donau, im Au= gesicht der Vorstadt »unter den Weißgärbern,« hinter welcher in gerader Linie die schon ländlich sich gestaltende Vorstadt Erdberg in der Tiefe liegt, die daher nicht mehr sichtbar ist; die fernen Leithagebirge säumen den Horizont. An diese kleine Vorstadt Weißgärber stößt das sehr große majestätische In=

validenhaus, vor demselben das Bassin des Canals, in welches die Schiffe einlaufen, um ihre Fracht auszuladen; man gewahrt daher mehrere Holzstöße an demselben. Die Kirche und das Spital der Elisabethiner-Nonnen stehen zu Anfang der Landstraße, deren ganze Ansicht die Pappelalleen nicht gestatten, zwischen welcher sich die Stubenthorbrücke über den Wienfluß zeigt, der hier der Länge nach vorbeifließt, und dessen Ufer, wie ersichtlich, theils mit Pappeln und andern Bäumen freundlich bewachsen sind; weiter rückwärts auf der Hauptstraße liegt erhaben die Pfarrkirche mit ihren zwei Thürmen, gleichsam im Mittelpunkte der Vorstadt; mehr rechts wird am Canal die schöne Hauptfronte des berühmten k. k. Thierarzenei-Institutes kennbar, und zunächst demselben ist die k. k. Stückbohrerei gelegen mit dem hart vorbeiführenden Canal, noch mehr zur Rechten ist ein Theil der Landstraße gegen den Rennweg situirt, mit den durchaus neuerbauten schönen großen Häusern, die Reisnergasse formirend, und gegen das Glacis sich erstreckend, der Hintergrund stellt noch einen kleinen Theil der Leithagebirge dar. Die Dominicaner-Bastei ist an und für sich reizend gelegen, und die Aussicht gegen diese herrlichen Vorstädte gibt ein nicht minder schönes Bild voll Anmuth und Leben.

Ansicht Nr. III.

Ein Theil der Vorstadt Rennweg, Wieden und Laimgrube an der Wien.

Dieses überaus herrliche Bild von mehreren Vorstädten ist von der Kärnthnerthor-Bastei aus der Wohnung des hochgeb. Herrn Grafen von Segúr, Kammerherrn Sr. Majestät des jüngern Königs von Ungern und Kronprinzen aller übrigen k. k. österr. Erbstaaten aufgenommen worden. Es enthält im Vorbergrunde die Kärnthnerthor-Bastei; man erblickt im Stadtgraben die Artillerie-Zeugstadel, die alte und neue Kärnthnerthorbrücke, die zierlich laufenden Anlagen des Glacis mit den schönen, zu mehreren Vorstädten führenden Alleen, alle die Prachtgebäude gegen das Glacis, und die sogenannte steinerne Brücke über den Wienfluß mit der Hauptstraße gegen die Wieden.

Von dem erzherzoglichen Palais links angefangen bis na=
he zu der St. Carlskirche reicht der Rennweg, an dessen
Vordergrund die k. k. Fuhrwesens=Caserne, der Tan=
delmarkt (Trödlmarkt) und das herrliche fürstlich Schwar=
zenbergische Palais mit seinem prachtvollen Gar=
ten stehen. Nummer 5 deutet die Lage des Bürgerspitals
zu St. Marx und die zunächst demselben stehende k. k. Ar=
tillerie=Caserne, weiter rückwärts am Rennweg, unfern der
Linie an; deutlich gewahrt man die Anhöhe des Rennweges
mit dem friedlichen und schönen Salesianerkloster, und
in noch höherer Lage das majestätische Belvedere (mit der
k. k. Bildergallerie). Die Pracht dieser Vorstädte ver=
herrlicht die schönste der Kirchen Wiens zu St. Carl, ihre
meisterhafte Zeichnung drückt sich in deutlichen Conturen aus,
und lebhaft wird der Beschauer ob dessen Pracht und Schön=
heit angezogen. Zunächst an dieselbe reiht sich das wahrhaft
kaiserliche Institut der Polytechnik mit den andern
daranstoßenden großen und zierlichen Gebäuden. Das rechte
Eck auf die Wieden macht das fürstlich Starhembergi=
sche Freihaus, leicht an seinem großen Umfange erkenntlich,
und von da zurück umfaßt die Gegend die Wieden, den
Schaumburgergrund, Mätzleinsdorf, dessen Kirche
sich zeigt, Laurenzergrund, Nikolsdorf, Margare=
then, Reimprechtsdorf und Hundsthurm. Hier be=
ginnt der Wiener Berg den Hintergrund zu bilden mit der nur
wenig sichtbaren Lachsenburger=Allee von der Favoriten=
Linie aus; mehr rechts zeigt sich uns die durch viele roman=
tische Sagen bekannte Spinnerin am Kreuze, und noch
mehr rechts sehen wir schon die in die Ferne sich verlaufenden
Astungen des Kahlengebirges, und die sogenannten
Medlinger=Gebirge. Leicht wird uns hier im Vordergrund
den Wienfluß zu beobachten, wie er die Wieden von der
Vorstadt Laimgrube an der Wien scheidet, mit seiner hübschen
Baumbesetzung an beiden Ufern, und zunächst dieser die deut=
liche Gestaltung des großartig angelegten Musentempels, des
Theaters an der Wien, mit seinem Haupteingange und den
Nebengebäuden.

Ansicht Nr. IV.

Der Vorstadt Laimgrube mit den kaiserl. königl. Stallungen.

Nr. 1. Die Gumpendorfer Pfarrkirche zum heiligen Aegydius.

— 2. Die Getreidmarkt=Caserne.

— 3. Die Pfarrkirche zu St. Joseph ob der Laim= grube.

— 4. Die Pfarrkirche zu Mariahilf.

— 5. Die Stiftskirche der Ingenieur=Akademie auf der Mariahilferstraße.

— 6. Die k. k. Caserne der Hofburgwache mit dem daranstoßenden Theil der Ingenieur=Akademie in der Stiftsgasse.

— 7. Das Gebäude der k. k. Stallungen.

— 8. Das Neue Burgthor.

— 9. Der k. k. Privat=Garten Sr. Majestät des Kaisers zunächst dem Burgthor.

Diese Ansicht ist aufgenommen aus dem Palais Se. kaiser= lichen Hoheit des Erzherzogs Carl auf der Augustiner=Bastei. — Wir haben im III. Blatte der bildlichen Darstellung bis zu den Nebengebäuden des Wiedner=Theaters hingewiesen; dieses ge= genwärtige Blatt beginnt mit dem daranstoßenden Gebäude, wel= ches die Rückfronte dieses Theaters bildet. Von dieser entlang liegt die Vorstadt Laimgrube an der Wien, den Wienfluß aufwärts, in deren erhöhtem Rücken aber der Magdalenengrund, und an diesen sich anreihend, Gum= pendorf mit seiner hübschen Kirche, der Hintergrund zeigt uns die näher stehenden Medlinger=Gebirge, zwischen

301

ihnen ragt das Silberhaupt des Schneeberges, des Königs aller dieser Gebirge, ehrfurchtgebietend hervor. Das Auge schweift wieder dem Vordergrunde zu, und erblickt in naturgetreuen Umrissen die Getreidmarkt-Caserne, die Laimgrube-Hauptstraße, weiter rückwärts Mariahilf, die kaiserlichen Stallungen mit der ausgedehnten Prachtfronte bis zur Straße nach dem Spitelberg, in dessen Rücken sich uns in der Stiftsgasse die Ingenieur-Akademie und auf der Laimgrube das Gebäude der k. k. Hofburgwache zeigt. — Der Vordergrund dieses Bildes läßt uns dagegen die Augustiner-Bastei erblicken, einen Theil von dem mit ausländischen Gewächsen prangenden kaiserlichen Hofgarten, darin sich die schönen Treibhäuser befinden, und das neue Burgthor mit seiner altdorischen Säulen-Ordnung und seinen drei Durchfahrten, in wahrhaft classischem Baustyl. — Auch hier findet der Beschauer in deutlicher Anlage das Glacis und die Hälfte des äußern schönen Burgplatzes, mit der äußerst lebhaften Passage.

Ansicht Nr. V.

Die Vorstadt Spitelberg, St. Ulrich, Josephstadt und der vordere Theil vom Alsergrund.

Dieses ebenfalls schöne Bild wurde aus dem Dembscherischen Hause auf der Löwel=Bastei aufgenommen. — Sehr leicht erkenntlich ist die Löwel=Bastei, jener alt berühmte Ort, an welchem zur Zeit der zweiten Türkenbelagerung viel theures österreichisches Blut der tapfern Wiener Bürger floß, die sich in der Landesgeschichte dadurch einen unvergänglichen Ruhm erworben haben, mit dem, man darf sagen romantisch gelegenen Paradiesgärtchen. So wie wir im Blatte Nr. 4 einen Theil von dem Hofgarten sehen, eben so erkennen wir in dieser Darstellung einen Theil des Volksgartens, woraus der schöne Tempel des Theseus hervorleuchtet. Die Anlage der großen Strecke vom Spitelberg bis zur Alsergasse am Glacis wird uns sehr klar vor Augen gestellt, und mit einer wahrhaft großartigen Darstellung zeigen sich die oben beschriebenen vorzüglichen Gebäude. Vom Spitelberg zurück beginnt das Neubau, dann das Schottenfeld; diesem entlang rechts liegt das Altlerchenfeld, weiter herab St. Ulrich, Spitelberg, der Strozzische Grund im Rücken der Josephstadt und hinter derselben das Breitefeld, an welches gegen das Glacis zu die Alservorstadt sich anreiht.

Ansicht Nr. VI.

Der rechte Theil der Alservorstadt, die Vorstadt Lichtenthal und Roßau.

Dieser Theil der Vorstädte wurde gleich wie alle übrigen nach der Natur, aus dem Gebäude oder dem Schottenthor aufgenommen.

Mit diesem Bilde sind alle Basteien geschlossen, so wie auch das Glacis rings um die Stadt. — Mehr vollendet in der Contur steht hier das Criminal-Gerichtshaus, im Angesicht der Alser-Caserne, an die rückwärts das k. k. allgemeine Krankenhaus anstößt, daneben auf das Glacis heraus steht das sehr große fürstlich Esterhaszysche Rothe Haus, in dessen Rücken das Militär Spital steht. An dieser Seite im Hintergrunde liegen in der Tiefe am Alserbach die Vorstädte: der Michaelbeuerische Grund, Himmelpfortgrund und

Thury. Unfern vom Rothen Hause befindet sich im vormali= gen Kirchengebäude, das noch im Innern schöne Fresco = Ge= mälde an sich trägt, wie schon erwähnt, das Bettenmagazin, daneben gegen die linke Ecke der Währingergasse die k. k. Ge= wehrfabrik und an der rechten beginnt der sogenannte Och= senberg, besetzt mit neugebauten Prachtgebäuden, dann aber wird uns die in der Tiefe gegen die Donau zu gelegene Roßau ersichtlich, am Glacis mit den noch vorhandenen Holzlegstätten, am jenseitigen Ufer der Donau die Brigittenau, seit zweihundert Jahren her schon ein Unterhaltungsort der Wiener beim jährlichen Kirchweihfeste. Am reichsten prangt in diesem Bilde der Hintergrund mit den lieblichen Abwechslungen des Kahlenberges so wie des Bisamberges, der auf seinem Rücken reich beladen den köstlichen Traubensaft uns spendet. Wir ge= wahren am Fuße des Kahlengebirges die romantisch gelege= nen Dörfer Nußdorf, Heiligenstatt, Grinzing, Siefring und Döbling, die uns von der großen Schönheit der Umgebungen Wiens, ihrem Reichthum und Gottessegen einen reinen Be= griff geben.

Register

über die beiden ersten

Abtheilungen der Darstellung Wiens,

durch

Franz Ritter von Sickingen.

Die römische Nummer bedeutet die Zahl der Abtheilung, die deutsche Nummer hingegen die Seitenzahl. Das Register der III. Abtheilung besteht für sich und folgt dem Gegenwärtigen nach.

A.

A. B. C., Haus zum. I. 181. II. 290.

Aba, König von Ungern. I. 43, 45.

Adalbert I., Markgraf. I. 43, 44, 45, 46.

Adler fünf, die. I. 126.

Aeneas Sylvius Piccolomini. I. 146, 154.

Agnes, Gemahlin Leopolds IV. I. 50, 51.

Ahremberg, Herzog von. II. 155.

Akademie für die adelige Jugend. I. 265.

Akademie der bildenden Künste. I. 271, 278, 279, 305. II. 290.

Akademie, orientalische. I. 292, 306.

Akademie, medicin.=chirurgische. II. 12, 14.

Alanen, die. I. 26.

Albert, von Sachsen=Teschen. II. 132, 195.

1

I *

II *

Körnermarkt, der, in der Leopoldstadt. II. 82.
Kohlmarkt, der. II. 276.
Kollonitsch, Cardinal Graf. I. 246, 258, 261.
Kollonitsch, Graf Sigmund, Erzbischof von Wien. I. 278.
Koltschützky, Georg Franz. I. 247, 261.
Kraft, Peter, seine Gemälde im Invalidenhaus. II. 172, 189.
Krankenhaus, das große allgemeine. I. 271. II. 11.
Kreuzbrüder, die. I. 168, 173.
Kreuz-Capelle, die, in der Stephanskirche. I. 123.
Kreuzzug, erster, I. 48; zweiter, 55; dritter. 60. — 133.
Kriege Oesterreichs gegen Frankreich. II. 27, 60, 89.
Kriegsgebäude, das. II. 280.
Kriegsschiffe auf der Donau. I. 282.
Krönung des jetzt regierenden Kaisers Franz zum römischen Kaiser, König von Ungern und König von Böhmen. II. 25.
Krönung der Kaiserin zur Königin von Ungern. II. 211.
Krönung des E. H. Kronprinzen Ferdinand zum König von Ungern. II. 229.
Krone, Orden der eisernen. II. 136.
Krotenthurm im Anwinkel. I. 279.
Kulm, Schlacht bei. II. 125.
Kunstausstellungen bei St. Anna. II. 201.
Kutusow, General. II. 61.

L.

Lachsenburg, I. 131; große Jagd daselbst. II. 141, 143.
Lacke, die schwarze. II. 97.
Ladislaus, Posthumus. I. 142, 150.
Lärenbecheramt, das. I. 184.
Lager, großes, bei Traiskirchen. II. 216.
Landesjustiz, jetzt Landrechte, die nied. österr. I. 293. II. 278.
Landesregierung, die nied. österr. I. 293. II. 279.
Landhaus, das. II. 278, 279.

III

T.

Register
der dritten Abtheilung.

A.

IV

IV *

P.

R.

v

———

Da sich, ungeachtet aller angewandten Vorsicht, dennoch einige Druckfehler in der ersten und zweiten Abtheilung der Darstellung Wiens eingeschlichen haben, so wird der geneigte Leser hiermit ersucht, selbe nach dieser Angabe zu berichtigen.

Erste Abtheilung.

				statt:	ließ:
Seite	20	Zeile 4	von unten:	Arelius	Aurelius.
—	43	— 16	von oben:	arpardisch	arpablisch.
—	50	— 4	—	Friedrich	Friedrichs.
—	63	— 8	—	gab der	gab ihn der.
—	66	— 13	—	beleartschen	balearischen.
—	77	— 13	—	allen	bei allen.
—	96	— 13	—	Schichhaus	Slechhaus.
—	116	— 19	—	Wassernoth	Wassersnoth.
—	141	— 12	von unten:	Lithouen	Lithauer.
—	177	— 18	—	Melkenburg	Mecklenburg.
—	185	— 8	—	Johanna Ferdinands	Johanna, Tochter Ferdinands.

Zweite Abtheilung.

				statt:	ließ:
Seite	7	Zeile 8	von unten:	Phippinerianer	Philippinerianer.
—	67	— 1	von oben:	sondern auch	sondern sie auch.
—	136	— 14	von unten:	im dortigen k. Lustschloße befindende	im k. Lustschloße zu Hetzendorf befindende.
—	192	— 16	—	Hollitsch in Mähren	Hollitsch in Ungern.

Berichtigungen, die dritte Abtheilung betreffend.

				statt:	ließ:
Seite	103	Zeile 10	von oben:	74 Klafter 4 Schuh	71 1/2 Klafter.
—	119	— 1	—	180000 fl. C. M.	75000 fl. C. M.
—	154	— 14	—	622 Häuser	651 Häuser.
—	—	— 15	—	716 —	752 —
—	—	— 24	—	351 —	413 —
—	—	— 32	—	486 —	488 —
—	155	— 10	—	9133 —	8048 Häuser.

Druck:
Customized Business Services GmbH
im Auftrag der KNV-Gruppe
Ferdinand-Jühlke-Str. 7
99095 Erfurt